Lesley Kagen

Morgen is een rivier

the house of books

Oorspronkelijke titel
Tomorrow River
Uitgave
DUTTON, published by Penguin Group, New York

Vertaling
Mariëlla Snel
Omslagontwerp
Julie Bergen
Omslagfoto
Smari, Getty Images
Foto auteur
Richard W. Bublitz
Opmaak binnenwerk
ZetSpiegel, Best

ISBN 978 90 443 2825 7
D/2010/8899/122
NUR 302

www.thehouseofbooks.com

Voor mijn moeder

Woord van dank

Ik ben heel veel dank verschuldigd aan:

Mijn redacteur Ellen Edwards.

De uitgevers Brian Tart en Kara Welch.

De hardwerkende teams van Dutton en NAL die zich bezighouden met reclame, design, publiciteit, productie, promotie, redactie en verkoop.

Mijn agent Kim Witherspoon voor haar nooit aflatende optimisme.

Het ijverige team van Inkwell Management.

Stephanie Lee, Jeanine Swenson, Hope Erwin, Eileen Kaufmann en Rochelle Staab voor hun waardevolle feedback en vriendschap.

De listige advocaten Darcy McManus, Bruce Rosen en Casey Fleming.

Madeira James, voor het ontwerpen en bijhouden van mijn website.

Mike Lebow; je weet wel waarom.

Boekenclubs, jullie zijn geweldig!

Boekhandels, vooral Next Chapter Books, mijn thuis weg van huis.

Mijn echtgenoot Pete, die engelengeduld heeft met mijn onzinnigheden.

Casey en Riley, mijn aanbiddelijke en ongelooflijk slimme en knappe kinderen.

Lexington en Virgina, voor het uitgeven van dit boek.

Proloog

Als je die lang voorbije zomer de gelegenheid had gehad een bezoek te brengen aan de Carmody-clan in Rockbridge County en als onze kronkelende bergwegen en zo je niet bekend waren geweest, dan had de kans bestaan dat je bij de Triple S was beland om de weg te vragen. Dan had je daar staan transpireren uit al je poriën, wachtend tot de eigenaar aan zou komen snellen. Hij zou het natuurlijk heerlijk vinden in al je behoeften te voorzien. Maar wat zou je dan teleurgesteld zijn geraakt. Want Sam Moody, de eigenaar, zou op zijn veranda zijn blijven zitten tot hij eraan toe was jouw kant op te komen. Je zou zijn geschrokken van zijn gedrag en de indruk hebben gekregen dat hij onbeleefd was. Je zou hebben gewenst dat je bij het Shell-station langs de hoofdweg was gestopt.
Ik probeer hier een beeld voor je te schetsen. Veronderstel dat je toch de moed had gehad om te vragen hoe je bij Lilyfield, waar de Carmody's wonen, moest komen. En veronderstel dat Sam nog altijd niet opgetogen was, maar inmiddels wel zeker wist dat je hem geen kwaad wilde berokkenen en dat hij antwoordde: 'Als je het bos door bent, moet je linksaf Lee Road op draaien.' Dan had je met een zucht van verlichting het gaspe-

daal weer ingedrukt omdat jij ergens vandaan kwam waar het koeler was en waar mensen je beleefder tegemoetkwamen.

Ik kan je echter garanderen dat je, zodra je voor ons smeedijzeren hek remde, die ondraaglijke hitte vergeten zou zijn en ook die niet zo vriendelijke man van het tankstation. 'Kijk nou toch eens,' zou je hebben gemompeld wanneer je onze indrukwekkende oprijlaan en het schitterende huis zou zien. 'Daar is helemaal niets mis mee.'

Maar precies zoals je nog maar even geleden had gedacht dat Sam Moody niets anders was dan een gewiekste halfbloed, ben ik bang dat je eerste indruk van Lilyfield ook een heel verkeerde zou zijn geweest. Als je iets dichterbij zou zijn gekomen, zou je hebben gezien dat ons huis helemaal niet zo mooi was en dat wij Carmody's ook niet zo geweldig waren.

De vrouw des huizes was verdwenen.

In ieders leven komt een moment waarop relaties die ons dierbaar zijn onherstelbare schade op zullen lopen. Ouder worden leert ons dat we domweg alleen nederig kunnen aanvaarden dat we – hoe hard we ons best ook doen of hoeveel tranen we ook vergieten – niet in staat zijn die kostbare brokken weer te lijmen. Maar die zomer waarin ik op zoek ging naar onze moeder die vermist werd, was ik nog maar een meisje. Die levensles had ik nog niet geleerd. O nee. Pas toen de schade was aangericht begreep ik echt wat 'Hoogmoed komt voor de val' betekende.

Nu ik op die tijd terug ga kijken mag ik jouw ogen misschien wel even lenen.

Ik weet zeker dat je wel eens hebt horen zeggen dat je de problemen van anderen pas kunt begrijpen als je in hun schoenen hebt gestaan. Dus misschien zou je me het genoegen willen doen mijn kleine gympen aan te trekken en veertig reusachtig grote stappen terug te zetten in de tijd. En in de zomer van 1969 rond te stuntelen zoals ik dat deed. Zodra je eenmaal weet waarmee ik werd geconfronteerd, hoop ik dat je gaat geloven dat ik teerhartig was en dat mijn bedoelingen zuiver waren. Dat moet toch wel iets zeggen.

Ik neem aan dat je daartoe bereid bent, en ik hoop dat je me toestaat je een goede raad te geven voordat we op pad gaan. Probeer te onthouden wat ik je eerder heb verteld. Want hoewel ik nog steeds word verscheurd door de manier waarop ik op de verdwijning van mama heb gereageerd en dat hoogstwaarschijnlijk meedraag tot ik mijn Schepper zal ontmoeten, ben ik van één ding heel zeker. Eerste indrukken kunnen volstrekt verkeerd zijn.

1

Vanaf hier hadden we een ongelooflijk uitzicht.

Onder minder hartverscheurende omstandigheden zou ik het zelfs kunnen beschrijven als overweldigend en dat betekent niet dat ik poëtisch word, al heb ik wel de neiging dat te worden. De Monacan-indianen steunen me daarin. Volgens een van hun legendes maakte de schoonheid van onze Shenandoah Valley zoveel indruk op de sterren dat deze in de hemel een conferentie belegden en afspraken de meest fonkelende juwelen uit hun schitterende kronen in ons water te gooien. Dat was heel aardig van hen maar wel een beetje kortzichtig. We hadden heel wat meer dan rivieren en kreekjes die hun aandacht verdienden. De Blue Ridge Mountains hullen ons in een luisterrijke groene deken. Als je diep inademt vult de geur van kerstbomen je neus; ongeacht welk jaargetijde. Paarden rennen sneller. Bloemen worden groter. Zelfs de vogels zingen vrolijker.

Ik geloof dat mijn vader, rechter Walter T. Carmody – een heer die in heel Virginia bekend is omdat hij zelden vergissingen maakt – een fout heeft begaan toen hij me naar deze hemelse vallei op aarde vernoemde. Shenandoah betekent 'mooie dochter van de sterren'. Die naam had de Edelachtbare aan mijn zus die nu Jane Woodrow heet, moeten geven, want ik geloof niet dat ik mooi ben. In elk geval niet zo mooi als Woody. We zijn een eeneiige tweeling, maar niet helemaal identiek. Mijn blonde haar kroest als het warm is en mijn groene ogen lijken van een heel andere stamboom afkomstig te zijn dan de hare. Van een afstand kan bijna niemand ons echter uit elkaar houden. Tenzij ik glimlach. Er zit een spleet tussen mijn twee voortanden, maar dat kan me niets schelen want ik haal altijd hoge cijfers.

Mijn zus en ik zitten in een fort op de sterkste takken van een oude eik, die tweeëntachtig stappen van de veranda achter ons huis vandaan staat. Papa heeft dat fort voor ons gebouwd. Daar was hij zo trots op dat hij zijn naam in de stam van de boom heeft gekerfd, als een ware kunstenaar. In de tijd dat hij mij en mijn zus nog zijn 'kleine tweeling' noemde, lagen we samen met hem op de vloer van het fort en waren we heel gelukkig als we de geur van English Leather – zijn aftershave – konden opsnuiven. We vonden het heerlijk zijn regelmatige hartslag te horen onder het zakje van zijn gesteven witte overhemd terwijl hij ons wees op Orion, de Jager of de Grote Beer. Ik herkende die sterrenbeelden bijna altijd, maar Woody niet. Ik kon hem een plezier doen en zeggen 'Ja, daar is de Kleine Beer', terwijl mijn zus dan mee ging neuriën met het liedje dat mijn moeder met haar engelenstem in de keuken onder het afwassen zong.

Maar alles veranderde nadat mama verdween.

Zelfs Lilyfield.

Dat is de naam van ons huis en het twintig hectares tellende, glooiende en beboste terrein dat erbij hoort. Het huis staat buiten de stad en nog niet zo lang geleden zou iedereen die het kende je hebben verteld dat het aantrekkelijk genoeg was om een prijs in de wacht te slepen. Net zo'n prijs als mevrouw

Murdoch had gewonnen bij de verkiezing van Miss Virginia in 1937, waarbij ze tweede was geworden. Begrijp me niet verkeerd. Lolly Murdoch trekt nog steeds de aandacht, maar je moet nu wel beter kijken om de schoonheid te zien die onder haar verweerde huid schuilgaat. Hetzelfde geldt voor Lilyfield.

Hoewel de schutting achter in de tuin een paar planken mist en de drie verdiepingen van het huis meer dan een likje witte verf nodig hebben, vind ik ons huis deze morgen nog steeds schitterend, wat anderen er ook over zeggen. Het is wel een beetje angstaanjagend dat iets zo snel zijn glans kan verliezen wanneer je het niet regelmatig oppoetst. Mama is nog geen jaar weg.

Ons fort is goed bevoorraad. We hebben veren kussens, een kapotte sjaal van chiffon, en dekens. Mijn verrekijker, waarmee ik naar de sterren kan kijken, hangt aan een spijker en er is bijna altijd een blikje met toffees die ik voor mijn zus maak omdat ze tegenwoordig voornamelijk zoetigheid eet. De zaklantaarns die we ter gelegenheid van onze laatste verjaardag hebben gekregen, hebben we altijd bij de hand. De tweeling Carmody wordt op de vijftiende augustus twaalf jaar. In een hoek staat een altaartje dat Woody heeft gemaakt. Het is in feite niets meer dan een roestende koffiekan met een plastic beeldje van de Heilige Judas Thaddeüs erbovenop en een paar kaarsen eronder, maar zij is er stapel op. Mijn zus gelooft nog in die heilige nonsens. Ik niet. Ik neem de moeite niet meer om te knielen voor de beschermheilige van verloren zaken. Dat doet me op verschillende manieren te veel verdriet.

We hebben ook een grammofoon die we bij het oud vuil hebben gevonden, maar die verzamelt alleen maar stof. We hebben hier geen elektriciteit. Ik heb geprobeerd of het met verlengsnoeren vanuit het huis wilde lukken, maar die bleken niet lang genoeg te zijn. Dus worden mama's platen niet gedraaid, maar Woody kijkt graag naar de glanzende hoezen, vooral die van *South Pacific* die bij haar veruit favoriet is.

We hebben in het fort ook een paar kostbare boeken van onze vermiste moeder. Het rijtje wordt keurig op zijn plaats gehouden door een schenkel die ik had gehaald voor onze hond Mars, die net als de planeet wiens naam hij draagt behoorlijk lichtgeraakt kon zijn. Hij wordt ook vermist. Hoewel ik beter wist, had ik die schenkel bij de slager gehaald om mijn zus, die dol op Mars was, te laten denken dat hij misschien terug zou komen. Dat vuilnisbakkenhondje had haar altijd veel liefde gegeven.

Natuurlijk hebben we ook kunst aan de muren hangen. Aan de brede planken van het fort heb ik mijn kaart van de sterrenbeelden vastgeprikt en daarnaast hangt een oorspronkelijk zwart-wit familiekiekje dat in een zorgeloze tijd is genomen. We picknicken in het veld vol wilde lelies waar ons huis zijn naam aan dankt. Mama deed vaak kaassandwiches en gele gelatinepudding in een mandje en dan renden we lachend en schreeuwend naar het veld, zoals alle families dat doen. Wanneer we genoeg hadden gegeten, namen we met zijn vieren een duik in de kreek, die toen een stuk warmer was dan nu. Onze vader rolde dan zijn broekspijpen op, stapte ook het water in en spetterde mama flirterig nat. Zij giechelde en spetterde terug. Woody en ik mochten om de beurt op zijn rug zitten tot we helemaal doorweekt waren. Dat waren geweldige tijden.

Toen ik een keer niet voldoende oplette, was mijn zus die foto met haar kleurpotloden aan het bewerken. Ze tekende golvende gele lijnen op het haar van onze moeder, maakte haar ogen groen en haar wangen felroze. Mama ziet er nu op die foto uit als een bloem te midden van het onkruid. Woody kan er uren naar staren, maar ik moet op Rennies kauwen als ik er te lang naar kijk, dus doe ik dat niet.

Onder ons gaat de hordeur van het huis piepend open.

'Ik heb je heus wel zien wegduiken, Shenny. Denk maar niet dat ik dat niet heb gezien. Kom meteen die boom uit.'

Dat brult onze huishoudster, Louise 'Lou' Jackson, op de veranda aan de achterkant van het huis.

Ze had zich net hierheen gesleept van het huisje bij de kreek waar ze met meneer Cole Jackson, de huisbewaarder van Lilyfield en ook haar oom, woont. Elke ochtend kunnen Woody en ik er rond deze tijd op rekenen zo cru te worden gewekt door een nijdige Lou.

'Hebben jullie me gehoord?' krijst ze.

Ik heb geen zin terug te roepen, maar ze zal niet ophouden tot ik dat wel heb gedaan. Lou is heel strikt geworden. 'Heel Rockbridge County kan je horen!' schreeuw ik. 'Ook degenen die zonder oren zijn geboren.'

'Kom meteen naar beneden voordat ik me bedenk en jullie brutale apen niets te eten geef!' gilt ze, en dan laat ze de hordeur dichtklappen.

Ik ga weer naast mijn zus op de vloer van het fort liggen en duw mijn buik tegen haar gebogen rug. Vrijwel alleen als ze zich zo heeft opgekruld lijkt ze op haar oude zelf, dus wil ik aan de ene kant eigenlijk niet aan haar schouder schudden die precies op de mijne lijkt. Maar aan de andere kant weet ik dat we de boom uit moeten. We hebben belangrijk werk te doen.

'Ik heb Lou gisteren gevraagd om spekpannenkoeken te bakken. Die vind je toch zo lekker?' zeg ik, ook al ben ik er vrij zeker van dat ze daar niet op zal reageren. Voordat mama verdween, zou ze hebben gezegd dat ik niet zo idioot moest doen, omdat ik wíst dat ze dol is op spekpannenkoeken. Maar hoe hard ik tegenwoordig ook schreeuw, smeek of haar beloof twee weken lang amandelcrème op haar handen te smeren... ze laat geen woord meer over haar lippen komen.

'Weet je wat voor dag het vandaag is?' Ik druk mijn neus in haar niet al te lekker ruikende haren. 'Het is de dag van morgen waarover ik je gisteravond heb verteld.' Ik draai haar op haar rug, lik aan mijn pink en strijk haar lichte wenkbrauwen glad. 'Vanmorgen gaan we serieus naar haar op zoek.' Ik kijk naar haar blote benen. Een van de pleisters die ik op haar knieën had gedaan nadat papa ons deze morgen de kelder uit had gelaten, laat bijna los.

Gisteravond was heel erg.

We waren in onze kamer in slaap gevallen en dat hadden we niet moeten doen. Want toen ik wakker werd, zag ik mijn vader bij mijn zusjes kant van het bed staan en hoorde ik hem grommen: 'Ik beveel je tegen me te praten.'

Ik wist niet precies hoelang hij daar al stond, maar in elk geval was het wel lang genoeg geweest om de sjaal van chiffon waarmee Woody slaapt aan stukken te scheuren. Mijn tweelingzusje was de wanhoop nabij en wilde hem weer pakken. Ze heeft die sjaal nodig. Het is het enige ding van mama dat nog naar haar ruikt.

Ik stak mijn armen naar haar uit en zei zonder erbij na te denken: '*Stilmaar*... stilmaar.' Toen ontplofte papa.

'Hou daarmee op!' brulde hij. Hij dook op me af en sleepte me bij mijn enkel het bed uit. 'Ga niet tegen haar zeggen dat ze haar mond moet houden.'

'Dat zei ik ook niet.' Stilmaar was een uitdrukking die wij zusjes gebruikten, en die betekende dat alles goed zou komen, hoe beroerd het er nu ook uitzag. Maar Woody had me niet gehoord, want ze sprong op papa's rug. Hij sleurde haar van zijn rug en ze belandde naast mij op de houten vloer.

'Ga staan!' brulde hij naar ons.

Ik probeerde haar overeind te trekken en zei waarschuwend: 'Woody... alsjeblieft... je moet doen wat...' Toen gaf papa me een klap op mijn rug, keihard, omdat hij zo ver heen was. Mompelend en vloekend en stinkend door het braaksel op zijn toga joeg hij ons onze slaapkamer uit, de trap af en de achterdeur door, naar buiten.

De hele tijd bleef ik zeggen: 'Ik bedoelde er niets kwaads mee. Ik zei niet tegen haar dat ze haar mond moest houden. Ik probeerde haar alleen te troosten.'

Het gras voelde koel aan onder onze blote voeten en er stond een halve maan aan de hemel toen hij de grendel van de kelderdeur haalde. Ik kon de jachthonden van de Calhouns aan de overkant van de kreek horen blaffen. 'Naar binnen,' beval hij ons terwijl hij de deur openduwde.

Woody rende meteen naar haar hoekje en knielde op de zanderige vloer – zoals ze geacht werd te doen – maar ik bleef op de eerste afbrokkelende traptrede staan, nog altijd hopend hem te kunnen overtuigen. 'Ik...'

Tussen opeengeklemde kaken door zei hij: 'Shenandoah, als je zus niet snel haar mond opendoet, zal ik haar... zal ik aan de wens van je grootvader gehoor geven en haar wegsturen.'

'Edelachtbare, alstublieft?' vroeg ik, en ik stak mijn handen naar hem uit.

Ik dacht dat hij zou toegeven, want hij nam mijn handen in de zijne. Maar toen boog hij mijn vingers naar achteren en duwde me de trap verder af. 'Dit is voor je eigen bestwil,' zei hij. Daarna knalde de deur dicht. Het hangslot ging erop. Het was er zo donker.

Kort nadat de vogels waren gaan zingen, liet hij ons weer uit de kelder. Dat doet hij altijd voordat Lou en meneer Cole arriveren, zodat zij het niet te weten komen. Soms is papa dan nog dronken en dan inspecteert hij onze knieën om zeker te weten dat we de hele nacht berouw hebben getoond. Soms is hij niet meer dronken en smeekt hij ons vroeg in de ochtend om vergeving. Woody en ik weten nooit met welke persoonlijkheid van hem we te maken krijgen als hij die kelderdeur openmaakt, en dus moeten we voor de zekerheid wel op onze knieën blijven zitten. Toen de zon deze morgen opkwam, was hij nog dronken.

'Kom nu mee,' zeg ik, en ik duw de pleister op Woody's knie weer vast. 'We moeten aan de slag gaan.' Wanneer ze geen poging doet om rechtop te gaan zitten, trek ik hard aan haar hand. 'We willen toch zeker niet dat Lou aan de Edelachtbare gaat melden dat we recalcitrant zijn?' Ondanks de voor de maand juni te hete ochtend die voor een laagje zweet op haar huid zorgt, rilt mijn zus. Ik geef haar een eskimozoentje. 'Dat willen we echt niet.'

2

Louise van de Bayou gedraagt zich eigenlijk meer als Cleopatra van de Nijl.

Zo ongeveer een maand nadat mama was verdwenen, moest meneer Cole tegen papa hebben gezegd dat Woody en ik enige verzorging nodig hadden, en daar had hij gelijk in. We aten niet regelmatig en omdat we geen van beiden precies wisten hoe de wasmachine moest worden bediend, kon je ons al ruiken voordat je ons zag.

Papa zou voor ons zorgen als hij dat kon, maar dat kon hij niet. Hij had het te druk met verdrietig zijn. Om die reden had meneer Cole, die best goed kan lezen maar absoluut niet kan spellen, me op het trapje van zijn veranda laten plaatsnemen om een keurig nette brief naar zijn nicht te schrijven.

Beste juffrouw Louise Marie Jackson,
Hoe gaat het met u? Wij hebben veel gemeen omdat ik net als u ben vernoemd naar de plaats waar ik ben geboren. Zou u het erg vinden om in een bus te stappen en voor mij en mijn zusje te komen zorgen? Hoe sneller hoe beter.

Hoewel ik daar nu spijt van heb ondertekende ik die brief met *xxx*'s, waardoor ze het verzoek nauwelijks kon weigeren, nietwaar?

De in voodoo gelovende Louise arriveerde twee weken later met de Greyhound-bus en ze kreeg het hier op Lilyfield best naar haar zin. Het weer en de natuur passen bij haar. Het is hier niet zo drukkend warm en er zijn minder muggen en geen kaaimannen zoals in Louisiana, en verder beleeft ze een romance. Wat Lou niet prettig vindt aan het wonen bij ons, is papa. Ze waarschuwt Woody en mij voortdurend, met wijd opengesperde ogen die veel oogwit laten zien. 'Jullie meisjes kunnen maar beter met je schoenen aan gaan slapen. Wat jullie vader gaat doen, laat zich op geen enkele manier voorspellen. Hij gedraagt zich als het ergste soort zombie – zo'n irritante halfdode zombie.'

Omdat zij uit het verste deel van de zuidelijke staten komt, is ze geneigd te overdrijven, dus is ook die opmerking maar gedeeltelijk waar. Ze weet even goed als Woody en ik dat papa voor de volle honderd procent lééft als het om zijn regels gaat.

Woody en ik lopen snel de keuken in en zien onze huishoudster haar zeventien jaar oude achterste ritmisch bewegen terwijl ze voor het fornuis staat en luistert naar *Darlin', darlin', stand by me* dat uit de blauwe transistorradio op de vensterbank boven het aanrecht galmt.

Ik wilde dat ik tegen je kon zeggen dat Lou er beroerd uitziet, maar dat is niet zo. Ze heeft een toffeekleurige huid en heel lange benen, een ronde romp en stevige puntborsten. De laatste tijd doet ze echter niet zoveel, behalve dan Woody en mij behandelen als twee niet al te loyale onderdanen van haar.

Lou schept het pannenkoekbeslag in de zwarte koekenpan, werpt ons een van haar vuile blikken toe en zegt: 'Dat werd tijd. Waarom zitten jullie eigenlijk altijd in dat stomme fort?'

Ik loop naar het aanrecht en ik zeg niet: 'De kleine houten treden naar het fort zijn gammel. Papa kan die trap niet op komen.'

De reden waarom ik Lou of meneer Cole of wie dan ook niet vertel dat de Edelachtbare het op Woody en mij heeft gemunt, is dat ik niet wil dat zijn glanzende reputatie wordt bezoedeld. Niemand zal ooit vermoeden dat hij zich zo tegenover ons gedraagt. Als hij de deur uit gaat is hij een van de meest gerespecteerde mensen in deze stad, maar ik denk dat hij er thuis voortdurend aan wordt herinnerd dat zijn vrouw er niet is. De arme man kan er niets aan doen dat dit hem is overkomen. De drank en het missen van mama doen hem de das om. Ze worden vermengd tot een soort hartbrekende cocktail. Vroeger dronk papa nooit zoveel. Daar is hij mee begonnen toen zijn vrouw was verdwenen, en het is steeds erger geworden. Maar het is iets tijdelijks. Het zal beter worden als ik mama kan vinden. Daar twijfel ik volstrekt niet aan.

'Forten zijn voor kinderen,' zegt Lou. 'Jullie worden daar te oud voor. Jullie zouden erover moeten denken een paar jongens te versieren. Hebben jullie wel eens goed naar jezelf gekeken? Jullie zien er morsig en slonzig uit. Weten jullie niet dat jonge vrouwen hun huid goed moeten verzorgen? Mannen houden van een zachte huid.' Ze smeert haar eigen huid in met niervet. 'Over de vloer van dat fort rondkruipen is rampzalig voor jullie knieën.'

'Wat zeg je?' Ik draai de kraan ver open. Ik houd Woody's handen onder het warme water, en dan de mijne, ik wijs op de kraan en brul: 'Ik kan je niet verstaan.'

'Ik weet dat je me wel degelijk kunt verstaan, Shen. Denk je soms dat ik gek ben?'

'Ik weiger die vraag te beantwoorden omdat het antwoord belastend voor me kan zijn,' zeg ik zacht, en opnieuw wilde ik dat we de oude Lou terug konden krijgen. Ze is niet altijd zo hard geweest. Woody en ik vonden haar aardig toen ze uit de bus stapte, heel timide in een opgelapte grijze jurk en met twee rolletjes pepermunt in haar handen. Ik zette een stap naar voren om de papieren tas met haar spulletjes erin van haar over te nemen en zei: 'Welkom, juffrouw Louise. Heel hartelijk bedankt voor uw komst.'

'Graag gedaan,' zei ze met een verlegen glimlach en zo zacht dat ik haar moest vragen het te herhalen. In die tijd klonk haar stem altijd zacht.

'We hebben vandaag belangrijke dingen te doen,' zeg ik tegen Woody wanneer onze handen schoon en afgedroogd zijn. 'Dus moet je goed eten.' Ik laat haar op haar eigen stoel aan de ronde houten tafel zitten en doe haar een servet om. Mijn hemel! We zijn hard aan een bad toe. Om haar hals en nek zit een ring van viezigheid, en die zal ook wel om de mijne zitten.

'Ik heb gisteren en eergisteren al gezegd dat jullie iets nuttigs met je tijd moeten doen. Iets ánders dan boemelen,' tiert Lou over haar schouder.

'Wij boemelen niet. Boemelen betekent doelloos rondzwerven, maar wij zijn juist heel doelbewust bezig, nietwaar, Woody?'

Soms maak ik heel snel zo'n opmerking, hopend dat ze dan vergeet dat ze niet meer praat. Maar zoals altijd hapt mijn zus niet. Ze is te druk bezig haar vingers door haar haren te halen. Dergelijke dingen is ze de laatste tijd steeds meer gaan doen. Telkens weer iets herhalen, tot ik haar dwing ermee op te houden. Nu doe ik dat ook direct. Als ik dat niet doe, zal Lou weer gaan dreigen Woody's haar af te knippen.

'Boemelen... zwerven... noem het maar zoals je het noemen

wilt.' Lou laat haar stem verder dalen. 'Jij weet net zo goed als ik dat wij het allemaal zwaar te verduren krijgen wanneer de Edelachtbare ontdekt dat ik jullie laat rondlummelen.' Ze pakt een van mijn vlechten en draait die om haar hand. 'Als jullie op lummelen worden betrapt zal jullie vader mij daar de schuld van geven. Hij zou me terug naar huis kunnen sturen en dat zou jou prima van pas komen, nietwaar?' Ze trekt mijn hoofd naar achteren zodat ik haar wel moet aankijken. 'Je doet er verstandig aan de deal die wij hebben gesloten niet te vergeten, want anders zwaait er wat voor je.'

Hare Koninklijke Hoogheid verwijst naar het feit dat onze vader Woody en mij plechtig heeft laten beloven het terrein van Lilyfield niet af te gaan. Hij had zelfs juffrouw Bainbridge ingehuurd om ons thuis les te geven, maar toen kreeg die een baby. Ik wilde dat ik je precies kon vertellen waarom papa zich steeds meer als een gevangenbewaarder is gaan gedragen en steeds minder als een vader. Ik vermoed dat hij heel erg bang is dat wij, zijn kostbare meisjes, net als zijn beminde vrouw zouden kunnen verdwijnen als wij buiten zijn blikveld zouden raken. Daarom had ik Lou kortgeleden moeten beloven dat ik de badkamer voor haar zou schoonmaken wanneer ze Woody en mij elke morgen zou laten ontsnappen terwijl papa uit rijden was. De meeste avonden raakt papa al vroeg bewusteloos door de drank, waardoor mijn zus en ik weg kunnen glippen naar de stad, maar ik was tot de ontdekking gekomen dat de avond niet de beste tijd is om mensen vragen te stellen, omdat de meesten van hen dan niet meer willen worden gestoord. Maar er staat veel op het spel, en het wordt met de seconde onheilspellender. We moeten ons meer gaan inzetten. Woody en ik moeten overdag weg kunnen van Lilyfield als we meer te weten willen komen over mama's verdwijning.

Boven het geluid van sissende bacon uit gilt Lou: 'Shenandoah Wilson Carmody, haal je hoofd van die net gepoetste tafel. Wat is er in vredesnaam met jou aan de hand?'

'Er is niets met me aan de hand, Louise Marie Jackson, maar het is wel heel lief van je dat je ernaar vraagt.' Ik ben dat gemopper van haar beu. 'Ik ben alleen heel erg moe.' Ik geef Woody een vette knipoog om haar te laten weten dat ik alleen maar brutaal ben, hou mijn armen stijf en schuifel over het zeil naar Lou toe, als was ik een van die wederopgestane lichamen waarover ze ons graag vertelde voordat ze zo vol van zichzelf raakte. 'Een van jouw bloedzuigende geesten heeft me de afgelopen nacht leeggezogen. Dat ellendige ding klauterde de trap naar het fort op, beet het puntje van mijn grote teen af, stak er een rietje in en dronk de hele nacht door. En zal ik je nog eens wat vertellen? Voordat hij weer verdween vroeg hij waar jij sliep.'

'Heel erg moe, zei je?' De bijgelovige Lou kijkt naar mijn blote voeten. Wanneer ze er zeker van is dat ik er niet voor zorg dat er bloed op haar keukenvloer drupt, duwt ze me terug naar de tafel. 'Dat krijg je ervan wanneer je tot heel laat in dat stomme fort met die grote verrekijker van jou naar mensen gluurt. Ik weet dat je mij woensdagavond in de gaten hield, Shenny.' Ze zwaait de spatel vlak voor onze neuzen heen en weer. 'En als jij niet ophoudt aan je haar te frunniken, Jane Woodrow, zal ik heel snel mijn schaar gaan pakken.'

Als Louise met mij alleen in de keuken was geweest had ze niet zo arrogant durven te doen. Ze weet hoe ik uit mijn slof kan schieten, maar ze weet ook dat ik alles zal doen wat nodig is om mijn zus in balans te houden. Ruzies maken Woody van streek. Ze is heen en weer gaan wiegen.

'Het is niet erg,' zeg ik, en ik verstrengel haar vingers met de mijne.

Stomme Lou. Ik zal niet zeggen dat ik haar nooit heb bespied, maar het was geen opzet van me dat ik haar die avond uit het raam van haar huisje had zien klimmen. (Ze heeft al geruime tijd middernachtelijke afspraakjes met een man, maar dat zal ik voorlopig voor me houden.) Nee. De reden waarom mijn zus en ik die avond naar het fort waren gegaan had niets te maken met onze afschuwelijke huishoudster. Afgelopen woensdag was de vierendertigste verjaardag van mama.

Normaal gesproken organiseerden we dan een feest voor haar met cadeautjes en witte lampionnen die aan de bomen rond de tuin hingen en met een cake met glazuur van chocoladeboter, maar mama is er niet en dus was er geen feest en werd er ook niet gezongen. Het enige geluid kwam van boven, van papa die huilde. Dat hoorden Woody en ik heel duidelijk, hoeveel kussens we ook op ons hoofd legden. Zijn verdriet kan zo snel omslaan in woede dat we niet weten wat ons overkomt. Daarom waren we die avond ons bed uitgeglipt en naar het fort gerend. Niet om die verwaande Lou te bespioneren.

'Ik waarschuw jullie: je moet uitkijken als je in de stad bent,' zegt ze terwijl ze de bacon uit de pan haalt en op witte borden legt. 'Als een van die liefdadigheidsdames jullie ziet, zal ze dat direct melden.'

'Werkelijk? Die dames kunnen beter op hun woorden letten.' Ik koester geen warme gevoelens voor de preutse tantes die door de stad lopen alsof ze die in eigendom hebben, en mijn moeder mocht hen ook niet.

'Hun geroddel boven het tuinhek wordt door de wet laster genoemd en dat is strafbaar,' zeg ik, ook al weet ik dat ze deze ene keer in haar miserabele leven gelijk heeft.

Er zijn slechts enkele mensen die weten dat papa ons op Lilyfield opgesloten houdt. Ik heb van Vera Ledbetter, die in de drogisterij werkt, gehoord dat hij tegen iedereen die het waagt zich af te vragen waarom de tweeling Carmody niet meer in het kerkkoor zingt, of bij het reservoir steentjes gooit, of met de andere kinderen in het meer vist, zegt: 'De meisjes zijn er nog niet aan toe weer sociale contacten te onderhouden. Ze hebben tijd nodig om het verlies van hun moeder te verwerken.'

Daarom moeten Woody en ik voorzichtig zijn. Als iemand ons rond ziet lopen, kan die tijdens de wekelijkse bijeenkomst van de Herenclub tegen onze vader zeggen: 'Het was echt leuk de tweeling weer te zien rondrennen, Edelachtbare.'

(Geloof me. Dat zou kunnen gebeuren. Als je in deze stad woont heb je de privacy van een op hol geslagen kudde.)

Lou zet onze ontbijtborden voor ons neer en legt haar magere armen op de tafel. Ik snijd de pannenkoeken voor Woody in babystukjes, omdat dat de enige manier is waarop ze zal eten.

'Wat zou je moeder als ze hier was over al dat rondspoken te zeggen hebben?' vraagt Lou.

Ik had kunnen antwoorden dat we niet naar haar op zoek hoefden te gaan als ze hier was, maar Woody valt al wiegend bijna van haar stoel. Dus haal ik een keer diep adem en reageer heel rustig. 'Hoop is het ding met veren dat in je ziel huist.'

'Hou daarmee op. Ik ben vanmorgen niet in de stemming voor die onzin van jou.'

'Het is geen onzin maar poëzie. Emily Dickinson.' De verleiding om te gaan staan, de koekenpan van het fornuis te pakken – met vet en al – en die te gebruiken om haar achterhoofd mee te pletten, is heel groot. Dit doet ze voortdurend. Mij het gevoel proberen te geven dat ik onze lieve moeder in de steek laat terwijl ik nu juist precies het tegenovergestelde probeer te doen.

Ik vraag me af of jij het misschien met haar eens bent. Of je je afvraagt wat er met mij aan de hand is. Waarom ik niet meteen naar mijn moeder ben gaan zoeken. Want ze is al bijna een jaar weg.

Als ik jou was, zou ik niet te snel oordelen. Ik heb gedaan wat ik kon.

Ik heb vragen gesteld aan iedereen die op Lilyfield woont. Ik wilde onze vader niet nog nerveuzer maken dan hij toch al was, maar op een middag heb ik meneer Cole Jackson gevraagd waar mama volgens hem naartoe kon zijn gegaan en wanneer ze zou kunnen terugkomen. Hij legde zijn snoeischaar neer en keek naar de hemel. 'Sommige dingen in dit leven kunnen wij niet weten. De Almachtige heeft een plan met al Zijn kinderen,' zei hij. 'Ik heb gemerkt dat het het beste is Hem geen vragen te stellen.'

Ik had moeten weten dat hij dat zou zeggen. Zo reageert hij namelijk op bijna elke vraag, en dus had ik niets aan hem.

Ik had me zelfs zo ver vernederd om Lou ernaar te vragen. 'Ik dacht dat jij zo'n verdraaid slimme tante was,' zei ze snierend toen ik vroeg of zij iets wist over de verdwijning van mama. 'Je grootvader heeft een beloning van tienduizend dollar uitgeloofd. Als ik iets over de verdwijning van je mama wist, had ik dat natuurlijk allang gemeld. Met zoveel contant geld in handen zou ik een luxe leventje leiden in plaats van voor jullie, verwende meisjes, te zorgen.'

Omdat ik op geen enkele manier iets wijzer werd, begon ik te geloven dat de verdwijning van mama op een of ander dwaas misverstand berustte. Ook nadat sheriff Andy Nash op de avond voor Allerheiligen bij ons op de stoep stond en met een passend gekweld stemgeluid zei: 'Het spijt me, Edelachtbare. Ik... wij... we hebben allemaal gedaan wat we konden om mevrouw Evelyn te vinden. We hebben geen aanwijzingen meer die we kunnen natrekken.'

Dat de sheriff toegaf te zijn verslagen maakte me even woest, maar niet lang. Ik geloofde nog altijd dat mama elk moment naar huis kon komen, wat die maffe Andy Nash ook dacht.

Zeker toen het 24 december werd. Onze moeder is dol op álle feestdagen, maar kerstavond is bij haar veruit favoriet. Die dag ging meneer Cole met zijn bijl het bos in en hij kwam terug met een heel mooie boom voor in de salon. Ik zette de kerstplaat van Mitch Miller op, zoals onze moeder dat zou hebben gedaan om in de stemming te komen voor het versieren van de boom. Nadat mijn zus en ik onze kousen hadden opgehangen en koekjes en warme chocolademelk hadden neergezet, gingen we bij het raam aan de voorkant van het huis staan en zong ik telkens weer *Oh, Come All Ye Faithful.* Maar mama kwam niet.

Op de eerste mei was ik er zo zeker van dat ze, nu de weersomstandigheden beter waren, voor de deur zou staan, dat ik extra vroeg opstond en naar de tuinschuur rende. Maar toen ik de deur opensmeet zag ik alleen de schoenen die mama bij het tuinieren aanhad. Ze lagen op de werkbank, gehuld in spinnenwebben, als een spookachtig cadeautje.

Net als ik aldoor had gedaan sinds mama weg is, zei ik tegen de huilende Woody: 'Moet je altijd zo dramatisch doen? Dat ze nog niet terug is gekomen betekent niet dat dat niet zal gebeuren. Op een ochtend zullen we de keuken in lopen en zal zij daar zitten, thee drinkend en lezend. "Goedemorgen" zal ze dan zeggen, heel blij ons te zien. "Hoe waren jullie dromen toen ik er niet was? Vast niet zo lieflijk als jullie dat zelf zijn." En dan... dan zal alles weer worden zoals het was. Of nog beter. Papa en zij hebben beiden even een fijne vakantie gehad. Iemand die een tijdje weg is geweest wordt altijd dierbaarder. Wacht maar eens af!'

Ik wist dat ze dat niet geloofde – ook al zei ze het niet – en dat was ongebruikelijk. Tot ze bijna tien jaar oud was had ze namelijk nog in de Tandenfee geloofd.

Maar rond die tijd kreeg ik het idee dat als mijn normaal gesproken zo lichtgelovige tweelingzusje niet geloofde dat mama uit eigen vrije wil zou terugkomen, *ík* misschien degene was die daar langer dan normaal werd geacht in geloofde. Misschien zou onze moeder echt niet terugkomen. De volgende week niet. De volgende maand niet. Nooit. Misschien was mama dood.

Toen werd ik heel erg wanhopig. Het leven leek op die schilderijen in de kunstboeken van mama. Die van meneer Claude Monet. Ik werd er zo huilerig van. Ik reageerde zelfs niet meer op de bel die het avondeten aankondigde. Het doen van zelfs de meest eenvoudige dingen werd al moeilijk door het zware verdriet dat ik met me mee torste. Omdat Woody mijn tweelingzus is begreep ze dat ik voor de derde keer kopje-onder dreigde te gaan en liet ze me niet los. Dat heeft me gered.

De derde reden waarom ik niet gemotiveerder naar mijn moeder heb gezocht is je al bekend. Het is heel erg riskant het terrein van Lilyfield te verlaten. Papa houdt zijn meisjes graag binnen grijpafstand.

En de vierde reden? De laatste reden waarom ik het zoeken heb uitgesteld is dat ik mezelf weliswaar heel dapper vind, maar eigenlijk toch absoluut niet naar mama wil zoeken. Niet omdat we haar niet wanhopig hard nodig hebben. O nee. Als je naar een dier op zoek gaat, begin je in het bos te zoeken. Maar hoe spoor je een zoekgeraakte moeder op? Het was mogelijk dat ik van de vroege morgen tot de late avond naar haar zou zoeken en toch met lege handen thuis zou komen. Daarom blijf ik mezelf afvragen of het niet het beste zou zijn gewoon te blijven doen wat we hebben gedaan. Afwachten en hopen dat ze terugkomt. Dat zou zo'n grote opluchting zijn dat ik mezelf er bijna door laat overtuigen. Maar dan schrik ik midden in de nacht wakker en zie ik mijn zus geknield naast me zitten, haar wangen nat van de tranen.

Maar hoe groot de verleiding ook is om niet te gaan zoeken – en geloof me als ik je zeg dat die heel groot is – ik moet de feiten onder ogen zien. Mijn lieve Woody is volledig in zichzelf gekeerd en mijn arme papa is zo in de war dat hij dreigt haar weg te sturen. Dus ben ik de enige die overblijft. Ik moet ophouden met piepen en mijn moeder vinden voordat het te laat is. Dat kan ik. Echt. Ik ben immers Shenandoah Wilson Carmody, mooie dochter van de sterren!

3

Langs Lilyfield loopt Last Chance Creek.
Op sommige dagen koestert hij zich in de zon, zich nauwelijks bewegend. Op andere dagen stroomt hij losjes, alsof hij nergens dringend naartoe hoeft. Maar op deze belangrijke ochtend stroomt de kreek snel de bergen af, klaar om een binnendringer te verscheuren. Woody en ik lopen door het water langs de oever, met onze snelste gympen om onze nek. We hebben zoals gewoonlijk bij elkaar passende spijkerbroeken en T-shirts aan. Ik houd haar zweterige hand vast en in mijn andere hand heb ik mijn tinnen lunchtrommeltje dat ik een paar jaar geleden van onze buurman heb gekregen. Vroeger stond er VERLOREN IN DE RUIMTE op, met een paar plaatjes van planeten erbij, maar die zijn eraf gesleten. Mijn haar is ingevlochten. Dat van Woody niet. Ze wilde me vanmorgen niet in de buurt van die verwarde haardos laten komen. 'Blijf mijn hand vasthouden,' zeg ik voor de zoveelste keer tegen haar.

We hadden het veelgebruikte pad door het bos aan de voorkant van Lilyfield dat uitkomt op Lee Road kunnen nemen, maar omdat we het van gestolen tijd moeten hebben is lopen langs de kreek veel sneller en bovendien verkoelend voor onze blote voeten en enkels. Voordat we vertrokken had ik even in de grote schuur gekeken om zeker te weten dat de box van papa's hengst leeg was. Het zadel was er ook niet. Hij gaat elke morgen paardrijden. Waarheen weet ik niet, maar wanneer Pegasus terugkomt zit hij altijd onder het schuim.

Ik moet toegeven dat ik niet veel heb om vanuit te gaan bij het zoeken naar mama. Het kan mij echter niet beroerder afgaan dan sheriff Andy Nash. Voor zover ik weet heeft hij van niemand ook maar enige informatie gekregen over haar verblijfplaats. Dat verbaasde me helemaal niets, omdat zijn vragen zo eigenaardig waren.

'Weet jij of je moeder vijanden had?' vroeg de sheriff aan mij kort na mama's verdwijning.

Omdat ik geen hoge dunk van hem heb, zei ik nogal brutaal: 'Vijanden? Mama? Dat zou zoiets zijn als ruzie zoeken met een koekje dat net uit de oven is gekomen.'

Daar moest papa om grinniken. Hij zat naast me in het kantoor van de sheriff omdat hij het Andy Nash had verboden mij of Woody te ondervragen als hij er niet bij was. Mijn vader wilde niet dat we nog meer van streek raakten dan we toch al waren. Zo beschermend is hij.

Met zijn pen in de aanslag boven zijn notitieboekje boog de sheriff zich over zijn bureau heen. Ik kon zijn nerveuze zweet ruiken. Papa kan dat effect op mensen hebben omdat hij zo machtig is. 'Hoe zit het met haar vrienden of vriendinnen?' vroeg hij. 'Denk je dat iemand van hen kan weten waar ze naartoe is gegaan?'

Achter mijn rug kruiste ik mijn vingers en zei: 'Mama had geen vrienden. Dat klopt toch, Edelachtbare? Ze bracht al haar tijd door met zorgen voor haar gezin.'

Ik loog tegen de sheriff omdat de enige vrienden en vriendinnen die mijn moeder had door mijn vader van het etiket *streng verboden* waren voorzien. Wettelijk gezien betekende het 'verboden vruchten', maar in werkelijkheid betekent het dat papa het niet goedkeurt dat ze hen opzoekt. Ik wilde mijn toch al verdrietige vader niet nog triester maken, en dat zou hij ongetwijfeld worden als hij ontdekte dat zijn vrouw soms de voorkeur gaf aan het gezelschap van andere mensen boven het zijne.

Kort na onze sessie met de sheriff was ik aan al die 'verboden vruchten' vragen gaan stellen. Hoewel ik daar toen niets wijzer van was geworden, kon het geen kwaad het nogmaals te proberen. Uit ervaring weet ik dat een herinnering plotseling als een ongenode gast op je stoep kan staan terwijl je er helemaal niet klaar voor bent die te ontvangen.

Omdat ik dus niet veel heb om vanuit te gaan, reken ik op eenvoudige oude roddel om onze moeder te vinden. Woody en ik hopen dat Blinde Beezy Bell ons die roddel kan leveren. Daarom zijn we deze morgen onderweg naar haar huis in Mudtown. Ik had haar lang geleden gevraagd heel goed naar de kletspraatjes te luisteren waarbij mama's naam viel, en ik hoop dat Beezy ons vandaag eindelijk iets te vertellen heeft.

Het is negen uur, maandagmorgen 9 juni 1969. Dat betekent dat aanstaande vrijdag – het begin van de grootste gebeurtenis die de stad kent, namelijk het Founders Weekend – helaas op de dertiende valt. Nu geloof ik, anders dan Lou Jackson, niet in al die bijgelovige nonsens, maar als ik in de stad een zwarte kat of een ladder zie, zal ik die ongetwijfeld mijden. Ik heb telkens weer gemerkt dat je beter het zekere voor het onzekere kunt nemen.

E.J. Tittle wijst vanaf de andere oever op de kolkende kreek en brult: 'Pas op. Het water is vanmorgen woest.'

'Onzin!' brul ik terug.

Woody en ik zijn sinds... altijd al, denk ik, via de steppingstones overgestoken. E.J. weet dat heel goed, maar als grote broer van drie zussen is hij een beetje beschermend ingesteld. Met andere woorden: E.J., die voluit Ed James heet, zou zich een hoedje lachen als ik in het koude water van de kreek viel, maar niet wanneer dat Woody overkwam. Hij is stapel op haar.

E.J. woont hoger op de heuvel achter de plek waar hij nu staat, in een huis dat heel anders is dan ons fraaie huis. Zijn huis doet me denken aan een berg gebruikte tandenstokers. Het is niet zo dat zijn papa niet voor zijn gezin zorgt of lui is. Meneer Frank Tittle probeert hele dagen te werken, maar na twaalf uur 's middags is hij daar meestal niet meer toe in staat. Hij is mijnwerker geweest in West Virginia, en daardoor haalt hij moeizaam adem en moet hij erg hoesten.

Gegeven hun omstandigheden spreekt het vanzelf dat de familie Tittle altijd krap bij kas zit. En niet veel te eten heeft. E.J. is zo mager. Als hij zijn tong uitsteekt ziet hij eruit als een ritssluiting. Hij kan alleen voor wat vlees op zijn botten zorgen door in de kreek te vissen, gevangen konijnen aan een spit te braden en wilde bessen te plukken. En alsof dat alles nog niet afgrijselijk genoeg is, heeft de Heer hem nog een kruis te dragen gegeven. Ik wil niet onvriendelijk zijn of zo, maar de dokter heeft op de dag van zijn geboorte waarschijnlijk zijn moeder op de billen geslagen in plaats van hem. Hij is zo alledaags. Hij ziet eruit alsof een kolibrie een nest in zijn haren heeft gebouwd. Zijn neus is klein, niet groter dan een vogelei, en zijn ogen? Die zijn doffer dan modder. Alleen zijn mond verdient een lovend woord. Die zit nu onder het bessensap maar is verder normaal. Soms vraag ik me af of Woody zijn lippen nog net zo uitnodigend vindt als vroeger. Die twee zeiden voortdurend dat ze op een dag met elkaar zouden trouwen. Ik kon het niet over mijn hart verkrijgen te zeggen dat ze mijn zegen hebben, maar dat het idee van een huwelijk tussen hen meer dan belachelijk is. Opa Gus vervloekt de dag waarop papa 'een slecht huwelijk' heeft gesloten en hij zal het een andere Carmody nóóit toestaan die vergissing nog eens te maken. Het soort mensen als de Tittles noemt hij 'mijnslijk'.

Ja, dat is zijn mening. Niet de mijne. Ik zou nog liever de ingewanden van een eekhoorn opeten dan tegen E.J. zeggen hoe ik echt over hem denk, maar ik zie hem als een hardwerkende burger die wat hij qua uiterlijk en geld mist goedmaakt met een dappere en zorgzame persoonlijkheid. Elke keer wanneer ik er tegenover hem op zinspeel hoe grootscheeps we in de problemen zouden komen als we op rondneuzen werden betrapt, bewijst hij dat ik daar gelijk in heb. Dan schuift hij zijn wasberenpet naar achteren, steekt zijn borst vooruit en gromt: 'Een man uit de bergen moet doen wat een man uit de bergen moet doen.' (De jongen heeft eerder de afmetingen van een molshoop, maar je moet bewondering hebben voor zijn lef.)

Ik moet Woody bijna dragen wanneer we de kreek oversteken. 'Waag het niet,' zeg ik als ik voel dat ze probeert zich los te trekken. Mijn zus oogt zo licht als een veertje, maar ze is even sterk als de noordenwind en met een laatste ruk is ze los. Ze vliegt over de steppingstones en gebruikt haar armen niet eens om zich in evenwicht te houden.

'Kijk uit! Ze ontsnapt!' brul ik over de kreek heen. Als E.J. haar niet vastpakt zodra ze de andere oever heeft bereikt, weet hij net zo goed als ik dat ze zal wegrennen en we onze kostbare tijd niet kunnen gebruiken waarvoor die was bedoeld, maar op zoek moeten gaan naar de eigenzinnige Woody.

E.J. gaat op zijn hurken zitten, vangt haar op en roept: 'Maak je geen zorgen. Ik heb haar beet.'

'Hou haar stevig vast zoals ik je dat heb laten zien. Van achteren.' Woody is de kreek uit gesprongen en op de oever geland, dicht bij hem in de buurt. Maar ze rent niet weg. Ze blijft berouwvol staan. Alsof ze heeft ingezien dat ze een fout heeft gemaakt. Maar ze is mijn tweelingzus en ze kan mij niet in de maling nemen. 'E.J., trap daar niet in. Blijf haar in de gaten houden. Ze doet alsof.' Mijn zus kijkt naar links, naar rechts, naar opzij. Maar onze handlanger is ook snel. Zodra ik zeker weet dat hij haar stevig vast heeft, loop ik naar hen toe en beland daarbij twee keer tot mijn knieën in het water. Zo kwaad ben ik. 'Verdorie, Woody. Heb je ooit van het woord samenwerking gehoord?' Ik trek haar uit E. J.'s armen, ruk de gympen van haar nek en duw haar op de grond. 'Ben je nu niet alleen stom maar ook nog eens doof? Ik heb tegen je gezegd dat we vanmorgen niet veel tijd hebben. We moeten mama vinden.' Ik pers haar voeten in de gympen en knoop de veters te stevig vast. 'Als ik niet beter wist zou ik nog denken... Je doet alsof het je niets kan schelen of ze naar huis komt of niet.'

Terwijl ik naar mijn zus kijk herinner ik me hoe ze vroeger was. Op de dagen waarop ze met mama liedjes uit musicals zong. Waarop wij hier in de kreek kikkers vingen maar ze meteen weer vrijlieten omdat Woody het niet aankon een levend wezen kwaad te doen. De dagen waarop wij op onze buik in het hoge gras lagen en kettingen van madeliefjes maakten – de hare altijd veel mooier dan de mijne vanwege haar artistieke talenten. We vonden het heerlijk dezelfde kleren aan te trekken en dan iedereen in de maling te kunnen nemen. Met uitzondering van onze moeder. Natuurlijk maakten we ook wel eens ruzie. Woody was altijd de eerste die excuses aanbood. Dan gaf ze me een tekening van de sterren of speelde Duimelot-Likkepot met mijn vingers, ook al was de ruzie helemaal mijn schuld. Soms redde ik het niet zonder mijn goeie ouwe tweelingzus. Soms haat ik deze nieuwe Woody echt. 'Ga staan!' brul ik tegen haar.

'Waarom doe je zo?' vraagt E. J. Hij duwt me opzij. 'Je weet dat ze dat niet begrijpt.' Hij gaat op zijn knieën zitten en plukt een twijgje uit haar verwarde haardos. Veegt met zijn duim een vlek van haar wang. Woody staart naar het bos, alsof ze er niet bij is. Ik ben er niet eens zeker van of ze weet of de zon schijnt of dat de maan aan de hemel staat. Wat zou ik er niet voor over hebben om haar me te zien aankijken en te horen zeggen: 'Sorry dat ik erover dacht om weg te rennen. Ik weet niet wat me bezielde. Krijg ik een knuffel?'

O, dat temperament van mij!

Je moet weten dat ik daar niets aan kan doen. Het is mijn schuld niet. Ik heb die neiging om uit mijn slof te schieten geërfd. Maar anders dan sommige andere familieleden van me die naamloos zullen blijven (mijn grootvader), weet ik in elk geval dat ik excuses moet aanbieden. Ik maak de veters van Woody's gympen weer los en zeg telkens weer '*Rabadee*'. In onze taal betekent dat 'Het spijt me'. Ik zal E.J. ook om vergeving moeten vragen. Niet zoals ik dat bij mijn zus heb gedaan, want dat is niet passend voor een Carmody. Ik zal het doen zoals ik het in zijn geval altijd doe: via de grap die ik had gelezen op een wikkel van Bazooka-kauwgom. Ik vind die grap op het randje van idioterie balanceren, maar E.J. lijkt er elke keer weer een kick van te krijgen.

'Hé,' zeg ik, en ik geef hem een por in zijn onderrug.

'Wat is er?' Hij is nog steeds druk met mijn zus bezig en stopt haar shirt weer in haar short.

'Vind je het geen mooie dag om naar de bank te gaan?'

Hij draait zich naar me toe en probeert zijn gezicht in de plooi te houden. 'Welke bank bedoel je, Shenny?'

'De schommelbank, E.J.'

Hij buldert van het lachen, vergeeft me snel, hijst Woody overeind, veegt de viezigheid van haar benen en strijkt met een hand haar haren glad.

Ik voel me zondig jaloers op hem. Wat zou ik er niet voor overhebben om eens lekker te kunnen schateren! Mijn gevoel voor humor lijkt te zijn verdwenen rond dezelfde tijd dat mama verdween. 'Dat was ik bijna vergeten,' zeg ik, en ik maak mijn lunchtrommeltje open. Ik geef E.J. wat er nog over is van de spekpannenkoeken. Ik had de restjes van mijn ontbijtbord geveegd toen Louise zo geconcentreerd naar haar spiegelbeeld in de bodem van een pan keek dat het haar niet opviel.

E.J. stopt het eten in zijn mond en zegt onder het kauwen: 'Ik heb ook iets voor jou.' Natuurlijk. Zijn mama en papa mogen dan omwille van hun kinderen gedwongen zijn tweedehands spullen aan te nemen, maar iedereen weet dat E.J. liever aan zijn duimen wordt opgehangen dan iets aan te nemen wat hem uit liefdadigheid wordt gegeven. Ik zie hem over een omgevallen boom springen en dan komt hij terug met heerlijk ogende bramen in een eikenblad. 'Ze komen van de struiken bij de waterval,' zegt hij terwijl hij ze aan me geeft. 'Ik heb ze vanmorgen vroeg geplukt. Haar lievelingsfruit.'

Ik stop een braam in de al geopende mond van Woody. 'Zie je haar mondhoeken bewegen?' Ik wijs op de volle lippen, die we van onze moeder hebben geërfd. 'Dat betekent dank je wel,' zeg ik tegen E.J.

'Dat weet ik.' Met een heel liefdevolle blik in zijn ogen veegt hij bramensap van haar kin en zegt tegen haar: 'Graag gedaan, snoes.' Daarna geeft hij mij een vriendelijke por tegen mijn arm.

Ik weet dat ik hem niet zou moeten aanmoedigen, maar hoe nijdig hij me ook kan maken... Hij is alles bij elkaar genomen een goede en trouwe handlanger.

We zijn boven op Honeysuckle Hill en kunnen bijna onze hele stad zien. De stad is vernoemd naar de beroemde Slag bij

Lexington-Concord. Hij is niet zo groot als – laten we zeggen – Charlottesville en ook niet zo belangrijk als Richmond, de hoofdstad van de staat. Wat Lexington wel heeft is een fikse dosis historische charme. De Confederatie heeft honderdvierenveertig soldaten achtergelaten op de begraafplaats, om ons hun dappere strijd in herinnering te brengen. Van heinde en verre komen mensen om afdrukken van hun grafstenen te maken en hun offer eer te bewijzen. En als je dat wilt kun je ook het huis van Stonewall Jackson van binnen bekijken.

In de avond zorgen gaslantaarns voor lichte stippen op de trottoirs. En overdag zijn er in Main Street winkels die feestjurken, sieraden en meubels verkopen. Maar als je koelkast er de brui aan geeft, moet je naar Sears Roebuck om een nieuwe te gaan halen. Die winkel ligt aan de snelweg ten oosten van de stad en is echt heel modern.

Wat restaurants betreft staat The Southern Inn op de eerste plaats. Daar wordt de allerbeste kip geserveerd, onder ventilatoren die laag aan het plafond hangen. Of in elk geval was dat zo. Wij Carmody's gaan niet meer uit eten, dus moet je mijn mening misschien met een korreltje zout nemen.

Op de hoek van Johnson en Hayfield Street bevindt zich Filly's: nog een plek waar Woody en ik graag naartoe gaan wanneer we daar de kans toe krijgen. Op de woensdagen blijft die lang open en je kunt er allerlei bruikbare dingen te weten komen door onder het openstaande raam van Filomena Morgans schoonheidssalon op je hurken te gaan zitten. Vrouweninformatie die je moeder je zou geven als zij er was. Daar ontdekte ik dat je je teennagels het beste kunt knippen wanneer je net uit bad bent, omdat ze dan nog week zijn. Daar kwam ik ook te weten dat Oil of Olay goed is voor een te droge gezichtshuid. En dat je er niets aan kunt doen wanneer je man vanuit zijn werk naar huis komt en 'meteen in de keuken aan de slag wil gaan'. Volgens mevrouw Mandy Nash, de vrouw van de sheriff, is het haar plicht dan te grijnzen en het te verdragen. 'Dames, ik weet niet wat jullie dan doen, maar ik doe gewoon mijn ogen dicht en droom over de nieuwe pumps die ik de volgende morgen direct zal gaan kopen,' had ik haar vorige week nog horen zeggen. (Mevrouw Nash heeft meer paren lakleren pumps dan wie verder dan ook in de stad, wat me het idee geeft dat de sheriff echt van koken moet houden.)

Verder naar het westen staat het college van Washington & Lee, waar papa op heeft gezeten. Het is opgetrokken uit rode baksteen en je voelt je al intelligenter wanneer je er alleen maar langs loopt. In de mooie kapel van dat college ligt Robert E. Lee begraven en Traveller, zijn trouwe paard, ligt voor eeuwig naast zijn baas.

Naast het college staat het Virginia Military Institute. Ik heb het altijd eigenaardig gevonden dat het terrein eromheen niet op een slagveld lijkt, want er worden toch jongens opgeleid om in oorlogen te vechten. Maar het VMI heeft glooiende gazons, tjokvolle bloemperken en bomen die welkome schaduw bieden.

Desgewenst kon ik ook een deel van het immens grote grondgebied van mijn grootvader zien. Dat heet Heritage Farm en het begint aan de rand van de stad met een heel lange oprijlaan die kronkelend naar het huis boven op een heuvel leidt. Aan de achterkant zijn bronnen, en een weide die zich uitstrekt tot de lage heuvels voor de bergen. Er werken veel mensen voor hem. Op dat schitterende terrein waarop tarwe wordt verbouwd, zijn mijn vader en diens broer opgegroeid in een groot landhuis dat me altijd aan Tara uit *Gejaagd door de wind* doet denken. Het is alleen veel ouder omdat het er vrijwel sinds het begin van onze jaartelling staat. Grootvader woont daar met zijn veel aardigere wederhelft: onze oma Ruth Love, die een echte dame is. Maar die kant zal ik niet op kijken. Die voldoening zal ik hem niet schenken, want Gus Carmody is een taaie rotzak.

Ik zet mijn verrekijker voor mijn ogen en stel die in tot ik Blinde Beezy duidelijk kan zien. Zoals gewoonlijk gaat ze heel vreemd gekleed, omdat iemand die blind is weinig aan een spiegel heeft. Beezy grinnikt deze morgen, zoals ze dat bijna altijd doet. Omdat ze nog maar weinig tanden heeft, een oranje jurk draagt en een groene vilten hoed op haar hoofd heeft gezet, zou ze gemakkelijk kunnen doorgaan voor een uitgeholde pompoen met een mensengezicht. Een van die leuke pompoenen dan, die je in de palm van je hand kunt houden. Niet zo'n dik en vierkant exemplaar. Ze is altijd vroeg uit de veren, dus wist ik dat ze al op de veranda van haar huisje zou zijn: een huisje dat opvalt naast de rest van Mudtown. Als een zonnebloem op een autokerkhof. Twee jaar geleden hebben de dames van de oude presbyteriaanse kerk haar huisje zo opvallend geel geschilderd. Die presbyterianen zijn sluw. Ze doen altijd goede dingen voor Beezy. Om haar weg te lokken van de Beacon-baptisten, vermoed ik.

Ik kijk op het horloge van mama en loop de heuvel af terwijl ik naar E.J. en Woody schreeuw: 'Schieten jullie eens op. We hebben nog maar eenenveertig minuten de tijd.'

4

Haar huis aan Monroe Street is groot noch klein. Het is eigenlijk precies perfect. Het is gemaakt van hout en het telt slechts één verdieping, wat een goede zaak is omdat we niet willen dat Blinde Beezy van de trap valt. Ze heeft een leuke veranda en veel bomen. Aan bijna elke tak hangen vogelhuisjes die door meneer Cole met de hand zijn gemaakt. Beezy is dol op vogels omdat 'ze overal naartoe kunnen gaan en alles kunnen doen, welke kleur ze ook hebben'. Natuurlijk kan ze haar gevederde vrienden niet zien, maar ze kent hun geluiden en ze is vooral gesteld op de roep van de purperen oeverzwaluw, die klinkt als een gorgelend beekje. Ik denk ook dat Beezy vogels zo aardig vindt omdat zij van God het recht hebben gekregen op mensenhoofden te poepen, welke huidskleur ze ook hebben, en niemand ze daarvoor kan straffen. Als ik als neger in plaats van als blanke was geboren, zou ik het sommige mensen hier in de buurt kwalijk nemen dat ze de zwarten behandelen als 'oud vuil' zoals mijn grootvader hen graag definieert. Ik geloof inmiddels niet meer dat ze inferieur zijn aan wie van ons dan ook, want dat is onzinnig. Ik ken een paar eersteklas negers. Ik ken ook een aantal tweederangs blanken. (Twee mensen die tot die laatste categorie behoren zijn familie van mij.)

Beezy hoort van onze huisbewaarder, meneer Cole, hoe het ons vergaat. Die twee zijn lief voor elkaar. Soms neemt hij Woody en mij mee hiernaartoe wanneer hij Lilyfield klaar heeft gemaakt voor de nacht. Als we zeker weten dat papa in slaap is gevallen sluipen wij in het donker weg. Beezy maakt kippenpasteitjes voor ons klaar, op de gevangenismanier. Met veel bladerdeeg, wat wij het lekkerst vinden. Nadat we haar voor haar gastvrijheid hebben bedankt door de afwas te doen, gaan we op ons gemak op de veranda zitten en luisteren bij het licht van de maan samen met haar en meneer Cole naar de prachtige muziek van Billie Holiday of die van de met zijn tenen tikkende Duke Ellington, die zij op haar Victrola draait. Omdat meneer Cole weet dat papa niet veel 'hemelse' tijd meer met me doorbrengt, is hij zo vriendelijk geweest me op sommige van die avonden te vertellen over de astronauten die van plan zijn volgende maand op de maan te landen. Hij kijkt omhoog naar de hemel en zegt: 'Ik denk dat ze het prima zullen doen. Denk jij dat ook niet, Shenny?' Dat bevestig ik altijd, maar dat meen ik niet. Meneer Cole begrijpt niet hoe moeilijk het is veilig langs meteoren en asteroïden en God weet wat nog meer te vliegen. Zelfs als het die mensen lukt al die gevaren te omzeilen... hoe groot is dan de kans dat ze veilig zullen landen? Nee. Ik heb niet veel hoop voor de mannen die naar de maan gaan.

Woody en ik gaan ook naar Beezy toe omdat mama heel vaak tegen ons heeft gezegd dat we dat moesten doen. 'Schatjes, als er iets met mij gebeurt kunnen jullie erop rekenen dat Beezy of jullie grootmoeder over jullie zal waken tot alles weer in orde is.' Woody en ik zeiden dat we daar ook zeker van waren, maar ik vroeg me toen wel af hoe dwaas iemand kan zijn. Wat zou haar in vredesnaam kunnen overkomen als papa haar elke minuut van elke dag in de gaten hield? (Tegenwoordig denk ik dat mijn moeder misschien was gezegend met helderziendheid.)

Woody, E.J. en ik zijn snel door de achtertuinen van de zwarte wijk gelopen om nieuwsgierige ogen te vermijden. We spelen hetzelfde spelletje als altijd. Als we ooit ongemerkt bij haar konden komen, had Beezy gezegd, zou ze ons allemaal een kwart dollar geven. We hebben dat al jarenlang geprobeerd. We sluipen langs haar hoge heg, niet meer dan drie meter van haar veranda vandaan en vlak langs haar vogelbadje. Ik ben niet zo dol op dat spelletje en dat is Woody ook niet, omdat we weten hoe het is om te worden beslopen, maar we doen het voor E.J. Aan de manier waarop hij grinnikt zie ik dat hij zich al afvraagt hoe hij de kwart dollar zal uitgeven. Opeens zingt Beezy: 'Zijn er vogeltjes van plan een lekker bad te nemen, of zijn dat de knappe meisjes Carmody en die hardwerkende jonge Tittle?'

Het is ons nooit gelukt om ongemerkt langs dat vogelbadje te komen. De oude dame heeft iets griezeligs.

E.J. mompelt iets, gefrustreerd omdat hij vijfentwintig dollarcent echt goed zou kunnen gebruiken, maar ik brul: 'Wacht op ons.'

Ik zie Woody de trap naar de veranda met twee treden tegelijk op springen en niet al te zacht op de bekende schoot van Beezy belanden. Mijn zus is zo opgewonden omdat Beezy heel speciaal voor ons is. Toen we nog heel klein waren heeft ze mama geholpen voor ons te zorgen. Woody is degene die haar het koosnaampje Beezy heeft gegeven. Eigenlijk heet ze Elizabeth, maar die naam kon mijn zus moeilijk uitspreken toen ze klein was. In die tijd is ze haar Beezy gaan noemen, en al snel deed iedereen dat.

Er is een tijd geweest dat Beezy betaald kreeg om het huis van mijn grootvader op de Heritage Farm schoon te maken, maar ze werd ontslagen omdat mijn grootvader even gemeen is als Simon Legree. Daarna trouwde ze met de waardeloze Carl Bell. Vervolgens vermoordde ze hem en moest ze naar de gevangenis. Omdat ik van nature nieuwsgierig ben heb ik haar een keer gevraagd hoe het voelde om iemand te vermoorden. 'Dat weet ik eigenlijk niet, schatje. Ik voel me geen moordenares,' zei ze schouderophalend. 'Ik voel me eerder een wasvrouw die de wereld heeft verlost van een ziel die onherstelbaar was bezoedeld.'

Mijn eigen vader heeft haar naar de Red Onion State Prison gestuurd, hoewel bijna alle zwarten en een paar blanken in de stad – onder wie mijn moeder – geloofden dat Beezy vrijgesproken moest worden. 'Carl heeft me op mijn hoofd geslagen tot ik blind werd en hij probeerde me toen te wurgen met kippengaas,' verklaarde ze in de rechtszaal. Ze maakte de bovenste knoopjes van haar blouse los zodat de jury de nog rode striemen in haar hals kon zien. 'Het was niet mijn bedoeling hem te doden. Ik probeerde alleen mezelf te verdedigen.' (Beezy had een fileermes in Carls hals gestoken en toen was hij ter plekke doodgebloed omdat het mes volgens meneer Cole zijn halsader had geraakt.)

Na zes dagen te hebben beraadslaagd, sprak de jury Beezy niet vrij, maar toonde wel medelijden. Ze werd niet veroordeeld wegens moord maar wegens doodslag. Haar veroordeling is een van de redenen waarom ik denk dat Beezy niet zo op papa is gesteld. Ik kan begrijpen dat ze hem dat kwalijk neemt, maar volgens mij ziet ze het grotere geheel niet. Natuurlijk had hij milder kunnen zijn toen hij haar tot vijf jaar gevangenisstraf veroordeelde – een straf die bij goed gedrag kon worden verkort – maar zoals altijd had rechter Walter T. Carmody gelijk. Want wanneer ze geen lakens van de gevangenen waste en uitwrong, leerde ze van een van de vrouwelijke gevangenbewaarders te breien en zo. En daarmee voorziet ze nu in haar levensonderhoud. Uit alle delen van Rockbridge County en van nog verder weg komen mensen naar Lexington om haar felgekleurde truien, sjaals en petten te kopen. Misschien komen ze alleen iets kopen om tegen hun vrienden te kunnen opscheppen dat het door een moordenares is gemaakt. Ik weet het niet.

Ik ren achter Woody aan de trap op en roep: 'Woody, kom onmiddellijk van haar schoot af. Kun je niet zien dat je haar bijna verplettert?' Ze kijkt geschrokken op. Hoewel ze soms doet alsof ze me niet kan horen, kan ze me altijd prima verstaan. 'Kom eens kijken wat ik heb meegenomen.' Ik maak mijn lunchtrommeltje open. Ik had niet alleen de restjes van het ontbijt meegenomen voor E.J., maar ook Woody's tekenspullen. Als ik haar niet bezighoud, zorgt ze voor problemen en daar hebben we deze morgen geen tijd voor. We hebben een deadline. 'Waarom maak je het je daar niet gemakkelijk?'

Woody doet deze keer wat ik wil, legt haar potloden en krijtjes neer, strijkt haar tekenpapier glad en gaat bij de voeten van Beezy zitten om kunst te maken. E.J. loopt in de richting van de hordeur. Zijn kleine neus snuift – net als de mijne – de geur op van iets lekkers.

Witte pioenen staan in al hun glorie langs het hek van Beezy en vullen de achtertuin met hun doordringende geur. En mijn geest met herinneringen aan mama. Pioenen zijn haar favoriete bloem. Ze zaten in haar bruidsboeket omdat ze een goed voorteken voor een gelukkig huwelijk zouden zijn. Kort voordat ze verdween was ze chagrijnig geweest en daarom had ik pioenen van een van de struiken hier afgeknipt en was ik daarmee naar huis gerend. Ze stond door het keukenraam naar buiten te kijken. 'Kijk eens wat ik voor u heb meegenomen,' zei ik terwijl ik naar binnen rende.

Ze schrok en zei een beetje triest: 'Dank je, Shen.'

Toen ze de kristallen vaas uit de kast wilde pakken kropen de lange mouwen van haar blouse omhoog. Ik wees op haar armen en vroeg: 'Hoe komt u aan die blauwe plekken?'

Mama trok de mouwen snel weer op hun plaats en zei: 'Mijn arm... is bekneld geraakt tussen de deur en de hordeur.'

'U zou voorzichtiger moeten zijn,' zei ik, niet verbaasd. Mijn moeder heeft vaak ongelukjes. Ze heeft altijd wel ergens een blauwe plek die al vervaagt of een die nog vers is.

Toen de bloemen waren geschikt zoals zij dat wilde, draaide ze zich naar me om en bedankte me nogmaals, maar de blik in haar ogen was niet zo blij.

'Vindt u ze niet mooi?' vroeg ik gekwetst.

Mama aarzelde even, nam toen mijn warme gezicht tussen haar handen, die koel waren door het water uit de kraan, en fluisterde: '"Ik zal het gelukkigste wezen onder de zon zijn! Ik zal honderd bloemen aanraken en er niet een plukken."'

'Wat betekent dat?' vroeg ik toen ze zweeg.

Ze kuste de verwarring van mijn gezicht en zei: 'Wat Edna St. Vincent Millay met dit gedicht wil zeggen is het volgende. Als je iets helemaal voor jezelf houdt – hoewel ik het heerlijk vind dat je aan me denkt – is het belangrijk bloemen te laten groeien, en hetzelfde geldt voor mensen. Begrijp je dat?'

'Ja,' zei ik, maar eigenlijk begreep ik het niet.

Beezy hoort het gesnuif van E.J. en zegt: 'Je ruikt wat, hè? Er staan beignets in de oven, maar mijn enkels vertellen me dat er ook gras moet worden gemaaid.' Dat was een deal die ze hebben gesloten. Appelbeignets in ruil voor grasmaaien. 'Ik neem aan dat je dat wel zo snel mogelijk zult willen doen.'

E.J. weet beter dan wie dan ook aan welke kant zijn boterham is gesmeerd en dus zegt hij: 'Ja, mevrouw. Morgenochtend kom ik direct het gras maaien.' Dan loopt hij naar binnen.

Nadat ik naast Beezy ben gaan zitten zegt zij: 'Het is maar

goed dat je vandaag hierheen bent gekomen. Ik was van plan vanavond naar jullie toe te gaan.'

'Gisteren hebben we geprobeerd weg te komen, maar Louise laat ons keihard werken. Oma komt hierheen voor het Founders Weekend en je weet hoe ze kan reageren wanneer alles niet brandschoon is.'

Beezy strijkt met een kanten zakdoekje over haar hals en zegt: 'Dat weet ik inderdaad.'

'Maar dat geeft Lou nog niet het recht zo moeilijk te doen. Ik zweer je dat ze in een leeg huis nog ruzie zou kunnen maken,' zeg ik, al weet ik wel dat Beezy dat niet met me eens zal zijn. Ze heeft heel erg met Louise te doen.

Als ik klaag dat onze huishoudster ons een slag in de rondte commandeert en zeg dat ze een sukkel is, zegt Beezy: 'Shenny, val haar niet te hard. Ze doet me denken aan mezelf toen ik zo oud was.'

Nu vraagt Beezy: 'Dus Ruth Love komt de festiviteiten ook bijwonen? Ik weet dat ze daar vorig jaar niet toe in staat was.'

Woody, die als een gek aan het kleuren is geweest, kijkt direct op bij het horen van de naam van haar oma. 'Dat denk ik wel,' zeg ik, hopend dat mijn zus me niet kan horen.

'Gaat het nu weer goed met haar?' vraagt Beezy.

'Meestal wel.' Ik wou dat ze dat onderwerp liet rusten. Ik weet dat zij en oma vroeger op vriendschappelijke voet verkeerden en dus vraagt ze altijd naar haar. Woody echter heeft een paar aanvaringen met onze grootmoeder gehad. Als hier een wedstrijd werd georganiseerd om te bepalen wie de beste belle uit de zuidelijke staten is, zou zij die met gemak winnen. Ze kan prachtig borduren. Ze kan heerlijk draadjesvlees maken, en aardappelpuree zonder een enkel klontje erin. En haar taarten vallen altijd in de prijzen. Ze doet ook kaartspelletjes met Woody en mij, maar geen poker omdat ze ook heel vroom is en de Bijbel gokken verbiedt. Alles bij elkaar zouden we ons geen betere oma kunnen wensen.

Meestal.

Af en toe heeft oma wat wij worden geacht 'episodes' te noemen, maar ik geef Woody altijd opdracht bij haar uit de buurt te blijven als ik denk dat er zo'n woedeaanval op komst is. De ene woedeaanval is aanzienlijk erger dan de andere. Ze heeft een paar jaar geleden met een bijl de piano in haar salon bewerkt omdat de Heer tegen haar had gezegd dat ze te veel genoot van het spelen van ragtime. Grootvader Gus had de mensen verteld dat zijn vrouw een probleem had met haar hart en niet met haar hoofd, en dat ze daarom een maand in haar slaapkamer moest blijven, met de gordijnen dicht. Daarna stuurde hij haar naar de Virginia State Colony for Epileptics and Feebleminded in Lynchburg, om beter te worden. Gelukkig werd ze ook beter, nadat de artsen tegen haar hadden gezegd dat ze moest ophouden zo vroom te zijn en haar een paar elektrische schokken hadden gegeven.

'Wat bedoel je met meestal?' vraagt Beezy achterdochtig. Ze weet dingen over oma Ruth Love die andere buitenstaanders onbekend zijn, omdat mama die aan haar heeft verteld. Ook al werd ze niet geacht dat te doen. We mogen niemand vertellen wat zich binnen de familie Carmody afspeelt, maar mijn moeder heeft veel lef. Dat heb ik van haar geërfd. 'Ruth Love is toch niet de kluts kwijtgeraakt?'

'Nee, nee. Waarom denk je dat? Ze doet alleen veel te veel Bengay op en daar heeft de gevoelige neus van Woody last van. Dat is alles.'

Dat van Bengay is waar, maar wat ik de gemakkelijk van streek rakende Beezy niet vertel is dat onze grootmoeder ons tijdens haar laatste bezoek de hele middag Heilige Communie met haar had laten spelen. Dat had Woody ook nijdig gemaakt, en wie zou haar dat kwalijk kunnen nemen? Je kunt Wonder Bread dat in hosties is veranderd niet onbeperkt eten zonder een opgeblazen gevoel in je maag te krijgen.

'Heb je nog nieuwe roddels gehoord?' vraag ik, en probeer Beezy af te leiden van het onderwerp 'oma'. Haar ogen doen het niet meer, maar haar oren zijn net sponzen die de sappige roddels opzuigen die ze hoort van de dames die onderweg naar de stad langs haar huisje lopen. Ze moet iets hebben gehoord. De verdwijning van mama is nog steeds groot nieuws.

'Even nadenken.' Ze legt haar handwerkje op haar schoot. 'Bijna iedereen heeft het erover dat Mary Jane Upton gisteren gekleed in een badpak de kruidenierswinkel in kwam en zich Rita Hayworth noemde.'

Mevrouw Upton loopt altijd te schaars gekleed door de stad om te vragen naar die hitsige man van haar die 's avonds in het Old Blue Hotel werkt. Je zou verwachten dat iedereen daar nu wel aan gewend was geraakt. 'Heb je nog iets nieuws te melden?' Anders dan E.J. snak *ík* naar ook maar de kleinste aanwijzing over de verblijfplaats van mama.

Beezy denkt even na en zegt dan: 'Ik heb gehoord dat Abigail Hawkins tot voorzitter is gekozen van de Ladies Auxiliary.'

'Wat geweldig.'

'Ik heb ook gehoord dat ze regelmatig bij jullie komt. Klopt dat?'

Ik krijg een vieze smaak in mijn mond. 'Ze komt bruin brood en rabarber brengen en... ik durf te zweren dat ze probeert Betty Crocker een slechte naam te bezorgen.'

'Shen, juffrouw Abby komt niet naar Lilyfield omdat ze zo dol is op koken, en ik verwacht dat jij dat weet.'

'Hoe bedoel je dat?' vraag ik, alsof ik geen idee heb wat ze bedoelt.

Ik heb daar echter wel een vermoeden van, want ik heb pater

Tommy na de kerk tegen papa horen zeggen: 'Walter, een jaar rouwen wordt als voldoende beschouwd. De tweeling heeft een moeder nodig.'

Wat is er met zijn geloof gebeurd? Met zijn hoop? Ik kan niet geloven dat de priester net als een paar ongetrouwde dames in de stad vergeet dat mama slechts tijdelijk en niet blijvend weg is. Abigail Hawkins is de ergste van al die dames, maar ik heb een lijst gemaakt van alle vrouwen die na de mis een oogje aan papa wagen. Dat zullen ze moeten bezuren, is het enige wat ik daarover wil opmerken. (Ik ben van plan juffrouw Delia, die in het pension woont, te vragen hen allemaal te beheksen. Je zou eens moeten zien wat ze met Charity Thomas heeft gedaan toen die onaardig tegen me was geweest. Juffrouw D. heeft haar een bochel gegeven. Een grote. Denk aan een dromedaris.)

'Ik heb de stellige indruk dat juffrouw Hawkins bezig is een web voor je vader te weven,' zegt Beezy.

E.J. loopt de veranda weer op, met een beignet in elke hand en kauwend op een derde.

Hij heeft er mayonaise op gedaan. Ik denk dat je hem bijna alles kunt laten doen voor een pot Hellman's. Hij slikt een hap door en zegt: 'Ik heb ook de indruk dat juffrouw Abby een web aan het weven is.'

'Dat is niet waar,' zeg ik, en ik geef hem een por in zijn ribbenkast. 'Je wilt alleen maar nog meer beignets hebben.'

'In Hull's draaien ze *Singin' in the Rain* weer,' zegt Beezy, die haar handwerk oppakt en zo te kennen geeft hoe ze deze donderdagavond graag zou willen doorbrengen. Ze is dol op de avonden dat er oude films worden gedraaid, net zoals mama daar dol op was. Zeker wanneer het een musical is. Woody en ik hadden onze babydolls aan wanneer we op snikhete avonden naar de drive-in van Hull's gingen. Mama zette de luidspreker harder en Beezy en zij zongen mee. Onder de sterren dronken we Coca-Cola uit een flesje en aten we Cracker Jack en dat was allemaal... hemels. We missen die goede oude tijd in Hull's, en dus probeer ik dat goed te maken op de donderdagen dat papa in geen velden of wegen te bekennen is. Je zou wel heel stom zijn als je in een auto stapte met een blinde vrouw achter het stuur, en dus rijd ik erheen in Beezy's oude bruine Pontiac. Dat lukt me best wanneer ik langzaam rijd.

'Toen die film net uit was moest ik het Belmont Theater stiekem in glippen,' zegt Beezy. 'Mensen met mijn huidskleur mochten niet...'

'Beezy, laat het me alsjeblieft niet uit je hoeven te trekken. Ik heb nog maar weinig tijd,' zeg ik ongeduldig, en ik druk het horloge van onze moeder tegen haar oor. Op de achterkant staat het woord *Speranza* gegraveerd, dat Italiaans is en hoop betekent. Mama had dat horloge van onze vriend Sam Moody gekregen, en het is mijn kostbaarste bezit. Met elke tik heb ik het gevoel dat ik vorderingen maak om haar te vinden, en het herinnert me er ook aan dat Woody en ik een goede vriend hebben in Sam, die tussen twee haakjes een buitenechtelijke zoon van Beezy is. 'Heb je me iets te melden waar ik wat aan heb? Zo niet dan gaan we snel naar de drogisterij om met Vera te praten.'

'Meisje, het is al zo lang geleden. Je moeder...' zegt Beezy mismoedig.

'Uistel kan gevaarlijk zijn,' zeg ik. Sam zei dat voortdurend tegen mijn moeder. 'Dat is een citaat van William Shakespeare. Het betekent dat je haast moet maken en iets moet doen voordat er iets echt beroerds gebeurt.' Beezy wil niet dat mijn hart breekt als ik mama niet kan vinden. Daarom is ze terughoudend. 'Als ik niet zo lang had gewacht voordat ik haar ging zoeken, zou ze nu misschien al thuis zijn. Begrijp je dat?'

Dat wil ze duidelijk niet begrijpen, en ze zucht. 'Gistermiddag vertelde Dorothea Dineen aan Harriet Godwin dat ze had gehoord dat Evie voor haar verdwijning naar een baan in de bibliotheek had gesolliciteerd.'

Wat zei ze? Probeerde ze me in de maling te nemen?

Het is waar dat mama zich het gelukkigst voelde wanneer ze door boeken werd omgeven, maar vrouwen in goede doen vullen hun dagen met tuinieren en met het verwennen van man en kinderen. Ze hebben geen baan. Ik bedoel te zeggen dat mama een baan in de bibliotheek had kúnnen krijgen als haar dat was toegestaan. Ze heeft op het Sweet Briar College gezeten om zang te studeren omdat ze hoopte op een dag op Broadway te staan, maar toen werd ze verliefd op de grote dichters uit het verleden en op de grote kunstenaars. Dus ging ze meer over hen leren, tot ze verliefd werd op papa. Kort voordat zij haar diploma zou halen zijn ze getrouwd.

'Weet je zeker dat je dat goed hebt gehoord?' vraag ik aan Beezy. 'Een baan in de bibliotheek?' Ze hadden het mis. Papa had ons na de verdwijning van mama niet meer naar de bibliotheek laten gaan, maar als hij dat wel had toegestaan had ik me waarschijnlijk constant verbeeld dat ik haar naar boeken zag zoeken en zou ik me nog beroerder voelen.

Dus ging ik de bibliotheek op de dinsdagmiddagen bellen – de tijd waarop wij gewoonlijk boeken gingen halen – om te kijken of zij daar was. Ik wist dat dat stom was, maar ik bleef hopen dat iemand een van die keren aan de lijn zou komen en zou zeggen: 'Mevrouw Carmody? Ja, die is hier.'

Dan zou ik mijn moeder even later 'hallo' horen zeggen en zou ze, als ik haar vroeg waar ze al die tijd was geweest, zeggen: 'O, mijn hemel. Ik heb niet op de tijd gelet. Je vader is toch nog niet terug van de rechtbank?'

Uiteindelijk moest ik dat bellen opgeven. Die ellendige bibliothecaresse Jeanine Anderson vertelde het aan papa en daarom is de telefoon op de begane grond verdwenen.

E.J. eet het laatste stukje van de beignets op en vraagt aan Beezy: 'Wat bent u aan het maken?'

'Ik probeer iets nieuws. Een mofje.' Omdat ze niet kan zien welke kleren wol ze combineert, zijn haar truien en sjaals altijd perfect gebreid maar heel schreeuwend van kleur. 'Vind je het mooi, Shenny?' vraagt ze, en ze zwaait met het ding mijn richting op.

'Prachtig,' zeg ik, en ik word met de seconde nijdiger. We hebben geen tijd voor een normaal bezoekje zoals dit, maar het is zinloos te proberen Beezy zo snel mogelijk door een praatje over koetjes en kalfjes heen te loodsen. Dat werkt averechts.

'Over werk gesproken...' Ze is weer met het mofje bezig. 'Denkt Kleine Walter erover binnenkort weer terug te gaan naar de rechtszaal?' Zo noemt ze papa. Kleine Walter. Hij moet inderdaad op een telefoongids gaan zitten om over zijn tafel heen te kunnen kijken, maar dat hoeft zij toch niet hardop te zeggen?

'Ik weet zeker dat de Edelachtbare meteen naar zijn hamer terug wil als mama weer thuis is,' zeg ik. Het lijkt te weinig loyaal om haar te vertellen dat ik me hem niet binnen korte tijd in een rechtszaal kan voorstellen. Wie kan het trouwens iets schelen of hij weer aan het werk gaat of niet? Het geld hebben we niet nodig. We zijn de rijkste familie in de stad en mijn grootvader bezit de helft van Rockbridge County.

Beezy hoort me geeuwen en vraagt: 'Krijg je wel acht uur slaap?'

'Ik slaap niet eens zes uur. Woody is het merendeel van de nacht bezig met...' Ik kijk naar mijn zus.

Ze tekent met het enige potlood dat ze nog gebruikt, het zwarte – de kleur van de rouw. Het zit me echt dwars dat ze geen woorden wil opschrijven. Als ze niet kan praten is dat prima, maar ze heeft papier en potloden en zou het echt haar dood worden als ze een keer 'Shen, ik hou van je?' opschreef?

'Ben je met haar bij de dokter geweest?' vraagt Beezy, die in staat is aan te voelen wanneer ik van streek ben.

'Natuurlijk.' Papa had me toestemming gegeven elke zondagavond, wanneer er bijna geen mensen meer op straat zijn, met Woody naar de praktijk van dokter Keller – boven de ijzerwarenwinkel – te gaan. Vrijwel het enige wat die doet is veel vragen stellen over wat er naar ons idee met mama kan zijn gebeurd. Ik werk hem tegen, want wat heeft hij daar uiteindelijk mee te maken? 'Kunt u haar niet gewoon beter maken?' vraag ik elke keer, hopend dat hij met een ander antwoord zal komen.

'Dat zou ik kunnen doen als er lichamelijk iets mis was met haar,' zegt hij wanneer hij de keel van mijn zus heeft onderzocht. 'Met haar stembanden is niets aan de hand. De omstandigheden zorgen ervoor dat ze niet kan praten.'

Chester Keller is een studiegenoot en de oudste vriend van papa, maar volgens mij is hij over zijn hoogtepunt heen. Is het zo vreemd dat mijn zus haar stem heeft verloren?

Beezy fronst haar voorhoofd. 'Je neemt nogal wat hooi op je vork door in je eentje naar Evelyn te gaan zoeken, Shenny.'

Wat word ik geacht dan te doen, wil ik bijna roepen. *Papa dreigt Woody weg te sturen omdat ze niet wil praten... Het is nu harder dan ooit nodig dat mama terugkomt.* Beezy mag dan heel veel weten van wat er in de stad gebeurt, maar ze weet nog niet de helft van wat er op Lilyfield gebeurt. Ze weet dat papa ons dicht bij hem in de buurt houdt, maar ze weet niet hoe dicht. Als ik haar zou vertellen over de kelder, over de ondervragingen en alle andere dingen, zou ze ons toch op geen enkele manier kunnen helpen. Dus heeft het geen zin haar van streek te maken. Dat zou gevaarlijk voor haar kunnen zijn.

'Maak je alsjeblieft geen zorgen,' zeg ik. 'Ik doe dit niet helemaal in mijn eentje. Ik heb iemand in gedachten die me een handje kan helpen.'

Beezy weet precies over wie ik het heb. 'Hmm,' zegt ze, maar dat meent ze niet. Als ik de tijd had om haar gerust te stellen zou ik dat doen, maar mijn zus heeft de houding van een roofdier aangenomen, ze is net zo verstijfd als een jachthond. Als ze een snuit had gehad, zou die een bepaalde kant op wijzen.

'Nee... nee...' Ik steek mijn handen naar Woody uit, maar ze glipt tussen mijn vingers door.

'Shen, wat gebeurt er?' vraagt de altijd alerte Beezy.

'Er is niets aan de hand. Er is echt niets aan de hand.' Ik geef haar een klopje op haar knie, die aanvoelt als een glazen deurknop. 'Woody is er weer vandoor gegaan. Ik handel dit wel af.' Vanaf de rand van de veranda brul ik: 'Kom terug!' Mijn zus negeert me niet alleen. Ze neemt niet eens de moeite naar links of naar rechts te kijken terwijl ze de straat over rent, naar de begraafplaats. 'Wil je je tekening van... eh...'

Ik kijk naar het tekenvel en ik weet al dat ik daarop iets morbides zal zien. Bijvoorbeeld een vrouw die wordt geslagen door een duivel met hoorntjes, of een harig beest met tanden waar schuim vanaf druipt. De tekening van vandaag doet me sterk denken aan Mars, onze hond. Maar hij is wel heel bloederig. Ik zou tegen Woody moeten zeggen dat de hond nooit terugkomt. Dat zou ik echt moeten doen.

'Sta daar niet met open mond te kijken. Doe iets!' roep ik naar E.J. Hij leunt lui tegen het hek van de veranda en kijkt gefascineerd en vol aanbidding naar mijn zus, die zigzaggend tussen de grafstenen door loopt, onderweg naar een net gedolven graf waar Bootie Young tot aan zijn navel in staat. De reden waarom E.J. niet snel achter haar aan gaat is dat hij weet waardoor Woody zo van streek is, en ook dat dat niets met Bootie Young te maken heeft. Die jongen is beslist een dromer, maar op het gebied van romantiek heeft hij een ding dat tegen hem werkt. Hij leeft. Woody voelt zich tegenwoordig véél meer aangetrokken tot dode mensen.

Als om dat te bewijzen lijkt ze de knappe jongen niet eens te zien terwijl ze begint te ijsberen. Heen en weer. Heen en weer langs het graf, met wapperende armen. Dat wapperen is haar irritantste gewoonte geworden. En de op één na irritantste is met haar ogen knipperen, wat me altijd het idee geeft dat ze me in morse een SOS probeert te sturen terwijl ik morse niet beheers. Ik kan maar beter snel naar haar toe gaan voordat ze iets totaal onvoorspelbaars doet.

'Ze doet niemand kwaad,' zegt E.J., die mijn arm vastpakt wanneer ik langs hem ren. 'Laat haar, Shen.'

Ik ruk me los. 'Blijf van me af!' Het verbaast me hoe razend ik ben en te zien aan de gezichtsuitdrukking van E.J. verbaast hem dat ook. 'Hou op me te vertellen wat ik moet doen. En als je me ooit nog eens aanraakt, stuk mijntuig, zal ik... zal ik...'

'Shenandoah Wilson Carmody, bied E.J. nu meteen je excuses aan,' zegt Beezy waarschuwend.

'Maar hij... hij...'

'Shenny!' Beezy tikt met haar kleine voet hard op de vloer van de veranda.

'Mij best.' Met mijn meest damesachtige stemgeluid zeg ik tegen E.J.: 'Mijn welgemeende verontschuldigingen.' Ik zorg ervoor dat Beezy het kan horen zodat ze me vergeeft. Maar ze kan niet zien dat ik keihard in zijn wang knijp.

Stom joch. Hij doet alsof Woody en hij al zijn getrouwd.

5

Ik volg precies dezelfde route langs de grafstenen en de mausoleums die Woody had genomen en loop langs een heleboel overleden familieleden van ons terwijl ik onderweg ben naar Bootie en zijn hol. Grootvader heeft op zijn terrein ook een begraafplaats, waar een paar ontdekkingsreizigers hun laatste rustplaats hebben gevonden omdat onze huidige begraafplaats er nog niet was in de tijd dat zij door indianen werden gedood. Of om het leven waren gekomen door een ongeluk met een ploeg, of gewoon door roodvonk.

'*Hurrah! Hurrah! For Southern rights, hurrah!*' zingt Bootie. Hij oefent. Tijdens de officiële opening van het Founders Weekend, genoemd naar de ontdekkers van ons dal, brengt hij altijd 'The Bonnie Blue Flag' ten gehore – het traditionele lied uit de Burgeroorlog – omdat hij is geboren met een fraaie bariton die een mensenmenigte heel emotioneel kan maken.

De familie Young heeft een melkveehouderij, maar volgens een paar opstellen die ik Bootie in de klas heb horen voorlezen toen Woody en ik nog naar school gingen, vindt hij er niets aan om heel vroeg uit de veren te moeten en knorrige koeien te melken. Hij wil voor archeoloog studeren – dat is iemand die beenderen opgraaft – dus kan hij hier prima oefenen. Omdat hij zoveel schooldagen heeft moeten missen in de zaai- en de oogsttijd zit hij, hoewel hij al dertien is en er net als alle boerenjongens nog ouder uitziet, in dezelfde klas als Woody en ik. Ik durf erom te wedden dat er meer dan genoeg meisjes zijn die in schoolboeken hartjes tekenen en daar zijn naam in schrijven, of hem briefjes sturen die met een kus zijn bezegeld. Ik heb geen tijd voor dat suikerzoete gedoe. Ik heb het te druk met me af te vragen wat er met mama kan zijn gebeurd, met het zorgen voor Woody en het in de gaten houden van papa. Dus doe ik altijd aardig tegen Bootie wanneer ik hem tegenkom, maar niet overdreven aardig. Ik wil hem geen verkeerd idee geven.

Als ik bij het graf ben pak ik Woody's armen, hou die strak langs haar lichaam en zeg: 'Hallo!'

'Een goede morgen, Shen,' zegt Bootie, die zijn schop in de aarde zet. Hij heeft vlasblond haar en een kuiltje in zijn kin waar ik altijd al eens mijn vinger in heb willen steken om te kijken hoe diep het is. Ik durf te wedden dat ik mijn vinger er tot het eerste knokkeltje in kan krijgen. 'Ik heb je al in eeuwen niet meer gezien.' Hoewel Bootie wat dikker lijkt te zijn geworden, is hij niet mollig. Zijn blote borstkas is glad, maar het haar in zijn oksels is even bruin als zijn ogen en hij heeft nog steeds een goddelijke glimlach. 'Waar ga jij zitten tijdens de optocht?'

'In het park, met Beezy. Zoals altijd.'

Sinds ik kan praten heb ik die optocht voor haar beschreven. Als Woody en ik bij de Optocht van Eeuwige Prinsessen door het grootste deel van Main Street voorop hebben gelopen, houden we het voor gezien en gaan we naar Beezy en de andere negers. De optocht gaat niet door Mudtown, dus moeten de mensen die daar wonen er in Buffalo Park naar kijken. Hoewel Woody en ik een lichte huid hebben, zijn we rond die tijd van het jaar altijd lekker bruin. We hebben dan ook nog eens een strohoed op die voor schaduw op ons gezicht zorgt, zodat we niet opvallen als twee witvissen in die zee van bruine lichamen. (We moeten wel oppassen dat we niet door grootvader worden gezien, die het absoluut afkeurt dat wij op welke manier dan ook vriendschappelijk omgaan met Beezy of een van de andere kleurlingen.)

Wanneer de optocht de bocht doorkomt en onze kant op koerst, waar we in de schaduw van die grote esdoorn zitten, zeg ik elk jaar tegen Beezy: 'Daar komt de band van de middelbare school.'

'Kindje, ik ben blind. Niet doof.'

'Ben je echt blind? Waarom heeft niemand me dat verteld?' zeg ik dan met gespeelde verbazing, omdat ze zo bulderend kan lachen. 'Daarachter lopen zes majorettes wier glinsterende uniformen van boven een beetje krap zijn en van achteren opkruipen, zeker bij Dot Halloran.' Ik heb Dot Halloran nooit kunnen uitstaan, maar ik weet niet precies waarom. 'Vlak achter hen lopen Joe Morton en Cal Whitcomb, die als Uncle Sam zijn verkleed en naar iedereen zwaaien. Daarachter rijdt de praalwagen met mijn grootvader in dat uniform van de Zuidelijken. Hij zit op die goudkleurige troon in de vorm van een hoefijzer.' Ik spuug altijd op het gras wanneer die praalwagen ons is gepasseerd. 'En achter hem komen zes zwarte paarden, die de straat onderpoepen.'

Op dat moment haalt Beezy haar neus op en zegt: 'Ik heb altijd al gedacht dat die dieren heel wat slimmer waren dan men denkt.' Daar moet ik altijd om lachen, omdat ik vind dat grootvader ook stinkt.

'Voor wie graaf je dat graf?' vraag ik aan Bootie. Het moet een blanke zijn, omdat kleurlingen niet mogen worden begraven op het Stonewall Jackson Cemetery. Zij moeten op de begraafplaats Evergreen aan hun reis naar het Beloofde Land beginnen.

'Dit is het graf van meneer Minnow,' zegt Bootie, die respectvol zijn hoofd buigt.

'Clive Minnow?' Ik klink misschien verbaasd, maar dat ben ik niet echt. Ik had me al afgevraagd waarom we onze buurman de laatste tijd niet meer hadden gezien. Als ik 's middags zat te lezen liep hij gewoonlijk met zijn metaaldetector door het bos. Natuurlijk had papa me opgedragen bij hem vandaan te blijven. Die twee kunnen het niet met elkaar vinden omdat je in de buurt van de Edelachtbare op eieren moet lopen en Clive niet bepaald lichtvoetig was.

'Weet je zeker dat Clive Minnow hier wordt begraven?' De laatste keer dan ik hem had gezien had hij niet doodziek geleken. Wel had hij af en toe geklaagd over maagpijn, maar dat was niet ongebruikelijk. Toen hij er een paar jaar geleden van overtuigd was dat hij een hersentumor had, had ik me zorgen gemaakt omdat ik op de televisie in de serie van dokter Ben Casey een keer een man had gezien die ook een hersentumor had en die in het eerste kwartier van de uitzending zijn laatste adem had uitgeblazen. Maar toen ik het mama vertelde, raakte ze helemaal niet van streek.

'Er is niets met hem aan de hand, Shenny. Hij heeft geen hersentumor. Hij heeft alleen hoofdpijn.' Ze haalde een potje met aspirientjes uit de kast. 'Meneer Clive is wat ze een hypochonder noemen.'

'Een hypo... wát?'

'Een hypochonder. Dat is iemand die denkt dat hij ziek is of binnenkort ziek zal worden, of veel zieker is dan in werkelijkheid het geval is. Maar dat zit alleen in hun hoofd.'

'Een hersentumor zít in iemands hoofd,' reageerde ik dwars, maar toen ik het woord in het woordenboek had opgezocht begreep ik het wel. Clive was iemand die op het gebied van ziektes een grote verbeeldingskracht had, dat klopte. Door de jaren heen ben ik de tel kwijtgeraakt van de keren dat hij me vertelde dat hij polio of waterpokken kreeg, of zelfs lepra en malaria. Ik had hem uitgelegd dat die laatste twee ziektes bij ons niet voorkwamen, maar toen siste hij: 'Heeft niemand je ooit verteld dat er voor alles een eerste keer is, meisje?'

'Waaraan is hij gestorven?' vraag ik, en ik voel me schuldig.

'Zaterdagmorgen ging Virgil zoals gewoonlijk boodschappen afleveren bij het huis van Minnow. Omdat er niemand opendeed is Virgil op zoek gegaan naar Clive. Hij vond hem op zijn buik bij de oever van de kreek, met zijn hond jankend naast hem.'

'Dat is afschuwelijk,' zeg ik spijtig, en dat meen ik ook. Wij hadden kortgeleden gekibbeld over een ring die hij met zijn metaaldetector in het bos had gevonden, maar dat is geen excuus. Ik had vaker naar hem toe moeten gaan om te kijken of alles oké was. 'Die arme Clive en die arme Ivory.'

'Wie?' vraagt Bootie.

'Ivory Minnow. Dat is de naam van zijn hond.'

Bootie trekt de schop uit de aarde, aan zijn spieren te zien is hij iemand bij wie je bescherming kunt zoeken. 'Ik heb me laten vertellen dat verdrinken een van de ergste manieren is om dood te gaan.'

'Dat heb ik ook gehoord.'

Mijn andere grootouders waren verdronken. De moeder en de vader van mama. Ik was bang dat de sheriff een tijdje dacht dat dat onze moeder ook was overkomen. Hij liet een groot deel van de mensen van Rockbridge County langs de oevers van de kreek en in de struiken naar haar lichaam zoeken. Op een dag stonden Woody en ik daarnaar te kijken en toen had ik hem apart genomen en tegen hem gezegd: 'Ze is niet verdronken. Ze kan goed zwemmen. In haar studententijd zat ze in het team dat aan waterballet deed.'

Sheriff Nash, die niet bijzonder slim is maar wel goede manieren heeft, zei toen: 'Ik denk niet dat je moeder is verdronken. De roeiboot is zoek.'

'Mama zou nooit in haar eentje in die roeiboot zijn gestapt,' zei ik. Maar dacht je dat hij naar me luisterde?

Hij trok me achter een taxusstruik, liet zijn stem dalen en vroeg: 'Weet je of je moeder en vader soms...'

Op dat moment zag de Edelachtbare ons en liep snel naar ons toe. 'Zo is het wel genoeg, Andy.' Toen sleepte hij mij verder de struiken in en gaf me een standje. 'Neem je zus meteen mee terug naar het huis. Haar gehuil maakt de honden van streek.'

Papa.

'Je graaft een mooi graf, Bootie. Ga zo door. Woody, wij moeten gaan.' Ik pak haar arm en bid dat ze zich deze keer niet zo stijf als een plank zal houden. Dat kan ze doen wanneer ze niet van de ene plek naar een andere wil, en ik heb de tijd niet om op zoek te gaan naar een wagentje waar ik haar in kan zetten. We hadden inmiddels al terug moeten zijn op Lilyfield.

'Shen, wacht nog even,' zegt Bootie, die de aarde in het graf met zijn voet gladstrijkt. 'Ik vroeg me af of je zin zou hebben om... Jullie gaan allemaal naar de kermis, nietwaar?'

'Natuurlijk. Dat is toch zo, Woody?'

Hoe vaak onze vader ons ook waarschuwend voorhoudt dat we ons niet in het openbaar moeten vertonen... de Carmody's zijn afstammelingen van degene die tijdens het Founders Weekend worden herdacht. Grootvader Gus zal erop staan dat we niets missen van de 'heisa', en dat vinden wij prima. Woody en ik zijn er dol op, met name op de tent waarin je een Schubbenjongen kunt bekijken, en de allerdikste dame ter wereld die

Baby Doll Susan heet en achter een muur van glas woont, met een koelkast en een met gebloemde stof beklede bank die op B2-blokken is gezet. De belangrijkste attractie is echter toch wel de Siamese tweeling. Er is een tijd geweest dat ik Jezus dankte voor het feit dat hij Woody en mij in de buik van mama niet zo dicht bij elkaar had gezet. Maar nu mijn zus er een gewoonte van is gaan maken om weg te rennen, ben ik regelrecht jaloers geworden op die Milly en Tilly. Als Woody dat blijft doen... Tja, ik kan niet naar mama op zoek gaan en tegelijkertijd achter haar aan racen. Een dag telt immers slechts een beperkt aantal uren.

'Shen? Wakker worden, Shenny.' Bootie lacht.

'Ja?'

Hij geeft me een uitnodigende glimlach en zegt: 'Ik heb van mijn neef in Winchester gehoord dat je dit jaar een baby in een fles kunt bekijken.'

'Je meent het! Hoe zouden ze dat voor elkaar hebben gekregen?' Ik zou tegen hem willen zeggen: 'Ik wil dolgraag een ritje met je maken in de Tunnel der Liefde. Daarna zouden we op een bankje kunnen gaan zitten om naar de show te kijken. Wanneer de slangenbezweerder de slang uit zijn mand lokt, zal ik mijn hoofd tegen je sterke borstkas drukken, want voor jou, Bootie Young, zou ik de vlechten uit mijn haren willen halen en een jurk met ruches willen aantrekken.' Maar ik zeg met een ongeïnteresseerde stem: 'Misschien lopen we elkaar daar dan wel tegen het lijf.' Dat doe ik omdat hij niet alleen Woody maar ook mij afleidt en de klok op Washington Square het eerste kwartier slaat.

'Woody, ga alsjeblieft mee.' Ik trek weer aan mijn zus, maar ze komt niet in beweging. Ze kijkt strak en verlangend omlaag. Ze denkt zich in hoe heerlijk het zou zijn om op de bodem van dat graf te gaan liggen en haar naar haar vermiste mama snakkende hart door Bootie met verkoelende aarde te laten bedekken. Ik weet precies hoe ze is. 'Woody, we moeten terug zijn voordat...' Ik wil de woorden niet over mijn lippen laten komen, maar het moet. Ik buig mijn hoofd dicht naar Woody toe en fluister: 'De kelder.' Godzijdank komt ze daarna in beweging.

6

We staan bij de oever van de kreek, aan de kant van de Tittles.

Ik bekvecht met E.J. Hij blijft zeggen dat hij met ons mee wil over de steppingstones om zeker te weten dat alles goed gaat.

Ik vind de imitatie die onze handlager van Sir Galahad ten beste geeft eigenlijk wel lief, maar ik heb zo mijn redenen om hem niet nog meer te betrekken bij de familieaangelegenheden van de Carmody's. 'Hou op met dat lastige gedoe,' zeg ik terwijl ik op de eerste steppingstone ga staan, achter mijn zus die nog steeds erg van streek is omdat ik op de begraafplaats de kelder had genoemd. Ik houd haar wat steviger vast. 'E.J., ik meen het. Doe alsof je een konijntje bent en wip die heuvel op.'

'Maar ik ben bang dat...' Hij kijkt langs me heen naar Woody.

'Als je binnen drie tellen nog niet bent verdwenen...' zeg ik waarschuwend. Een van de andere redenen waarom E.J. extra bazig doet, is dat ik er vrij zeker van ben dat hij mijn oom en grootvader in de kleine uurtjes door onze bossen heeft horen lopen krijsen – ook al heeft hij daarover tegen mij nooit iets gezegd. Dan spelen ze graag verstoppertje. Woody en ik verstoppen ons, en zij zoeken. 'Een… twee…' Wanneer E.J. geen aanstalten maakt om naar huis te gaan, kom ik met mijn zwaarste geschut. 'Als je nu niet weggaat zal ik ervoor zorgen dat je je weet wel wie nooit meer ziet.' Daarmee is de kous af. Ik geloof niet dat ik hem ooit zo snel heb zien rennen.

Woody, die de indruk had gewekt geen enkele aandacht aan E.J. te besteden, rukt zich snel los en rent over de steppingstones. Gewoonlijk doet ze dat met vaste tred, maar nu heeft ze zoveel haast dat ze uitglijdt en, als ze bijna aan onze kant is, in het water valt. Ik wil naar E.J. brullen dat hij moet terugkomen om te helpen, maar als ik dat doe zal hij daar telkens weer op terugkomen. Dus neem ik de laatste steppingstones snel, spring in het water en hijs ons hijgend de oever op. We proberen weer op adem te komen. Zij is doodsbang. Ik veeg een haarlok uit haar mond en stop die achter haar oor. 'Snoes, je moet ophouden weg te rennen als een…' Als een wat? Woody snuift. Sinds ze stom is geworden kan ze de wind van richting horen veranderen, en heeft ze een heel scherpe neus gekregen. Het is duidelijk dat ze iets hoort, en dan hoor ik hem ook.

'Heb je de boxen schoongemaakt?' brult papa. Zijn stem komt uit de schuur, zo'n meter of vijftig van ons vandaan. Ik was er zeker van geweest dat hij al in zijn werkkamer zou zijn, maar hij is veel later van de rit te paard teruggekomen dan gebruikelijk. 'Heb je nieuw zaagsel op de vloer gestrooid en de wateremmers schoongemaakt?'

Meneer Cole reageert met zo'n zachte stem dat ik hem niet kan verstaan.

Indringend zeg ik tegen Woody: 'Als hij de stal uit loopt, zal hij ons zien. Duik snel weg onder de wilg.'

Een fractie van een seconde later komt de Edelachtbare de schuur uit. De knapste man in heel Rockbridge County, met pikzwart haar en ogen die dezelfde kleur hebben als de whiskysoda die hij rond die tijd gewoonlijk tot zich neemt. Hij ziet er nog beroerder uit dan gisteravond. Terwijl papa op onvaste benen onze kant op komt, brult hij: 'Meisjes, zijn jullie dat?'

De takken van de wilgenboom bewegen en er staat vandaag geen wind. Dat heeft zijn aandacht getrokken. Ik probeer die takken te dwingen zich muisstil te houden.

'Tweeling?' roept hij, en hij loopt nog dichter naar ons toe.

'Verder wegduiken,' fluister ik Woody indringend toe. We gebruiken onze handen en onze hielen om dat te doen. 'En ga alsjeblieft, alsjeblieft niet jammeren.'

'Ik zie jullie wel,' zegt papa, maar ik weet zeker dat dat niet waar is. Hij is stomdronken en hij is uitgegleden op het gras. De laatste dagen gaat het nog beroerder met hem dan normaal omdat hij nóg meer drinkt wanneer grootvader op bezoek komt. Eigenlijk kan ik hem dat niet kwalijk nemen. Ik heb het daar ook moeilijk mee. Ik wil naar hem toe rennen om hem overeind te helpen, maar daar ben ik al eens eerder door in de problemen gekomen, en dat weet Woody. Ze houdt mijn pols stevig vast tot papa weer opkrabbelt, eerst op handen en voeten en dan half rechtop. Hij schudt zijn hoofd alsof hij is vergeten wat hij deed en draait zich om naar de schuur.

Woody wil dat we het op een rennen zetten, maar ik waarschuw haar. 'Wacht.' Ik kruip een eindje naar voren tot ik papa door het gordijn van glinsterende bladeren kan zien. Misschien had hij ons echt gezien. Soms kan hij ons in de maling nemen. Dan kan hij plotseling omkeren. Ik buig me weer naar mijn zus toe en begin langzaam te tellen. Wanneer ik bij dertig ben zeg ik: 'Oké. Nu rennen.' Ik ren achteruit, om de deur van de schuur in de gaten te kunnen houden. 'Doorlopen,' zeg ik tegen Woody wanneer ze met grote ogen naar me kijkt.

Zodra we op de veranda achter het huis staan sla ik mijn

armen om mijn tweelingzus heen en druk haar tegen het afbladderende witte hout. 'Je mag niet eens slikken. Dat meen ik. Verroer geen vin.' Ik zwaai met mijn hand en blaas tegen de achterkant van onze shorts om die zo droog mogelijk te maken. 'We glippen door de keuken naar binnen.'

Ik pak Woody's kin vast om haar te dwingen de dreigende blik in mijn ogen te zien. Ik houd haar hier tot ik heb vastgesteld dat de kust veilig is. Als papa door de voordeur naar binnen is gekomen, zullen we hem tegen het lijf lopen. Dan zal hij doen wat hij altijd doet: ons inspecteren alsof we stukjes fruit zijn, zoekend naar zachte plekken. Ik ben heel goed in het verzinnen van smoesjes, dus zou ik een reden kunnen opgeven voor die natte shorts van ons, maar als de Edelachtbare dan zijn aanval op Woody richtte, zou ik zijn gedwongen hem de waarheid en niets anders dan de waarheid te vertellen over waar we vanmorgen zijn geweest.

Ik spuug op de scharnieren van de hordeur om te voorkomen dat die piept, en steek mijn hoofd in de keuken.

Op het fornuis staat een pan, uit de transistorradio komt rhythm-and-bluesmuziek en de vloer oogt schoon maar op sommige plaatsen plakkerig. Dat betekent dat Lou ergens in de buurt moet zijn. Ik bid dat ze zich niet in de bezemkast heeft verstopt om opeens tevoorschijn te komen en 'Hebbes!' te brullen. Dat doet ze namelijk graag. Ze denkt dat dat leuk is. Ik geloof niet dat Woody daar op dit moment tegen zou kunnen, want ze is al doodsbang.

'Sst.' Ik druk mijn vingers tegen de lippen van mijn zus tot ik besef hoe dom dat is. Dan sluipen we over het zeil. 'Loop op je ballerinatenen,' fluister ik, vergetend hoe hard de vloer voor het fornuis kraakt.

'Dat werd tijd!' roept Lou vanuit de eetkamer.

Verdorie!

'Hierheen komen, jullie.'

Ik neem Woody mee naar de mooiste kamer van ons huis. De muur is van de vloer tot het plafond behangen met rood behang en boven de buffetkast hangt een portret van Woodrow Wilson, in een vergulde lijst. De achtentwintigste president van de Verenigde Staten is geboren in Staunton, een stad iets verderop. Papa bewondert hem nogal. Genoeg om zijn twee kinderen Jane Woodrow en Shenandoah Wilson te noemen. Aan de muren van de eetkamer hangen ook een paar portretten van Carmody's, die uit de achttiende eeuw dateren. De belangrijkste hangen in het huis van mijn grootvader, maar wij hebben Hiram Carmody, die ten strijde is getrokken met de Ridders van het Gouden Hoefijzer. Dat was een groep ontdekkingsreizigers die de Shenandoah Valley hebben ontdekt toen ze op een top van de Blue Ridge Mountains stonden. Ons schitterende dal moet voor hen een soort luchtspiegeling zijn geweest. Ik ben dankbaar dat Woody en ik niet op die Founders lijken. Ik denk wel dat grootvader zijn zure aard van die vreemde oude snoeshanen heeft meegekregen. Ze zien er allemaal uit alsof ze een fles levertraan hadden ingenomen en daarna om een tweede vroegen.

Lou staat op een trap en poetst de kristallen kroonluchter boven de glanzende mahoniehouten tafel waaraan twaalf mensen kunnen zitten. 'Jullie zijn laat,' zegt ze, zonder de moeite te nemen naar ons te kijken.

'Dat weet ik... we moesten...' Ik heb er een gruwelijke hekel aan haar uitleg te moeten geven.

'Jullie zijn je papa net misgelopen. Hij kwam naar jullie vragen.'

Ik voel mijn zus weer verstijven. 'Wat heb je tegen hem gezegd?' vraag ik, en ik streel Woody's nek, bij de haargrens, omdat ze daar rustig van wordt.

'De waarheid natuurlijk,' zegt Lou uit de hoogte. 'Dat jullie mijn waarschuwing hebben genegeerd en naar de stad zijn gegaan om iedereen die met jullie wil praten te vragen naar jullie mama.'

'Dat zou je niet durven,' zeg ik, en ik masseer de nek van Woody nog harder.

'Misschien wel, maar misschien ook niet.' Lou trekt haar rechterwenkbrauw op. 'Daar kun je gewoon niet zeker van zijn, nietwaar?'

Daar kan ik wel degelijk zeker van zijn.

Ik kan Lou tegenwoordig echt niet uitstaan, maar ik ben stapel op haar oom, meneer Cole Jackson. Hij heeft me leren kaarten. Papa geeft ons geen zakgeld, maar door Lou en meneer Cole bij het pokeren te verslaan kan ik pleisters en tekenspullen voor Woody kopen. Ik weet dat Lou haar rechterwenkbrauw optrekt wanneer ze alleen een paar zessen heeft maar je wil doen geloven dat ze een grote straat in handen heeft.

'Louise, zeg nu meteen tegen Woody dat je liegt, want anders zal ik papa vertellen dat jij je huisje uit glipt om Blackie te zien,' zeg ik, mijn troef uitspelend. (Je zult wel begrijpen wie er in de problemen zal komen wanneer die twee worden betrapt. Mijn oom zeer zeker niet. Lou zou zo snel terug zijn in de bayou dat ze zich de reis erheen niet eens zou herinneren.)

'Als je denkt dat ik bang ben van je va...' Lou klemt haar kaken op elkaar. Ze heeft zich net herinnerd dat ik, anders dan zij, nooit bluf. 'Van mij mag je hem dat vertellen,' zegt ze hoofdschuddend, maar ze is even bang om met de regels van papa te breken als Woody en ik dat zijn. Ze wordt niet geacht een romance te beginnen, en al zeker niet met mijn vaders broer. Ze moet koken, schoonmaken en voor Woody en mij zorgen. Daarom neemt ze gas terug.

Wanneer we oog in oog staan zeg ik met gebalde vuisten: 'Je moet Woody je excuses aanbieden.'

Lou weet dat ik dat meen, dus loopt ze naar Woody toe en produceert een van haar glimlachjes. 'Ik dacht dat je wel wist dat ik alleen een grapje maakte toen ik zei dat ik jullie vader had verteld dat jij en je zus naar de stad waren gegaan. Je weet dat ik graag grapjes maak.'

Dat deed ze vroeger niet.

In de tijd dat Lou zich nog als een oudere zus gedroeg hebben Woody en ik vele avonden in het huisje van de Jacksons doorgebracht. Ze vertelde ons alles over haar leven voordat ze naar Lilyfield kwam, en ook dat ze erover droomde op een dag in de schoonheidssalon van Filly te gaan werken. Dat zal nooit gebeuren omdat ze de verkeerde huidskleur heeft, en dus hadden Woody en ik met haar te doen. We lieten haar onze haren invlechten terwijl ze ons verhalen vertelde met zo'n vet accent dat dat ons leek op te zuigen. Je zou nog gaan denken dat ze iets van de moerassen in Louisiana had ingeslikt wanneer ze heel griezelige verhalen vertelde over zombies en begraafplaatsen waar het spookte en over drankjes die van kattenbeenderen waren gemaakt en die iemand onzichtbaar konden maken of een verloren geliefde konden terughalen. Of wanneer ze zei dat wanneer je je ergste vijand wilt verjagen poeder van rode peper het beste werkt.

Het mooiste verhaal vinden wij de legende van de grootste kaaiman ooit, Rex geheten. Als Lou ons dat vertelde boog ze zich dicht naar ons toe en zei met een spookachtige stem: 'Het is echt waar. Die jongen vol schubben kwam stiekem het moeras uit en draaide de knop van de deur van je huis om en dan...'

'Wat gebeurde er dan, Lou?' moest ik op dat moment vragen.

Ze boog zich nog dichter naar ons toe en zei onheilspellend: 'Dan deed hij alsof hij thuis was, alsof hij de huur betaalde, en dan hoorde je zijn nagels op de vloer tikken terwijl hij naar je slaapkamer liep en dan... Dan at hij je helemaal op terwijl jij sliep.'

Op dat moment sloeg Woody haar armen om mij heen en krijste ik het uit. We stelden ons allebei voor dat dat beest niet uit de bayou klauterde maar uit Last Chance Creek. Even later kwam meneer Cole ons snel te hulp met een bord met maïskoekjes en met koud gemberbier. Dan lachte hij en zei tegen Lou dat ze op moest houden. Na zo'n spannende avond zei ik altijd tegen Woody: 'Ik weet zeker dat hier geen kaaimannen zijn, maar ik denk dat we vannacht toch maar in het fort moeten gaan slapen. We hebben immers de laatste tijd toch al niet zoveel geluk gehad.'

Pas de afgelopen maanden is Lou gemene streken met ons gaan uithalen. Dat doet mijn oom ook en ze probeert indruk te maken op de oudere broer van papa, die zichzelf geweldig vindt. Hij heeft bij zijn doop de naam Dwight Alfred Carmody gekregen, maar zo noemt niemand hem. Hij wordt Blackie genoemd, vanwege zijn werk. Mijn oom is smid, maar ook een ladykiller, en met zijn charme kan hij zich heel anders voordoen dan hij is. Helaas moet ik toegeven dat die charme overweldigend kan zijn wanneer hij iets van je wil. Net als veel andere jonge vrouwen in de stad is Lou als een blok voor hem gevallen. Ondanks het feit dat ik herhaaldelijk tegen haar heb gezegd dat ze gek was en snel weer bij haar positieven moest komen. 'Hij zal je hart breken. Ik weet dat je denkt dat hij om je geeft, maar daar vergis je je in. Je bent gewoon nummer zoveel in een lange reeks van wat Blackie zijn "Kleenex-meisjes" noemt. Als hij genoeg van je heeft zal hij je net als alle anderen bij de vuilnisbak zetten.' Ze weigerde echter naar me te luisteren. Ik heb medelijden met haar. Tot ze iets als dit uithaalt.

'Het excuus?' vraag ik, me ondertussen afvragend waar papa op dit moment is. 'We hebben niet de hele dag de tijd.' Hoor ik hem naar de voordeur lopen?

Tot mijn verbazing is Lou zo verstandig zich naar mijn zus toe te draaien en te zeggen: 'Het spijt me heel erg dat ik je in de maling heb genomen, Jane Woodrow. Mag ik het goedmaken?' Ze spreidt haar magere armen alsof ze van plan is mijn tweelingzus een stevige knuffel te geven.

Ik trek Woody bij de kraag van haar shirt naar achteren en zeg tegen haar: 'Doe niet zo dom. Zie je niet dat het een val is?'

'Nee, dat is het niet.' Lou trekt een pruillip, alsof ze zich gekwetst voelt. Dan zegt ze met de stem van een zielig klein meisje: 'Shenny, waarom doe je altijd zo gemeen tegen mij?'

Ik lach haar uit en ik hoop dat mijn adem stinkt. 'Lou, dat is een mooi stukje toneelspel. Je zou tijdens het Founders Weekend mee moeten doen aan de talentenjacht. Je zou de eerste prijs winnen. Zo goed ben je.' Dan zeg ik tegen Woody: 'Laten we maar weggaan voordat ze *The Good Ship Lollipop* gaat uitvoeren.' Ik loop weg en ik verwacht dat mijn zus achter me aan zal komen, maar dat doet ze niet. 'Wat is er?' Ik kijk van haar naar Lou en weer terug. Opeens weet ik waarom mijn muziekminnende zus als aan de grond genageld blijft staan. 'Ik bedoelde niet te zeggen dat ze dat liedje echt gaat zingen, Woody. Ik bedoelde dat...'

'Nu zwaait er wat,' zegt Lou, mij onderbrekend. 'Heb je dat gehoord?'

Papa?

Ik houd mijn adem in en luister of ik het geluid van zijn laarzen hoor. Of het tikken van de zilverkleurige noppen op de koele marmeren vloer van de hal en de gang. Ik kijk naar mijn zus en zie haar gebruikelijke je-mag-kloppen-zo-hard-je-wilt-maar-er-is-niemand-thuis-gezichtsuitdrukking. Dat is goed. Als papa dicht in de buurt was zou Woody haar ogen dichtknijpen en haar hoofd naar achteren gooien, om vervolgens een heel theatraal geluid te maken. De enige andere keer dat ik dat geluid heb gehoord was toen we in Hull's drive-in naar *The Hound of the Baskervilles* waren gaan kijken.

'Louise, hou op het ons lastig te maken,' zeg ik, en ik zet mijn handen op mijn heupen. 'Wij horen niets. Dat is toch zo, Woody?'

'Misschien zou je je oren dan moeten laten uitspuiten.' Lou zet een hand achter haar oor. 'Ik geloof... Ja, ik hoor de wc's jouw naam roepen. Sheeen... Shenandoah Carmooody. Ga maar snel schrobben, voordat de lieflijke juffrouw Louise je papa gaat vertellen wat jullie hebben uitgespookt.'

Technisch gesproken heb ik azen in handen en heeft Lou koningen. Het is niet goed dat Woody en ik Lilyfield verlaten om onze moeder te zoeken, maar misschien is het nog erger dat Lou haar kleren uittrekt voor die gek van een oom Blackie. Daar heb ik echter niets aan. Ik kan niet klikken over wat zij doet. In elk geval niet nu. Lou weet hoeveel ik van mijn vader houd en het laatste wat ik wil is hem nog meer problemen bezorgen dan hij al heeft. Hij heeft het al moeilijk genoeg met de verjaardag van mama, met het feit dat ze een jaar weg is en met de aanstaande komst van grootvader. Ik zou het meneer Cole wel kunnen vertellen, maar omdat die zo vriendelijk en vergevingsgezind is zou hij haar waarschijnlijk alleen straffen met een Bijbelcitaat over Maria Magdalena.

Nee. Een goede kaartspeler weet wanneer hij moet stoppen.

'Lou, ik wil je nog één ding zeggen. Woody en ik wensen je dood,' zeg ik terwijl ik gepikeerd de kamer uit loop en mijn tweelingzus meetrek.

'De emmer staat onder de wasbak van de Edelachtbare,' zegt ze met een duivels lachje. 'Gebruik bleekwater en zet de bril omhoog.'

'Laat haar maar lachen. Wij krijgen onze kans nog wel,' zeg ik troostend tegen mijn zus wanneer we de trap aan de voorkant van het huis op lopen. 'Maak je geen zorgen. Weet je wat ik waarschijnlijk zal doen als de kans zich voordoet?' Woody blijft staan en luistert aandachtig. Ze ziet er zo lief uit dat ik haar wel een knuffel moet geven. Als ik dat doe, hoor ik sssss over haar lippen komen. Ik weet zeker dat dat haar manier is om me te laten merken dat we nog steeds op dezelfde golflengte zitten. 'Ik zal E.J. vragen voor ons naar koperkoppen te gaan zoeken.'

Telkens als het me moeite kost me af te sluiten voor het verdriet van papa en van Woody stel ik me, voordat ik in slaap val, de gezichtsuitdrukking van Lou voor wanneer ze in de wasmand een nijdige slang ontdekt. Of ik stel me voor dat ik opeens vanachter het kolenhok opduik, met door de lucht maaiende armen en keihard krijs: 'Hebbes! Hebbes! Hebbes!'

Ja. Dat is een prima idee. Veel beter dan schaapjes tellen.

7

Ons witte hemelbed heeft me altijd doen denken aan een zeilboot die midden in een diepe zee voor anker ligt.

Toen mama de muren zo mooi blauw schilderde, zei ze tegen Woody en mij dat ze hoopte dat ze ons niet het gevoel zouden geven een storm te moeten doorstaan, maar wel het gevoel dat we op een rustige zee dreven. Soms is dat laatste ook zo. Maar de laatste tijd slapen we meestal in ons fort. Daar zijn we veiliger.

Ik kijk door het raam van onze slaapkamer naar het huis van Clive Minnow en denk aan wat Bootie Young me vanmorgen op de begraafplaats over onze buurman heeft verteld. Het is moeilijk te geloven dat Clive het tijdelijke voor het eeuwige heeft verwisseld. Boven de boomtoppen kan ik de veranda zien waar we vroeger zaten. Ivory, zijn hond, lag op die momenten naast de schommelstoel van gebogen hout van zijn baas, zijn achterpoten gestrekt als die van een kikker, zijn kop tussen zijn voorpoten. 'Weet je waarom ik dit vuilnisbakkie die naam heb gegeven?' vroeg hij me op een ochtend, en hij knikte naar de chocoladekleurige pup bij zijn voeten. 'Behalve jullie Carmody-meisjes is die hond de enige die me tolereert, daarom neem ik aan dat hij maar negenennegentig komma vierenveertig procent slim is. Begrijp je het? Ivory, net als de zeep.'

Ik denk dat die opmerking blijk gaf van enige nederigheid, dus moet dat maar mijn lijkrede zijn voor mijn hypochondrische vriend. Ik neem aan dat er niet veel mensen naar de dienst op de begraafplaats zullen komen. Clive was niet zo'n aantrekkelijk figuur. Zijn haren vielen in vette golven tot op zijn schouders, en de stank kwam in bijna zichtbare walmen van zijn lichaam af. En zijn tanden... Ik denk dat er misschien wel mos op groeide. Gelukkig was hij een kluizenaar. Want als hij gezelschap had willen hebben... wie zou er nu een middag willen doorbrengen met iemand die er zo uitzag en die zo rook? Voor zover ik weet niemand behalve mama, oma en ik. Woody heeft nooit echt veel belangstelling voor hem gehad. Elke keer wanneer ik haar vroeg om samen met mij een bezoekje aan de buurman te brengen zei ze: 'Ga maar zonder mij. Clive doet me aan stilstaand water denken.'

Oma Ruth Love vond Clive wel aardig. Ze bracht hem eten. Dat is een van de dingen die dames die zich met liefdadigheid bezighouden doen: lekkere hapjes brengen naar mensen die een afgezonderd leven leiden. Maar dat was niet helemaal onbaatzuchtig van haar. Aan haar glimlach zag ik dat het haar een goed gevoel gaf naar Clive te kijken, die haar zelfgemaakte gerechten echt lekker vond en een taart achter elkaar verslond. Mama was ook een vriendin van Clive. Wanneer papa niet thuis was, deed ze boodschappen voor hem, en ze ruimde af en toe zijn huisje op. Omdat hij bijna nooit iets weggooide, kon het daar erg vol worden. De Edelachtbare gaf niets om Clive. Soms kon ik hen vanuit het fort tegen elkaar tekeer horen gaan. Dan hoorde ik hun woedende stemmen, maar ik kon nooit precies verstaan wat ze zeiden.

Ik laat het kanten gordijn weer op zijn plaats vallen en vraag me af wat er, nu zijn baas dood is, zal gebeuren met die kleine labrador met grijze haren op zijn snuit en stijve heupen. Misschien dat papa het ons toestaat hem in huis te nemen. Woody kan beslist een andere hond gebruiken.

Mars komt nooit meer terug.

Mijn zus zit voor de toilettafel en doet poeder op haar wangen, kin, armen en handen. 'Hou daarmee op! Je begint eruit te zien als... Waarom ga je geen tekening maken? Iets leuks voor de verandering.' Ik laat me op het bed ploffen.

Woody heeft van God echt een tekentalent gekregen. Onze moeder heeft ons verteld dat we toen we in haar groeiden dezelfde kamer hebben gedeeld, maar wel een eigen vulklep hadden. Ik heb mama's liefde voor woorden meegekregen, en Woody haar liefde voor muziek. Maar het belangrijkste dat mijn zus van mama heeft meegekregen is haar liefde voor de schone kunsten. Toen mama er nog was bewonderde ze de tekeningen van Woody en zei met omfloerste stem (zo ontroerd was ze dan): 'Dat is perfect. Precies de juiste hoeveelheid schaduwen. En de kleuren zijn geweldig. Schatje, jij zult op een dag een gerespecteerde kunstenares worden. Misschien in de stad New York. Dan zul je met je zus, die een geweldig schrijfster zal worden, in een flatgebouw gaan wonen en zal de tweeling Carmody alom geëerd worden.'

Waarom zei ze zulke dingen als ze wist dat Woody en ik iets dergelijks nooit zouden doen? Onze vader had dat telkens weer volkomen duidelijk gemaakt. 'Carmody-vrouwen hebben zich nooit verhuurd, en dat zal ook nooit gebeuren.'

Op de sprei schuif ik een eindje op, om ruimte te maken voor Woody. 'Kom bij me zitten als je niet wilt tekenen.' Ze zweeft naar me toe en ik vraag me voor de duizendste keer af hoe twee meisjes die uiterlijk zoveel op elkaar lijken innerlijk zoveel van elkaar kunnen verschillen. Ik sta met beide voeten stevig op de grond, ondanks mijn belangstelling voor de sterren. Maar mijn zus? Het is moeilijk te geloven dat ze slechts twee minuten en tien seconden eerder dan ik uit mama is gekomen. Woody had altijd onaards geleken, al is dat de laatste tijd wel erger geworden. Ze wekt voortdurend de indruk dat ze net is teruggekeerd van een ver oord, waar van de dageraad tot de schemering harpmuziek weerklinkt en ze 's morgens, 's middags en 's avonds engelencake serveren en nectar drinken uit met robijnen versierde bokalen.

Heel zachtjes gaat ze naast me liggen. Ik moet kijken om er zeker van te zijn dat dat echt is gebeurd. 'Doe dat niet. Dat vind ik eng,' zeg ik. Ze heeft haar armen strak over elkaar geslagen en haar oogleden laten zakken. Nu ze onder mama's poeder zit, ziet ze er precies zo uit als een van de lijken in de rouwkamer van Last Tidings, die daar wachten tot iemand de kist sluit en zij onderweg kunnen gaan. 'Luister, Woody,' zeg ik streng. 'Ik weet dat je zoveel verdriet hebt dat je dood zou willen zijn, maar dat ben je niet. Kun je je nog herinneren dat ik me net zo voelde toen ik zo melancholiek was? Je moet het van je af zetten. Je op eigen kracht opwerken.' Ik probeer mijn adem in te houden om de Chantilly-poeder van mijn moeder niet te ruiken. 'Ik heb vandaag niet veel vooruitgang geboekt, maar ik zal haar vinden. Dat zul je zien. Het zou erg helpen als jij ophoudt met wegrennen.'

Ik weet dat het erop kan lijken alsof ik mijn moeder niet zo erg mis als zij dat doet, maar dat is niet waar. Het is alleen zo dat Woody erop rekent dat ik haar te hulp schiet en dus kan ik mijn gevoelens niet zo openlijk tonen als zij dat doet. Ik moet sterk blijven, geharnast, maar ik wil dat je weet dat mijn verlangen naar mijn moeder met geen pen te beschrijven is. De manier waarop ze haar koele, volle lippen op mijn voorhoofd drukte wanneer ik koorts had. Haar wang, even zacht als de onderkant van bladeren. Haar honingblonde haar. O, verdorie...

Ik denk dat dit een goed moment is om open kaart te spelen.

Het was de eerste paasdag.

De laatste die we samen hebben gehad.

Kort nadat we van de mis terug waren ging de hele familie Carmody in de eetkamer aan tafel om een lunch tot zich te nemen van verbrande ham, tot moes gekookte boontjes en koekjes die nog niet helemaal gaar waren.

Grootvader begon meteen te eten, maar na een paar keer kauwen spuugde hij alles weer uit op zijn bord.

'Eten Yankees deze troep? Geen wonder dat je broodmager bent, Wally.'

Oom Blackie zette de plastic kots die hij altijd in zijn zak heeft zitten op de tafel en deed alsof hij kokhalsde.

Oma prevelde een gebed in het Latijn, maar toen was het te laat om de Almachtige nog tussenbeide te laten komen. Grootvader Gus had het servet al van zijn hals getrokken, smeet het op zijn bord en zei: 'Ik ga naar The Southern Inn om te kijken of daar nog iets te eten is. Zelfs hun afval moet nog beter zijn dan deze troep. Gaan jullie allemaal met me mee?'

Grootvader en oom Blackie stormden door de voordeur naar buiten, maar voordat oma Ruth Love vertrok zei ze beleefd tegen haar schoondochter, van wie ze ondanks haar tekortkomingen echt houdt: 'Die veenbessen waren lekker, Evelyn.'

Toen de voordeur dicht was geknald, werd papa vuurrood omdat zijn vrouw geen goede kokkin was. Dat begreep ik volledig. Het is de taak van een vrouw het huis schoon te houden en eten te koken, en mama zou de eerste zijn om toe te geven dat ze op die gebieden geen tien scoorde.

Papa verbrak de zware stilte door te zeggen: 'Moeder, je kunt de tafel afruimen.' Zo noemde hij haar. Moeder. Hoe vaak zij hem ook vriendelijk verzocht haar niet zo te noemen omdat ze Eve heette.

Woody bracht de vuile vaat naar de keuken en mama en zij gingen afwassen. Papa en ik bleven aan tafel zitten en spraken over planeten, maar ondanks de lopende kraan en de geluiden in de keuken kon ik mijn zus horen zeggen: 'Ik vond het echt een lekkere lunch. Vooral de ham. Die vind ik het lekkerst als hij knapperig is.' Daarop volgde nog een compliment over de koekjes.

Toen alles was afgewassen en afgedroogd kwam mijn moeder met rode ogen terug en zei tegen papa: 'Het spijt me, Walt. Ik had echt mijn best gedaan.' Hij deed ook zijn best. Om niet teleurgesteld te kijken. Maar voor hem zijn de meningen van zijn vader en zijn broer heel belangrijk, en mijn moeder had net alles verprutst. Grootvader Gus en oom Blackie zullen de rest van het jaar domme grappen maken over die lunch, dacht ik, en dat dacht mijn vader waarschijnlijk ook. Toen vroeg mama: 'Mag ik nu in de tuin gaan werken?' De tuin is haar toevluchtsoord, zoals het fort dat voor Woody en mij is.

'Ja, dat mag,' zei papa vriendelijk, ook al was hij niet blij geweest met de door haar geserveerde maaltijd. Toen schoof hij zijn stoel naar achteren en ik herinner me dat schrapende geluid nog heel duidelijk. Ik kon het in mijn borstkas voelen. 'Ik ga nu naar mijn familie in het restaurant toe. Jane Woodrow, jij gaat met me mee. Shenandoah, jij blijft bij je moeder.' Papa knikte over de tafel heen mijn kant op. Daarmee maakte hij me duidelijk dat ik achter mama aan naar de tuin moest gaan omdat hij haar zo aanbidt dat hij elke minuut en elke seconde van de dag moet weten wat zijn ware liefde doet.

Ik ging op het hek zitten. Mama ging op haar knieën zitten om planten te verzorgen. Het was een mooie middag en de geur van de lelies was heel sterk. Rozen ontvouwden zich in al hun roze glorie en door al die geuren kostte het ademhalen me moeite.

Met haar hoofd dicht bij de grond vroeg mama: 'Zouden... zouden jij en je zus met mij willen weggaan?'

'Wát zegt u? Papa heeft gelijk. U wordt met de minuut verwarder. Waar haalt u het idee vandaan? U weet dat papa nu niet op reis kan. Hij zit midden in het Merriweather-proces.'

Toen leek het hele lichaam van mijn moeder slap te worden, alsof ze dringend aan water toe was.

Dus misschien heeft ze dat wel gedaan. Misschien is ze er stiekem tussenuit geknepen omdat ze haar reislust niet langer kon negeren. Wellicht naar Italië. Met behulp van die Berlitz-grammofoonplaat had ze die taal immers geleerd.

Maar als dat het geval is en ze in Italië is, waarom heeft ze ons dan geen prentbriefkaart gestuurd met erop geschreven 'Ik wou dat je hier was'.

Omdat ze dat niet wil. In elk geval niet wat mij betreft.

Hoewel ze die paasmiddag doorging met tuinieren – alsof het idee van een reis maken nooit was geopperd – zag ik tranen op de jonge aanplant druppen.

Daarom is het waarschijnlijk mijn schuld dat ze weg is. Was ik maar naast haar op mijn knieën gaan zitten en had ik maar gezegd: 'Samen met u weggaan? Het is heel jammer dat we dat nu niet kunnen doen, maar ik weet zeker dat het binnenkort wel kan. Als papa dat proces achter de rug heeft. Laten we het zo plannen.'

Had ik maar...

Die woorden moeten zo ongeveer de meest trieste zijn die er in onze taal te vinden zijn.

8

Ik moet echter ook in aanmerking nemen wat er met Mildred Fugate is gebeurd.

Madame Fugate vertelt aan iedereen dat ze in Parijs is geboren, maar we weten allemaal dat het niet om Parijs in Frankrijk gaat maar om Parijs in de buurt van Leesburg. Ze zal wel denken dat dat haar een beetje meer *oh-la-la* geeft. Ze geeft aan de meisjes in de stad les in beweging en dansen. In een zaaltje dat ze in de buurt van Main Street heeft gehuurd. (Als mama thuis is zal ik haar verrassen met een cursus manieren, zodat ze kan leren wat haar juiste plaats is. Want daar heeft oma Ruth gelijk in. In dat opzicht heeft mijn moeder echt nog wel wat te leren.)

De reden waarom ik in verband met mijn zoektocht naar mama aan Madame moet denken is dat zij tijdens die beroerde winter van een paar jaar geleden op het ijs was uitgegleden, waardoor haar linkerbeen op drie plaatsen was gebroken, en ze het bewustzijn had verloren omdat ze met haar hoofd op de stoep was geknald. Dansen in een tutu is een beetje te veel van het goede voor een meisje met mijn temperament, maar ik was daar wel om Woody na de balletles op te halen. Ik rende naar de praktijk van dokter Keller, stak mijn hoofd om de hoek van de deur en brulde: 'Kom snel. Madame is flauwgevallen, of ze is dood.'

Toen hij bij haar was hield hij vlugzout onder haar neus. Ik begon te lachen, omdat ze, zodra ze haar ogen had geopend net als in een film zei: 'Waar ben ik? Wie ben ik?'

Die gecompliceerde breuk is goed genezen, maar het geheugen van Madame niet.

Heel veel dingen die voor die val waren gebeurd kon ze zich niet meer herinneren. Zoals het bestaan van een echtgenoot. (Ik heb echter het idee dat dat wel eens gespeeld kan zijn. Als ik haar was, zou ik me 'Bait' Fugate ook niet willen herinneren.)

Dus is het mogelijk dat onze moeder iets dergelijks is overkomen. Het kan zijn dat ze ergens langs een weg in de rimboe zwerft, zonder te weten waar ze thuishoort of waarom ze verlangt naar twee identieke meisjes. Natuurlijk is het afschuwelijk om zoiets te wensen, maar het zou wel een hele opluchting zijn. Veel beter dan geloven dat het helemaal mijn schuld is dat ze weg is.

Ik wentel me in verdriet terwijl ik word geacht de badkamer schoon te maken.

De wasbak van papa is vandaag brandschoon, maar vaak zitten er snorharen in. Die heb ik er telkens met plakband uitgehaald. Ik ben van plan ze naar juffrouw Delia Hormel in het pension te brengen. Zij is aan de rechterkant van Sulphur Mountain geboren en de mensen daar kunnen niet alleen iemand betoveren. Ze staan er ook om bekend dat ze iemand beter kunnen maken. Als je twee dollar en iets wat van een zieke beminde is meeneemt, kan juffrouw Delia een geneeskrachtige pop voor je maken – van jute en met maïskorrels als ogen. Zij zou nog wel eens de enige kunnen zijn die papa kan helpen zich beter te voelen, want niets van wat ik heb geprobeerd lijkt te werken.

Ik heb zijn paard gewassen en zijn wapens schoongemaakt,

en dat is hem volgens mij nooit opgevallen. Ik heb vaak aangeboden een nachtje met hem naar de sterrenstelsels te kijken. Ik breng hem in herinnering dat de astronauten de volgende maand naar de maan gaan, en dat we die historische gebeurtenis met een feest zouden vieren. Ik schuif briefjes onder de deur van zijn werkkamer door. In die briefjes schrijf ik dat ik heel veel van hem houd en vraag ik of ik iets kan doen om zijn hart te troosten. Soms breng ik hem in herinnering hoe leuk een bepaalde dag die we samen hadden doorgebracht was geweest. Zoals die oktobermaand, toen ik negen was en we op het Appalachian Trail felgekleurde bladeren hadden verzameld voor een schoolproject. Ik onderteken die briefjes met 'Uw mooie dochter van de sterren'. Ik weet zeker dat ik nu elk moment iets van hem kan horen.

In de spiegel boven de wasbak kijk ik naar mezelf. Mijn haren zijn dof en ik heb donkere kringen onder mijn ogen – kringen die nog eens worden geaccentueerd door de poeder die via de wang van mijn zus op de mijne is beland. Ik veeg die weg en wens dat ik hetzelfde met mijn zorgen kon doen. Met Woody gaat het steeds slechter, en ik weet waarom. Ze heeft akelige herinneringen. Binnenkort is het Founders Weekend en vorig jaar is mama in die tijd verdwenen.

Een paar mensen suggereerden dat de sheriff zijn tijd niet zou verspillen door mama te gaan zoeken in Loudoun County, waar de kermis naartoe gaat als die bij ons is opgebroken. 'Misschien is Evelyn er met een van de circusknechten vandoor gegaan. Ze leek hier nooit te passen, nietwaar?' heb ik een van de liefdadigheidsdames tijdens een theekransje achter haar hand horen zeggen. Dat getuigt van weinig inzicht, en het is bovendien onzinnig. Waarom zou mijn moeder mijn heerlijk ruikende papa verlaten voor zwervers die naar zaagsel en zweet stinken? De Edelachtbare zegt dat mama niet al te slim is, maar ze zou wel compleet zonder hersenen moeten zijn geboren om weg te lopen met een tandeloze man die in een aluminium caravan woont, terwijl ze het schitterende Lilyfield als thuis had. Misschien is ze... Ik denk daar al zo lang over dat ik niet meer weet wat ik moet geloven. Mama ís dol op het reuzenrad. Ze vindt het heerlijk het gevoel te hebben overal boven te staan. De draaimolen vindt ze ook mooi.

Hoewel ik het niet graag toegeef, kunnen die vrouwen gelijk hebben. Op de avond dat mama niet meer naar huis kwam, zag ik haar voor de tent van de Dikke Dame staan. Ze had de kleren aan die ik het mooist vond: een witte broek en een witte blouse met rode biesjes langs de zakken. Ze zag er zo mooi uit met de wind die door haar haren speelde. Toen er over de luidspreker werd omgeroepen dat de show elk moment kon beginnen en Kleine Jumbo – de kleinste man op aarde – te zien zou zijn, liep ik snel naar haar toe en vroeg: 'Waar was u? Ik heb u overal gezocht. We hebben twee kwartdollars nodig. Snel. De show gaat bijna beginnen!'

Mama pakte niet snel haar portemonnee. Hoofdschuddend keek ze naar de te fel gekleurde vlaggen die in de wind wapperden en zei met het meest eenzame stemgeluid dat ik ooit heb gehoord: 'Mensen kunnen zo wreed doen tegen mensen die anders zijn.' Toen keek ze me plotseling aan en vroeg: 'Waar is je zus? Ik moet jullie iets belangrijks...'

Ik liet haar haar zin niet afmaken. Ik rende weg. Woody en ik hadden ons het hele jaar op het zien van de show verheugd. Later die avond zag ik mama naar ons zoeken, waarschijnlijk om excuses aan te bieden, maar ik bleef zo ver mogelijk bij haar uit de buurt. Zo boos was ik op haar omdat ze ons geen geld voor de kaartjes had gegeven.

Ik maak het medicijnkastje open en pak een potje met pillen. Er zitten er nog een paar in.

Papa had op een ochtend in de keuken dat flesje gepakt, het geschud en gezegd: 'Die zullen moeder helpen zich rustiger te voelen.'

'Echt waar?' vroeg ik, omdat dat geweldig zou zijn. Misschien zou ze dan ophouden tegen papa te schreeuwen en zou hij niet meer tegen haar schreeuwen en konden ze weer worden zoals ze eens waren. Door elkaar betoverd. Misschien zouden ze elkaar dan niet het ene moment negeren en het volgende woedend op elkaar zijn. Dus keek ik opgewonden toe terwijl papa de pil met een lepel verpulverde en hem toen in het theekopje van mama deed, samen met melk en twee lepeltjes suiker. Dat verliep volgens plan. In elk geval een tijdje. Onze moeder was beslist minder vechtlustig. De meeste middagen ging ze naar bed. Tot de dag waarop ze ontdekte wat hij had gedaan. Ik zal het nooit zeker weten, maar ik vermoed dat Woody het haar heeft verteld. Dat zorgde voor een knallende ruzie.

Mama smeet de theekop op de keukenvloer waar die brak. 'Dit doe je omdat ik geen lid meer ben van de Ladies Auxiliary,' zei ze jammerend.

'Mijn grootmoeder heeft die club opgericht en mijn moeder was er ik weet niet hoeveel jaar voorzitter van. Wat is er mis met een vrouw die haar waarde bewijst door te voldoen aan de behoeften van haar echtgenoot en haar gezin? Wat bezielt jou in vredesnaam?' donderde papa.

'O Walt. Wat bezielt jóú? Je probeert mijn geest te doden, net zoals je vader dat met de jouwe heeft gedaan,' zei ze, en ze keek hem aan zoals Jezus op een plaatje in onze Bijbel naar Judas Iskariot kijkt.

'Onzin. Ik geef je die pillen voor je eigen bestwil. Dat klopt toch, Shenandoah?'

'Dat klopt,' zei ik zonder ook maar even te aarzelen.

Terwijl ik me die ruzie herinner, stop ik het potje in mijn zak en loop snel zijn badkamer uit. Wanneer Woody en ik in de kelder zitten en moeten huilen, brult papa dat hij dat voor ons eigen bestwil doet.

Voor de deur van onze slaapkamer blijf ik staan. Ik druk mijn gezicht tegen het glanzende hout en roep naar mijn zus: 'Ik ben bijna klaar met schoonmaken. Daarna kom ik naar je toe en zal ik iets voor je zingen uit *South Pacific*. Oké?'

Ik zou dolgraag willen zien dat mijn eens zo levendige zus weer net als vroeger op het bed op en neer springt, in haar handen klapt en roept: '*South Pacific*? Dat is de lievelingsplaat van mama en mij!' Maar het enige beeld dat ik voor ogen kan halen is hoe ze was toen ik haar achterliet. Op de sprei liggend, zich nauwelijks bewegend.

9

Weet je hoe ik me begin te voelen?
Alsof er aan beide kanten hard aan me wordt getrokken. Ik voel me verscheurd.

Als mijn moeder hier was zou ik haar jammerend kunnen vragen wat te doen omdat ik zo in de war ben.

Maar ze is hier niet. En zelfs als ze er wel was, zou ik er niets aan hebben om haar om hulp te vragen. Ik weet hoe ze dan zou reageren. 'Shenny, ik kan je niet vertellen hoe je je problemen moet oplossen. Dat zul je zelf moeten doen. Het is belangrijk dat je een sterke vrouw wordt.' Ze zou het zeggen alsof ze een soort heilige kennis overbracht. 'Een onafhankelijke geest verlaat zich niet op anderen.'

'U klinkt als een van uw grammofoonplaten!' zou ik woedend brullen. 'Een kapotte, wel te verstaan. Weet u wat ik denk? Dat u te luid protesteert!' Want ze was zo hypocriet. Papa vertelt háár en de rest van ons wel altijd wat we moeten doen. Na zo'n ruzie stormde ik weg en bracht ik de rest van de dag door in het fort, kokend van woede omdat ze zo'n slechte moeder was en omdat mensen uit het noorden zo pathetisch waren. Dan haalde ik mijn neus op als ze iets lekkers kwam brengen en wachtte ik tot de auto van mijn vader na een dag in het gerechtsgebouw de oprijlaan op kwam en dook ik in zijn armen, opgelucht dat het probleem waarmee ik zat nu door zijn veel wijzere hoofd zou worden overgenomen.

Nu kan ik er echter niet meer op rekenen dat papa een oplossing aandraagt. Hij trekt zelfs sokken aan die niet bij elkaar passen.

Wat moet ik doen? Wat moet ik doen? Opeens schiet me een citaat te binnen dat mama me uit mijn hoofd heeft laten leren omdat ze dacht dat het me zou kunnen helpen wanneer ik me ergens zorgen over maakte:

Te zijn of niet te zijn, dat is de kwestie:
Is het nobeler om te lijden
Onder alles wat het wrede lot je toeslingert
Of om de wapens op te nemen tegen een zee van zorgen
En er al vechtend een eind aan te maken?

Ik denk het laatste. Ik kan niet stil blijven zitten om door het wrede lot te worden geraakt. Ik moet in het diepe duiken.

Ik zal beginnen met een andere sjaal van mama te halen die Woody kan troosten.

Ik moet mijn belofte aan onze goede vriend Sam Moody ook nakomen. Hij heeft me gevraagd of ik na de verdwijning van mama een briefje heb gevonden. Ik dacht dat hij zich afvroeg of papa een brief had gekregen waarin losgeld werd geëist. Sam heeft veel ervaring bij de politie in een grote stad. Als hij de leiding had gehad over het zoeken naar mama in plaats van die imbeciel van een sheriff Nash, durf ik erom te wedden dat ex-rechercheur Moody iedereen de dag na de verdwijning van mama had ondervraagd. 'Heb je iemand gezien die met een blinddoek en een jutezak rondsloop? Heb je op de kermis een verdacht iemand gezien die mevrouw Carmody de struiken in sleepte?'

Dat ze was ontvoerd leek zo waarschijnlijk dat ik al mijn moed verzamelde, regelrecht naar papa ging en vroeg: 'Hebt u toevallig een briefje gekregen waarin om losgeld werd gevraagd?'

Hij kreeg bijna een appelflauwte en dat vatte ik op als een nee.

Sam leek een beetje huilerig toen ik hem dat vertelde. 'Shenny, ik had het niet over losgeld. Blijf zoeken.'

Er is maar één plek waar ik de sjaal voor Woody en het briefje voor Sam en iets wat voor ons allemaal heel veel zou betekenen – een aanwijzing over de verblijfplaats van mama – zou kunnen vinden. Misschien stond er iets in haar dagboek.

Dat was echter wel een probleem, want het is me onder alle omstandigheden verboden in hun slaapkamer te komen.

Welke van mijn persoonlijkheden moet ik trouw zijn? Shen, de goede zus? Shen, de trouwe vriendin? Of Shen, de gehoorzame dochter?

Wat zou mijn moeder me aanraden als ze hier was? Waarschijnlijk zou ze Shakespeare weer citeren. Ja.

Te slapen, misschien te dromen.

Dat lijkt me duidelijk genoeg.

Ik weet niet waar de Edelachtbare op dit moment is, maar ik ben er vrij zeker van dat hij niet in zijn slaapkamer is. Anders zou ik hem horen snurken of in zijn slaap horen schreeuwen. Met mijn knokkels klop ik op de stevige eikenhouten deur. Een keer. Twee keer. Ik zet hem op een kiertje en zeg heel zacht: 'Edelachtbare?'

Ik ben hier al heel lang niet meer geweest.

Omdat er slechts een smalle streep zonlicht tussen de rode fluwelen gordijnen door komt kan ik niet echt goed om me heen kijken, maar zie ik wel dat hun hemelbed leeg is. Sokken en hemden liggen her en der op de houten vloer en ik ruik eten en – heel even – Chanel N°5.

O, mama.

Weet je wat er kan gebeuren wanneer je opeens iets terugvindt? Zoals een afgescheurd toegangsbewijs voor een film die je echt mooi vond of een klavertjevier dat je tussen waspapier had gelegd om op elk gewenst moment het idee te kunnen hebben dat je geluk hebt? Als je zoiets dan ook daadwerkelijk terugvindt, roepen die dingen uit het verleden niet altijd een gelukkig gevoel op. Ze zorgen er vaak voor dat je heel sterk gaat verlangen naar iets wat je misschien nooit meer zult krijgen. Dat verlangen bekruipt me nu.

Onze moeder had familiefoto's aan de muur tegenover hun bed gehangen, zodat ze er voor het slapengaan naar kon kijken en dan aangename dromen kreeg. De afgelopen nieuwjaarsdag had ik gezien dat mijn vader ze allemaal in een kartonnen doos stopte, alsof hij had besloten ze weg te doen. Alsof zijn familie slecht was. Hier naast het raam had de favoriete foto van Woody en mij gehangen. De foto die nu in ons fort hangt. 'Zouden wij die mogen hebben?' had ik aan hem gevraagd.

Papa gaf hem aan mij en zei: 'Zout in de wond.' Toen ging hij door met het opbergen van de foto's.

Ik had gedacht dat die foto een soort spalk zou zijn voor de gebroken harten van Woody en mij, maar papa had gelijk. Telkens wanneer ik naar die foto van ons in het veld vol lelies kijk, krijg ik zo'n branderig gevoel in mijn borst.

Ik strijk met mijn vingers over de vage lijnen die de lijsten van de foto's op het behang hebben achtergelaten. Eens hingen er foto's van Woody en mij, als kleine boekensteunen in de armen van mama. Er hing ook een foto van onze eerste schooldag, waarop we dezelfde witte blouses en marineblauwe rokken aanhadden. Ik was vooral dol op de foto van mijn zus en mij in de kreek, met opa Joe en oma Jean. Die zijn nu dood. De vader en moeder van mama zijn een paar jaar geleden omgekomen bij een bootongeluk op het koude water van Lake Michigan in Wisconsin. Daarom blijft mama uit de buurt van boten, tenzij het te lastig is op een andere manier een bepaalde plaats te bereiken.

Mama moest in haar eentje naar haar ouderlijk huis in Whitefish Bay gaan om de begrafenis te regelen. Wij mochten niet mee en papa had het druk met een proces. Toen ze terugkwam viel het mijn zus en mij op dat ze anders was. Natuurlijk had het verdriet haar magerder gemaakt, maar wat ze qua gewicht had verloren leek ze er qua spirit bij te hebben gekregen. Na de dood van haar ouders nam mama op roekeloze wijze geen blad meer voor haar mond. 'Geld regeert de wereld,' zegt grootvader Gus altijd, en de ouders van mijn moeder hadden haar behoorlijk wat geld nagelaten. Dus misschien had dat er iets mee te maken. Ik weet het niet.

Aan de muren van de slaapkamer hadden geen foto's van grootvader gehangen, met zijn arm om zijn jongste zoon heen, allebei stralend van trots. Het is namelijk de taak van een camera een wáár moment vast te leggen en de waarheid luidt dat grootvader níét trots is op papa. Als kind heeft hij reuma gehad. Daarom is hij klein gebleven en is hij niet zo ruw en gehard als zijn vader en zijn broer. Grootvader noemt hem 'een dwergrund' en drijft bij elke gelegenheid de spot met zijn werk. Gus Carmody is van mening dat het vak van rechter soms handig van pas kan komen, maar dat het geen echt mannelijk beroep is. 'Welke man trekt er nu een jurk aan als hij gaat werken?'

Er hingen wel trouwfoto's van papa en mama aan de muur. Onze moeder in de ragfijne en van een hoge hals voorziene jurk van oma, met een boeket met een wit lintje in haar hand. Onze vader ziet er chic uit in een rokkostuum en met een hoge hoed op. Ze leken op Ginger Rogers en Fred Astaire. Wanneer er vroeger muziek op de radio was met een duidelijke beat, bewogen papa en mama hun heupen soepel en maakten ze een dansje. Soms keken ze 's avonds laat samen naar een film, dicht tegen elkaar aan op de bank, het licht van de televisie weerkaatst op hun verliefde gezichten. Op de zaterdagen gingen ze naar de stad om een hapje te eten en dan hoorde ik hen daarna op de veranda parelend lachen.

Ik heb hier veel over nagedacht. Ik heb geprobeerd te bepalen wanneer er een eind aan hun sprookje kwam. Ik denk niet dat het door een bepaalde gebeurtenis is misgegaan. Er kwam steeds iets bij en na verloop van tijd werd papa ergens diep vanuit zijn binnenste even opvliegend als opa Gus. Toen die opvliegendheid eenmaal de vrijheid had gekregen, leek hij er de rem niet meer op te kunnen zetten. Ik stelde mama verantwoordelijk voor die verandering in hem. Zij was degene die voor de problemen zorgde. Ik smeekte haar niet zo uitdagend te doen, stak waarschuwend een vinger op en zei: 'Het enige wat u hoeft te doen om het goed te maken is u uw trouwbeloften herinneren. U moet van de Edelachtbare houden, en – nog belangrijker – hem gehoorzamen.'

Dit is haar toilettafel.

In de onderste la bewaart ze haar sjaals. Ik moet de sjaal die papa gisteravond aan flarden heeft gescheurd vervangen. Mijn zus heeft zo'n sjaal nodig. Ze maakt er in haar vuist een balletje van, drukt dat tegen haar neus en zuigt op haar duim. Met dat kleine beetje van mama in haar hand gaat de nacht voor haar sneller voorbij.

Nu ik hier toch ben, wil ik ook op zoek gaan naar de witte blouse met de rode biesjes van mama en... Mijn hemel, wat is er met mij aan de hand? Hier zal ik niets anders van haar kunnen vinden. Papa heeft al haar kleren aan de tweedehandswinkel gegeven omdat zij hem herinnerden aan wat hij had verloren en hij dat niet kon verdragen. Mama's korte, smaragdgroene jasje heb ik de afgelopen week tijdens de mis gezien en ik was al half de kerkbank uit voordat ik besefte dat Beebee Mathison het droeg alsof het van haar was. Dat is niet erg. Als ik mama thuis heb gebracht zullen we nieuwe kleren voor haar kopen in die mooie winkels in Richmond of Washington D.C. Dat zou papa prachtig vinden! Hij staat erop ál onze kleren uit te zoeken en hij zou er niet over denken zijn vrouw in haar eentje te laten winkelen.

Onder dit oosterse tapijt met blauwe en goudkleurige krullen waarop ik nu sta hebben Woody en ik mama geholpen een geheim plekje uit te hollen dat zij 'mijn bolwerk' noemde. Toen papa op een dag in het gerechtsgebouw was, waren wij een hele middag bezig planken los te wrikken. Zij leek het hebben van zo'n plek zo belangrijk te vinden dat ik haar hielp, ook al had ik mijn twijfels – wat zij wist. Toen we ermee klaar waren zei ze: 'Dit moeten we geheimhouden. Je vader zou teleurgesteld zijn. Begrijp je dat, Shen?'

Dat begreep ik wel zo'n beetje. Ik deed altijd alsof ik Centaurus kon zien terwijl dat niet zo was, om papa niet teleur te stellen.

Ik heb honderd excuses gehad om niet eerder naar het dagboek van mama op zoek te gaan. Oké. Ik ben te laf geweest om over haar meest intieme gevoelens te lezen. Te bang om iets te weten te komen wat ik beter niet kon weten. Iets wat me al mijn hoop zou ontnemen.

Ik ga op mijn knieën zitten en sla het oosterse tapijt terug.

Met trillende vingers trek ik de plank omhoog. Ik doe mijn uiterste best mijn angstige ik op een afstand te houden, maar dat blijft tegen me praten.

Ga niet op zoek naar problemen, Shen. Daar heb je er al meer dan genoeg van.

Ik zou dolgraag willen zeggen: *Natuurlijk heb je gelijk. Waar zat ik met mijn gedachten?* Dan zou ik naar beneden kunnen rennen om voor Woody en mij sandwiches met kaas te maken en naar het fort te gaan. Daar zou ik kunnen oefenen op trucjes met kaarten.

Goed zo, zegt dat stemmetje in mijn binnenste. *Nu gebruik je je denkhoofd.*

'Stil!' zeg ik hardop, omdat ik er niet meer naar wil luisteren zoals ik dat in het verleden deed. Uit ervaring weet ik dat angst veel luider spreekt dan moed. Ik moet naar die andere stem in mijn binnenste luisteren, die zachte stem die zijn uiterste best doet te worden gehoord. *Je bent geboren onder het sterrenbeeld van de Leeuw. Je moet dapper zijn. Een leeuw.*

Als ik bedenk dat mama de laatste is geweest die deze plek heeft aangeraakt, word ik zo zwak dat ik er bijna mee stop. Toch doe ik dat niet. Het licht is vaag, maar ik kan meteen zien dat de ruimte leeg is. Sams briefje is er niet en – erger nog – het dagboek van mama is er ook niet. Ik heb het gevoel een pakje te hebben opengemaakt waar ik een jaar op heb gewacht, om vervolgens te ontdekken dat er niets in zit. Waar is het? Kan papa het hebben gevonden? Nee. Hij kon geen enkele reden hebben gehad om op zoek te gaan naar iets waarvan hij niet op de hoogte was. Als hij het dagboek bij toeval had gevonden, zou hij hebben geweten dat zijn vrouw naar Sam toe ging, en hoe Woody en ik haar daarbij hadden geholpen en... Nee, papa heeft dat dagboek niet gevonden. Anders zouden wij zijn gestraft. Mijn moeder moest het ergens anders hebben verstopt zonder het mij te vertellen. Ik durf te wedden dat ze het wel aan Woody heeft verteld, want dat is zo'n moederskindje.

Ik ga staan en trek het kleed met mijn tenen recht. Ik voel me ellendig. Sam zal zich ook wel ellendig voelen als ik hem vertel dat ik op de laatste en beste plaats naar dat briefje heb gezocht en niets heb gevonden. Niet eens stof. En die arme Woody. Hoe zal zij zonder een sjaal van mama ooit in slaap kunnen vallen?

'Wat ben je aan het doen?' vraagt een andere stem beschuldigend.

'Ik probeer alleen mijn moeder te vinden voordat mijn familie nog erger uiteenvalt dan toch al het geval is. Kun je me niet gewoon met rust laten?' Ik schreeuw het bijna.

Maar deze keer beeld ik me de stem niet in. Ik ruik paardenzweet en Maker's Mark.

Ik kijk op en zie papa in de spiegel boven de toilettafel van mama nijdig naar me kijken. Hij staat daar in levenden lijve.

10

'Ben jij dat, Jane Woodrow?' vraagt papa, die in zijn laarzen en zijn rijbroek met grote passen de kamer in loopt. Voor zo'n kleine man neemt hij grote stappen.

Ik draai me snel om en grijns nadrukkelijk, zodat hij het enige duidelijke verschil tussen Woody en mij kan zien: de spleet tussen mijn tanden. Het heeft hem altijd moeite gekost ons uit elkaar te houden. 'Edelachtbare, u hebt me laten schrikken.' Die opmerking temper ik met een grijnsje, om te voorkomen dat hij me ervan beschuldigt onbeleefd te zijn. 'Hoe ging het paardrijden vanmorgen? Heeft Pegasus...'

'Shenandoah, wat doe je hier?'

'Ik... ik...' Ik kan er niets aan doen. Het kan me niets schelen hoe verfomfaaid hij oogt. Ik zou het heerlijk vinden als hij zijn armen om me heen zou slaan, zijn stoppelige wang tegen de mijne zou drukken en met zijn neus langs de mijne zou strijken. Ik wil zijn haren kammen, hoeveel tanden van de kam daardoor ook zullen breken. Voorzichtig loop ik iets dichter naar hem toe en zeg met moeite: 'Hebt u... hebt u gisteren die vallende sterren gezien? Hebt u ook gezien dat Jupiter heel dichtbij was? En vergeet niet dat er de volgende maand mannen naar de maan gaan en u de vorige zomer hebt beloofd dat we...'

'Ik heb je ervoor gewaarschuwd dat je niet in deze kamer mag komen.' Hij slaat met zijn rijzweep tegen zijn been.

'Dat weet ik, Edelachtbare, en onder andere omstandigheden zou ik dat ook niet hebben gedaan.' Ik wou dat ik hem kon vertellen wat ik echt had gedaan. Dat ik in mama's bolwerk had gezocht naar het dagboek, hopend een aanwijzing te vinden waardoor ik een idee zou krijgen waar zijn lieflijke vrouw naartoe was gegaan. Maar hij zal nog triester worden als hij ontdekt dat mama iets voor hem verborgen heeft gehouden. Je hebt nog nooit iemand gezien die zo stapel op een ander was als mijn vader op mijn moeder. Wanneer ze een kamer uit liep, ging zijn adem met haar mee. Hij zal me bedanken als ze weer in zijn armen ligt. 'Het spijt me echt, maar Wood... Jane Woodrow heeft moeite met slapen. Ik dacht dat als ik... ze heeft...' Ik durf erom te wedden dat hij niet eens meer weet dat hij de sjaal van mama gisteravond aan flarden heeft gescheurd voordat hij ons naar de kelder bracht.

'Heb ik jou en je zus bij de kreek gezien?' vraagt hij terwijl hij steeds dichter naar mij toe loopt.

'Nee, Edelachtbare.'

'Wat eigenaardig,' reageert papa met komisch gespeelde verwarring. 'Ik had durven zweren dat ik jullie onder de treurwilg heb zien liggen toen ik de stal uit kwam.' Hij pakt mijn arm vast, vlak onder het *Speranza*-horloge dat mama van Sam Moody had gekregen. Hoe had ik zo zorgeloos kunnen zijn? Ik was zo bang toen we zo laat thuis waren dat ik helemaal heb vergeten het horloge onder mijn kussen te leggen toen Woody en ik weer op Lilyfield waren.

'Hebt u het over de grote wilgenboom?' vraag ik. 'Die met de gebarsten stam? Bedoelt u die?' Ik doe alsof ik daarover nadenk. 'Nee, dat waren wij niet. Maar over de kreek gesproken... U herinnert zich meneer Clive Minnow toch nog wel? Onze buurman? Virgil, van de levensmiddelenzaak, heeft hem dood in het water aangetroffen en nu is zijn oude hond Ivory helemaal alleen en... Zou ik hem hierheen mogen halen? U weet hoe dol Woody is op honden en...' Ik heb mezelf verraden. Aan de sluwe glimlach van papa kan ik zien dat hem dat ook duidelijk is. Voordat hij rechter werd, had hij als officier van justitie gewerkt en hij was berucht om zijn ondervragingen. Ik heb strafpleiters wit zien wegtrekken wanneer ze te horen kregen dat de grote Walter T. Carmody hun opponent zou zijn.

Gladjes zegt hij: 'Misschien zou je me willen uitleggen hoe je van de trieste dood van meneer Minnow hebt gehoord?'

'Ik...'

'Je short is vochtig. Zijn je zus en jij via de steppingstones naar de stad gegaan terwijl ik dat nadrukkelijk had verboden? Ben je op die manier te weten gekomen dat meneer Minnow is overleden?'

'Nee, Edelachtbare. Woody en ik zijn niet...'

Hij laat me los en strijkt met een vieze vingernagel langs de rand van mijn afgeknipte broek. Ik houd mijn handen op mijn rug, doe het horloge van mama af en stop het diep in de achterzak van mijn short. 'Als jullie niet bij de kreek waren, waarom is...' Uit de hal komt lawaai. Papa houdt zijn hoofd scheef en roept: 'Jane Woodrow?'

Mijn maag verkrampt zoals gewoonlijk wanneer hij haar naam roept. Laat Woody alsjeblieft niet naar mij op zoek zijn, bid ik.

Nog meer gekletter. 'Ik ben het, Edelachtbare,' roept Lou. Ik zak bijna door mijn knieën van opluchting dat het mijn tweelingzus niet is. 'Het is tijd om te lunchen en ik heb al uw favoriete...'

'Zet het dienblad maar in mijn werkkamer,' zegt papa. Als ik hem niet recht had aangekeken, had ik durven zweren dat ik de stem van grootvader hoorde. Of die van Blackie, want die kan ook zo snieren.

'Heeft Shen u over uw buurman verteld?' gaat Lou door. 'Uw broer is hier eerder deze morgen geweest om u te laten weten dat uw paard binnenkort nieuwe hoefijzers nodig heeft. Hij heeft de meisjes en mij alles verteld over meneer Clive, die dood is aangetroffen. Is dat niet vreselijk?'

Het was geen reddingspoging van Lou, al had ik dat wel graag gewild. Het was gewoon haar omslachtige manier om me eraan te herinneren dat ik mijn mond moest houden over haar en mijn oom, en dat zij dan haar mond zou houden over het feit dat Woody en ik vanmorgen uit Lillyfield waren ontsnapt.

De stem van papa weerkaatst tegen de muren. 'Ik heb je niet meer nodig.'

Ik hoop zo erg dat dat aan mijn adres is gericht dat ik probeer de kamer uit te lopen. 'Je zus?' zegt hij, en hij pakt me weer vast. De ring die hij na zijn afstuderen heeft gekregen dringt door tot het bot van mijn rechterschouder. 'Waar is ze, en waarom is je short nat als je niet bij de kreek was?'

'Ze is... we hebben de planten in de tuin water gegeven voor wanneer grootvader komt,' lieg ik. 'U moet iemand anders onder de wilg hebben gezien, of...'

'Ik heb vanmorgen bij de kreek bloemen geplukt voor de kamer van je mama,' brult Lou vanaf de gang. Ze is niet zichtbaar. 'Er staat een fraaie bos van de lelies die zij zo mooi vindt beneden op de...'

'Louise.' Papa gebruikt zijn rustige stem, die veel angstaanjagender is dan zijn boze.

'Ja, meneer?'

'Ga... terug... naar... de... keuken. Nú! Er moet hard worden gewerkt voordat mijn vader hier arriveert.'

Ik hoor Lou snel weglopen, voodoowoorden mompelend om zichzelf in bescherming te nemen tegen de woede van papa, en ik wil dolgraag achter haar aan rennen. Hij zet me veel harder onder druk dan zijn bedoeling is. Daar ben ik zeker van. 'Op de avond dat je moeder verdween waren je zus en jij in het fort en stond er een volle maan aan de hemel. Wat heb je gezien?'

Ik wist dat hij me die vraag zou stellen. Dat doet hij telkens weer, ook al heb ik hem al talloze keren verteld wat ik die avond heb gezien.

Of in elk geval heb ik hem het merendeel verteld van wat ik toen heb gezien.

De kermis, Colonel Button's Thrills and Chills Show, slaat de tenten op in Buffalo Park aan de andere kant van Honeysuckle Hill, op een steenworp afstand van ons huis.

Woody en ik sliepen die avond in het fort, omdat ik dol ben op de geluiden die mensen maken wanneer ze zich amuseren. Al dat gejuich en geschreeuw geeft me het gevoel deel uit te maken van een groter geheel.

We hadden ons op de kermis prima geamuseerd. We hadden allebei een teddybeer gewonnen, in een draaimolen gezeten en vreselijk gelachen in het doolhof met de lachspiegels. Ik denk dat ik zo lekker sliep omdat ik over al die leuke dingen droomde, maar voor mijn zus gold dat niet. Na middernacht maakte ze me wakker en zei: 'Mama... mama... weg.'

Ik probeerde haar te negeren, maar toen ze dat niet toestond zei ik mopperend: 'Heb je te veel pepertjes gegeten? Je hebt een nare droom gehad. Ga weer liggen en ga slapen.'

Woody drukte zich heel dicht tegen me aan – wat ik gewoonlijk prettig vind – maar haar handen waren kleverig van de suikerspin. Ik rolde bij haar vandaan. Ze schoof echter weer naar me toe. 'Papa... papa,' kreunde ze, en toen hoorde ik hem ook.

Hij liep door het bos en riep: 'Nee... nee. Hoe heb je dat kunnen doen?'

Toen werd het stil, met uitzondering van het zachte gejammer van Woody, het geblaf van Mars en de bel van de Kop van Jut die vaag vanaf het kermisterrein te horen was. Ik dacht dat papa het bewustzijn had verloren, maar toen ik mijn oog tegen het kijkgaatje van het fort drukte, kon ik hem zigzaggend onze kant op zien komen. Er was daar ook iemand anders, maar ik kon niet zien wie en dat kon me ook niets meer schelen toen ik hoorde dat mijn vader vloekend probeerde de ladder naar het fort op te klimmen. Woody sloeg haar armen stevig om mijn hals toen hij naar boven brulde: 'Jullie moeder... ze is... kom naar beneden.' Omdat Woody en ik wisten dat we bij hem uit de buurt moesten blijven als hij zo was, bleven we waar we waren. Dat bleek het beste te zijn, want een tijdje later hield Mars op met blaffen en jankte nog een keer bloedstollend. Papa ging terug naar de open plek in het bos, bijna kruipend.

Ik vond dat papa eens moest ophouden met te proberen evenveel te drinken als zijn vader en zijn broer. Ik deed heel gemeen tegen mijn zus omdat ze me wakker had gemaakt. 'Hou eens op je als een baby te gedragen. Je weet dat hij dwaze dingen doet en zegt wanneer hij dronken is. Dat weet je. We moeten gewoon wachten tot het weer voorbij is. Mama is hier ergens. Ze is niet weg. Ze kan nergens heen.' Ik keek even naar het huis om daar zeker van te zijn. Ik betrapte mijn moeder er vaak op dat ze tussen een kier van de gordijnen naar buiten keek, alsof ze iemand verwachtte of Woody en mij gewoon in de gaten wilde houden. Welk van de twee weet ik niet. Die avond was het echter donker achter het raam van hun slaapkamer en was er niemand te zien. Brommend krulde ik me op en ik was bijna weer in slaap toen Woody me de laatste woorden in mijn oor fluisterde die sinds die avond over haar lippen zijn gekomen: 'Mama… weg.'

Toen herinnerde ik me dat onze moeder nauwelijks van al die festiviteiten genoot, hoe hard papa en grootvader haar ertoe probeerden te dwingen. Ik herinnerde me ook dat ik later die avond kwaad was geworden omdat ze Woody en mij geen geld gaf voor de Dikke Dame, maar zelf wel een ritje in de draaimolen maakte met onze vriend Sam Moody. Hij zat op een wit paard en mama zat een eindje verderop in een zwaan. Ze hadden moeten glimlachen, maar ze keken alsof ze zojuist hun beste vriend of vriendin hadden verloren. Goed, dacht ik. Ik ben blij dat ze verdrietig zijn. Ik was nog altijd kwaad omdat Woody en ik als arme kinderen onder het tentzeil door hadden moeten kruipen om de show te zien.

Toen ik die avond in het fort weer aan die draaimolen moest denken, nam ik niet eens de moeite mijn gympen aan te trekken. Ik deed alleen mijn shirt en mijn short aan, pakte mijn zaklantaarn, maakte het luik open om naar beneden te gaan en siste tegen Woody: 'Je gedraagt je als Sarah Heartburn, maar omdat het er alle schijn van heeft dat je zult blijven doorgaan en me geen minuut slaap zult gunnen tot ik naar mama op zoek ga, zal ik dat ook doen. Ze moet hier ergens in de buurt zijn.'

Mijn zus probeerde me tegen te houden, maar ik rukte me los. Hoewel ik dat niet tegen haar zei, leek het opeens mogelijk dat papa geen dronkenmanstaal uitsloeg. Misschien was onze moeder écht niet waar ze hoorde te zijn. Stel dat Sam en zij, die geen van beiden erg sociaal waren ingesteld, na dat ritje in de draaimolen naar zijn hut waren gegaan om in alle rust hun boek van de week door te nemen? Stel dat mama daarna was weggedoezeld? Omdat ik besefte hoe afschuwelijk dat zou zijn (het zou het eind van de wereld betekenen) zei ik tegen Woody: 'Als papa terugkomt, moet je dit fort niet uit komen. Hoe hard hij daar ook om smeekt. Heb je me goed gehoord?'

Ik gleed de trap af en rende op blote voeten door het bos naar de Triple S. Ik wipte het trapje van Sam op, bescheen met mijn zaklantaarn de hele veranda maar zag geen slapende moeder in de schommelstoel zitten. Misschien is ze binnen, dacht ik. Sam had een ventilator op de tafel staan en het was die nacht zo plakkerig warm. Met mijn vuisten timmerde ik op de voordeur.

'Wie is daar?' riep Sam.

'Ik ben het.'

Zwetend en met een geweer in zijn hand maakte hij de deur open. 'Shenny? Waar is Woody?' Sam keek over mijn hoofd de duisternis in.

'Is mama hier?' Ik vertelde hem meteen wat er op de open plek in het bos was gebeurd. Papa die schreeuwde dat zijn vrouw weg was, Mars die blafte en Woody die huilde. Toen ik dat alles had verteld moest ik ook een beetje huilen.

'Heeft je moeder eerder vanavond iets tegen jullie gezegd?' vroeg Sam. 'Heeft ze een briefje voor jullie achtergelaten?' Zijn angst maakte mijn angst nog groter.

'Daar… daar weet ik niets van.' Ik zette een stap naar achteren. 'Als mama hier komt, wil je haar dan vragen zo snel mogelijk naar huis te gaan? Zeg dat de Edelachtbare… erg teleurgesteld is.' Toen vertrok ik weer.

Ik was al midden op het terrein van het tankstation toen Sam riep: 'Wees voorzichtig!'

Die waarschuwende woorden bezorgden me kippenvel, omdat ik meteen begreep dat Sam niet bedoelde dat ik bij het oversteken op roekeloos rijdende chauffeurs moest letten, of ervoor moest zorgen dat er geen takken op de terugweg door het bos tegen mijn gezicht zouden slaan. Hij bedoelde het in ruimere zin. Ik zal nooit vergeten hoe het neonlicht van het uithangbord van zijn tankstation mijn armen rood deed lijken, hoe een hond verderop langs de weg blafte en hoe mijn hart in mijn keel klopte. Op die bloedhete avond wist ik dat Sam het wist. Dat mama privézaken met hem moest hebben besproken. Ik weet nog altijd niet hoeveel ze hem precies heeft verteld, maar waarom was ze in vredesnaam weggegaan?

'Shenandoah,' zegt papa nu terwijl hij mijn bovenarm vastpakt, 'weet je zeker dat je me álles over die avond hebt verteld?'

Ik trek mijn beste pokergezicht. 'Ja, Edelachtbare. Alles. Alles wat ik me kan herinneren. Dat zweer ik u.'

Hij gelooft me nooit, en dat moet hij ook niet doen. Omdat ik altijd wel een paar details achterwege laat, zoals het feit dat ik naar Sams hut was gerend in de hoop onze moeder daar te vinden. Wat papa ook met me doet, ik kan hem niets vertellen over de vriendschap tussen mama en Sam. Mijn zus en ik hebben elkaar op het leven gezworen daar nooit iets over te zeggen. Tegen wie dan ook.

'Heeft je zus je iets verteld?' vraagt papa, meer gespannen.

Mijn arme treurende vader heeft het contact met de werkelijkheid echt verloren. 'U herinnert zich toch wel dat ze niet meer praat?'

'Neem je me in de maling?' Hij haalt zijn arm naar achteren.

'Nee... nee... Ik probeerde alleen...' Ik doe mijn ogen dicht, klaar om een mep op mijn wang te incasseren.

De laatste keer dat hij me aan zo'n kruisverhoor had onderworpen was een van mijn kiezen los komen te zitten, al was dat natuurlijk niet zijn bedoeling geweest.

'Doe je ogen open.' Hij staat nu zo dicht bij me dat hij zijn lippen bijna op de mijne kan drukken.

Vanwege zijn naar whisky stinkende adem draai ik mijn hoofd weg en zie door een kiertje in de roodfluwelen gordijnen van de slaapkamer mijn tweelingzus. Het lijkt op een scène uit een film. Woody rent door de achtertuin als een heldin die door een onzichtbare boef wordt achtervolgd.

Ik denk snel na, wip van mijn ene voet op de andere en wijs naar de gang. 'Edelachtbare, het spijt me, maar ik kan op dit moment geen vragen meer van u beantwoorden. Ik moet iets dringends afhandelen. Mag ik even naar onze badkamer gaan?'

Hij doet een stap naar achteren en kijkt naar me alsof ik opeens vanuit het niets ben opgedoken. 'Ik... ik... Natuurlijk mag je dat. Ik wilde niet...' Hij zakt op het bed. 'Het spijt me.'

'Het is oké,' zeg ik.

Zo gaat het nu al enige tijd. Het ene moment is hij woedend, en het volgende is hij weer mijn kalme papa. Hij is kwikzilverachtig geworden. 'Waarom gaat u niet even liggen?' Ik strijk met mijn vingers door zijn verwarde haren. 'Straks kom ik weer terug en als u dat wilt zal ik uw haren wassen met de Castile-shampoo die u zo lekker vindt en uw scheermes pakken. We moeten u echt een beetje fatsoeneren.' Ik zet kleine stapjes naar achteren en ik hoop uit de grond van mijn hart dat hij zijn handen tegen zijn gezicht gedrukt blijft houden, want als hij opkijkt, zal hij door het raam Woody kunnen zien.

Zij is niet opgewassen tegen nog een nacht op haar knieën zitten. Dat is ze echt niet.

11

Mijn zus loopt al maanden weg.
In eerste instantie maakte ik me daar niet zo druk over. Ik dacht dat ze alleen even verandering van omgeving nodig had, weet je. Dat ze zich in de gevangenis die Lilyfield was geworden net zo opgesloten voelde als ik. Pas de laatste tijd ben ik gaan beseffen dat haar ontsnappen eerder strookte met wat Emily Dickinson beschreef met de woorden: 'Een gewond hert springt het hoogst.'

Toen mijn moeder die regel voor het eerst citeerde, vroeg ik haar wat dat betekende, want ik vond het onzinnig. Als een dier gewond is, krult het zich op tot een balletje om zijn wonden te likken en gaat het niet allerlei sprongen maken. Mama vertelde me wat ermee werd bedoeld: 'Shen, hoe erger iets ons vanbinnen kwetst, hoe harder we ervandaan proberen te lopen.' Ik denk dat mijn zus dat doet wanneer ze het op een rennen zet.

Ik móét bij de tweedehandswinkel inbreken om een andere sjaal van mama voor haar te bemachtigen. Die kan Woody als pleister gebruiken. Die zal ze nodig hebben als ik haar eens flink door elkaar heb geschud.

'Hou op met achter die kip aan te zitten en kom hierheen!' roep ik naar de andere kant van de kreek, die nog altijd niet tot rust is gekomen. Het water kolkt eerder nog meer. Zo te zien is er onweer op komst.

'Wat is er aan de hand?' E.J. laat zijn bijl vallen.

'Ze is er weer vandoor gegaan.'

Hij rent de helling af en neemt de steppingstones met twee tegelijk. 'Hoe is het haar gelukt om langs jou te komen?' vraagt hij buiten adem zodra hij bij me is.

We zullen geen van beiden die afschuwelijke dag vergeten toen ze was weggerend, toen wij zochten en zochten, het donker werd en we haar nog altijd niet hadden gevonden. E.J. en ik moesten naar het huisje van de Jacksons rennen om daar om hulp te vragen. Maar net toen ik in tranen tegen meneer Cole had gezegd dat Woody werd vermist en hij beter de sheriff kon inschakelen, kwam mijn tweelingzus aangelopen, met een afhangende schouder. Meneer Cole keek even naar haar en zei: 'Haar arm hangt er vreemd bij.' Heel snel pakte hij haar pols en zette de botten weer op hun plaats. Ik krijste het uit bij het geluid dat dat maakte, maar mijn zus vertrok vrijwel geen spier en dat trof me nog het meest. Het leek alsof niet zij degene was die pijn had, maar iemand anders.

'Is ze weer over het lattenwerk omlaag gegleden?' vraagt E.J.

'Dat kan bijna niet anders.'

Bezorgdheid maakt het toch al zo gewone gezicht van E.J. nog ongelooflijk veel gewoner. 'Had je vorige week niet tegen me gezegd dat je iets aan dat raam zou doen?'

'Ja, en dus?' Ik ventileer mijn frustratie door water uit de kreek omhoog te trappen. Ik vind het afschuwelijk wanneer hij gelijk heeft. Ik had ons slaapkamerraam moeten vastspijkeren, of er een plank tegenaan moeten zetten. 'Ik zag haar naar het bos rennen, en je weet wat dat betekent.'

Soms rent Woody zomaar een kant op, maar meestal zijn er twee mogelijke plaatsen van bestemming.

Een daarvan is de rand van de stad. Bij de spoorbaan, waar ze een bezoek kan brengen aan de daklozen.

Ik heb het in dat kamp nu ook naar mijn zin, maar de eerste keer dat ik Woody daarheen volgde dacht ik net zo over die zwervers met hun vieze kleren en kapotte schoenen als de meeste mensen hier in de buurt. Ik walgde ervan dat Woody zo tevreden oogde te midden van rafelende slaapzakken en de kartonnen huisjes achter de watertoren. Maar toen ik daar wat vaker was geweest begreep ik wel zo'n beetje waarom mijn zus het een goede plek vond. Het heeft iets... ik weet het niet... iets zo bekends.

Ik werd nieuwsgierig. Waarom kozen die zwervers onze stad uit in plaats van – laten we zeggen – Roanoke of Goshen Pass. Dus vroeg ik er de man naar die Hinkende Harry wordt genoemd en de Koning van het Kamp is, ook al heeft hij maar twee tanden en één oor. Hij liet me de geheime tekens zien die de zwervers op bomen en de zijkanten van schuren aanbrengen om lotgenoten te vertellen dat Lexington een goede plek is om uit de trein te springen, omdat die daar langzamer gaat rijden om water bij te tanken. 'Gewone reizigers hoeven – anders dan ik – niet uit een snel rijdende trein te springen en daarmee een ernstige verwonding te riskeren,' zei hij. Wat de reden is waarom hij nu Hinkende Harry wordt genoemd.

De zwervers maken het stadsbestuur niet zo gelukkig. Want als ze niet slapen en geen verhalen rond het kampvuur vertellen, drinken ze veel en daardoor worden ze chagrijnig. Eens in de zoveel tijd worden ze opgepakt door sheriff Nash en zijn hulpsheriff. Als ze zich niet snel verspreiden – wat vaak niet lukt omdat ze een beetje traag zijn – worden sommige zwervers opgepakt en naar de Colony gestuurd om af te kicken en gaan de anderen de cel in tot ze geen roze olifanten meer zien.

In het kamp is Dagmar Epps de dierbaarste vriendin van Woody. Ze is de vriendin van Hinkende Harry en daardoor de Koningin van het Kamp. Dagmar is geen echte zwerfster. Ze is hier niet vanuit een ver oord naartoe gekomen. Ze is in de stad geboren maar naar het kamp verhuisd omdat ze een beetje achterlijk is, denk ik. Ze is drie keer zwanger geraakt terwijl ze niet was getrouwd. Om haar te helpen haar losse zeden onder controle te krijgen, heeft de Edelachtbare Dagmars kinderen in een weeshuis geplaatst en haar toen in een ziekenhuis laten opnemen om haar buik leeg te laten halen. Dagmar doet nogal koel tegen mij, maar ze houdt van mijn zus, die ze soms 'Genevieve' noemt. Dat zal wel de naam van een van haar baby's zijn geweest.

Een van Woody's meest recente vrienden in het kamp is een zwerver die Curry Weaver heet. Hij is daar nog niet zo lang, maar mijn zus vindt hem écht aardig. Met die mondharmonica van hem lijkt hij wel de Rattenvanger van Hamelen. Hij haalt het ding uit zijn zak, drukt het tegen zijn lippen en vraagt met een noordelijk accent: 'Wat zou je vanavond willen horen, Woody?' Maar hij speelt altijd hetzelfde liedje. Een uitstekende versie van *Mr. Bojangles*. Dat doet hij omdat hij om de een of andere reden weet dat dat heel ontspannend werkt, of misschien omdat dat het enige liedje is dat hij kan spelen. Ik geloof dat Curry zo vriendelijk tegen ons doet omdat het handig kan zijn hooggeplaatste vrienden te hebben als je voor de wet op de loop bent – wat de meeste zwervers volgens Hinkende Harry zijn. Curry heeft me veel vragen gesteld. Over de stad. Mijn grootvader. Mijn moeder. Onder het praten gaan we graag op de schraagbrug over de rivier de Maury zitten. Dat werkt voor mij even kalmerend als Curry's mondharmonicamuziek voor Woody. Het zien van het stromende water doet me aan mama denken.

'Wat voor een man... is de Edelachtbare?' vroeg Curry de laatste keer dat ik daar was.

'Hij is echt een drukke en belangrijke man. Een geweldige vader. De beste. Hij geeft ook heel veel om de stad.'

'Ik heb gehoord dat je moeder is verdwenen. Dat moet triest zijn voor je zus en voor jou.' Hij keek over zijn brede schouder naar het kamp. Woody was daar met Dagmar, die de haren van mijn zus kamde met een ijslollystokje. 'Wanneer is ze opgehouden met praten?'

'Op de avond dat mama is verdwenen. Maar als ik onze moeder vind, gaat ze vast weer praten. Ik heb een plan.'

'Wat voor een plan?' vroeg hij alsof hem dat echt interesseerde.

'O, zomaar.' Ik kende hem nog niet goed genoeg om met details te komen. We zaten zwijgend naast elkaar en keken naar vogels die omlaag doken om te eten, alsof de rivier een groot lopend buffet was.

'Wat kun je me over dokter Keller vertellen?' vroeg Curry toen.

'Dokter Keller?' Dat verbaasde me. 'Papa en hij zijn al van jongs af vrienden, en ze hebben ook samen gestudeerd. Waarom vraag je dat?' Ik keek de zwerver in zijn zwart omrande ogen. 'Ben je ziek? Ik zou een afspraak voor je kunnen maken.'

Curry haalde zijn schouders op om mijn aanbod af te slaan. Ik nam aan dat hij leed aan iets wat hij gênant vond en daar dus niet over wilde praten. Toen schoof ik een eindje van hem vandaan. Veel zwervers hebben luizen.

Natuurlijk heb ik hem geen geheimen van de Carmody's verteld, maar hij is zelf ook niet erg mededeelzaam. Ik heb hem gevraagd wie of wat hij was voordat hij uit een trein sprong en hier belandde, maar dat wil hij me niet vertellen. Hij zou onderwijzer kunnen zijn, want hij is goed van de tongriem gesneden. Of misschien is hij schrijver, doet hij onderzoek voor een boek en pretendeert hij alleen een zwerver te zijn. Net als die blanke man die zich donker maakte en *Black Like Me* schreef – een verhaal dat mama en ik mooi vonden. Dat was echt een openbaring. Misschien is Curry *Zwerver zoals ik* aan het schrijven. Zijn onderzoek zal soms wel gevaarlijk zijn, want hij heeft een revolver achter zijn broekband.

Ik heb Vera van de drogisterij over hem verteld toen ik daar de vorige week was om pleisters te kopen. Als Curry zich een beetje zou fatsoeneren, dacht ik, zouden ze een leuk stel kunnen zijn. Volgens mij is zij – net als hij – eenzaam omdat ze zo ver van huis is. Vera gaf me het zakje en zei: 'O ja. Ik weet op welke zwerver je doelt. Ziet er een beetje uit als een afgebrand stompje? Klein en donker? Ik heb hem met een paar mensen zien praten en hij belt ook wel eens in de telefooncel bij het gerechtsgebouw.'

Wie of wat Curry ook is... ik vind hem aardig en hetzelfde geldt voor Woody, die niet gemakkelijk tevreden te stellen is wanneer het om mensen gaat.

'Kun je nog langzamer lopen?' brul ik naar E.J. We zijn nog niet eens halverwege het pad door het bos en ik maak me zorgen over de tijd. Met papa weet je het nooit. Hij kan vijftien minuten op bed liggen, of een paar uur. 'Je lijkt wel een schildpad, Tittle.'

De vorige keren dat mijn zus ervandoor ging, was ze naar de Triple S en Sam gegaan. Daar is ze nu ook naar onderweg. Ik zou haar kunnen wurgen! De traagheid van E.J. maakt mijn humeur er niet beter op.

Mijn zus rent om veel redenen naar het tankstation. De stem

van Sam troost haar. Ik denk dat je die het best smachtend kunt noemen. Hij is ook intelligent. Niet zo intelligent als mijn summa cum laude afgestudeerde vader, maar hij weet veel af van honkbal en misdaden en kan bovendien op een bepaalde manier naar problemen kijken en die dan oplossen. Ik zal je er een voorbeeld van geven. Toen ik mijn beklag deed over mijn slaaptekort omdat Woody slaapwandelt en ik daardoor alert moest blijven, stelde Sam voor een koebel aan de vinger van mijn zus te binden. 'Dat is geniaal!' riep ik uit, omdat ik dat echt dacht. Maar omdat Woody zo rusteloos is en voortdurend ligt te draaien, maakte die koebel een hels kabaal. Het leek wel alsof ons fort werd aangevallen door een kudde vaarzen.

De volgende morgen vertelde ik Sam hoe slecht zijn idee had gewerkt. Hij haalde zijn schouders op en zei: 'Dan zullen we iets anders moeten verzinnen, nietwaar? Gedane zaken nemen geen keer.'

Je moet niet denken dat Sam Moody een sociaal figuur is. Hij noemt de meeste mensen 'liegende klootzakken' – zonder zich voor dat grove taalgebruik te excuseren. Maar hij is op Woody en mij gesteld. En op E.J., die hij opleidt tot monteur zodat die, als hij ouder is op een andere manier in zijn levensonderhoud kan voorzien dan door het maaien van gazons en het hakken van hout.

Ik denk dat je kunt zeggen dat God er de hand in heeft gehad dat Sam twee jaar geleden naar ons is teruggekomen, en dat zijn partner bij de politie in Decatur, Illinois, is vermoord. Sam mist zijn geliefde Cubs en zijn partner Johnny Sardino, die dol was op pizza's.

En mama.

Natuurlijk kende ze Sam wel vaag omdat hij soms naar huis kwam om te kijken hoe het met zijn moeder ging, maar hun vriendschap begon na het feest dat Beezy bij haar thuis ter ere van de terugkeer van haar zoon had gegeven. Dat wás me een feest! De achtertuin was versierd met flonkerende lichtjes en ballonnen. Behalve wij waren er geen andere blanken voor dat feest uitgenodigd. Sam was de eregast. Hij is geen blanke. Zijn huid heeft eerder de kleur van een perfect geroosterde marshmallow. Aanvankelijk voelde ik me ongemakkelijk bij die mensen en op dat feest. Beezy en meneer Cole waren de enige negers met wie ik omging, maar ik vond al snel mijn draai toen ik zag dat zij ook graag wilden dat wij ons amuseerden. En dat deden we. Ik wist al dat zij beter zingen dan wij, omdat ik Beezy elke lente vraag me mee te nemen naar de Beacon-baptisten om naar hun zangkoor te luisteren. Maar wat kunnen die kleurlingen dansen! Ze kunnen met hun onderlichamen bewegingen maken die ik nog nooit heb gezien. (Er zijn wel uitzonderingen die de regel bevestigen. Woody en ik hebben geprobeerd met meneer Cole de Monster Mash te dansen, maar het kostte hem nogal wat moeite zich aan het ritme te houden. Sam danste ook niet veel, omdat alleen al het rechtop staan hem moeite kostte.)

Toen mijn moeder en ik een paar dagen later in de bibliotheek waren, liepen we Sam weer tegen het lijf.

Hij stond achter ons in de rij voor de balie. Toen de stapel boeken die mama vasthield op de grond gleed, bukte hij zich, keek naar de omslagen, gaf ze terug en zei: 'Een goede middag, mevrouw Evelyn. Leuk u weer te zien. Ik ben een bewonste… een bewonde… Ik hou ook van gedichten. Leest u wel eens iets…' Hij boerde. 'Van de Grote Bard?' Dat Sam naar een distilleerderij rook leek mijn moeder niet te deren. Ik denk dat ze zo graag met iemand anders dan met mij over dit sonnet van Elizabeth Barrett Browning of dat toneelstuk van Shakespeare wilde praten, dat ze bereid was die scherpe geur te negeren.

Voordat ik het wist, waren we de bibliotheek uit en liepen we naar de Triple S.

Dat was het eerste van vele bezoekjes.

Elke dinsdagmiddag – papa's langste dag in het gerechtsgebouw – glipten mama, Woody en ik weg om naar Sam te gaan. We namen de roeiboot. De boot die zoek is. Onze moeder vond de kreek de veiligste route, maar ze vroeg mij om te roeien omdat zij haar trillende handen niet vertrouwde. De eerste keer dat we de bocht om gingen en Sams huis konden zien, zei mama: 'Jullie moet me beloven dat je hierover niets aan je vader zult vertellen. Hij... zou het niet begrijpen.' Natuurlijk beloofde Woody dat meteen, maar ik was niet zo enthousiast over die bezoekjes. Tot ik zag hoe gelukkig Sam mama maakte. En ons. Dus beloofde ik het ook. (De meisjes Carmody zijn er goed in hun mond op slot te houden. Oefening baart kunst.)

Mama, die gekleed ging in een keurig gestreken jurk, en Sam, die zijn vettige overall aanhad, gingen niet op de veranda van het tankstation zitten om roze limonade te drinken en theebiscuitjes te eten. Dat zou dom zijn geweest. Dr. Martin Luther King Jr. mocht dromen wat hij wilde, maar de mensen hier probéren nog niet eens toleranter te zijn jegens kleurlingen. Mama, Woody en ik wachtten tot Sam het bordje van OPEN naar GESLOTEN had gedraaid en dan gingen we naar zijn hut achter het tankstation, om die twee een beetje privacy te geven. Als het regende gingen ze op de veranda zitten. Als het weer aangenamer was, wisselden ze ideeën uit aan een picknicktafel onder een schitterende esdoorn. Sam beschreef die esdoorn als 'het soort boom waar Joyce Kilmer graag tegenaan zou lopen'.

Woody en ik lieten Sam en mama alleen en gooiden steentjes in de kreek omdat mijn zus geïrriteerd raakte wanneer ze naar zoveel hij-doet-dit en hij-doet-dats moest luisteren. Ik kon tot in de avond naar die wals met woorden luisteren. Niet alleen hun gesprekken fascineerden me. Ook de manier waarop Sam echt mét haar sprak. Pas toen mama en Sam vrienden werden zag ik een man een vrouw zo behandelen als hij dat met haar deed. Niet het soort van vriendelijkheid van deuren openhouden en tegen je hoed tikken, maar iets beters. Natuurlijk luisterde mama ook heel aandachtig wanneer Sam het over honkbal of *Macbeth* had, want dames worden geacht dat te doen. Ze moeten doen alsof ze echt geïnteresseerd zijn in wat mannen te zeggen hebben.

'Als je niet wat sneller loopt kom ik terug om een vuurtje onder je achterste te stoken,' roep ik naar E.J. Ik ben al bij de weg. 'Je beweegt je niet bepaald snel voor een man uit de bergen die probeert zijn toekomstige bruid te redden. Misschien moet ik tegen Woody zeggen dat je van gedachten bent veranderd en met Dot Halloran wilt trouwen.'

'Shenny, doe dat alsjeblieft niet. Ik kan die koe van een Dot Halloran niet uitstaan,' roept hij ergens achter me vanuit de struiken.

Ik kan niet naar de Triple S kijken zonder te worden overspoeld door herinneringen aan mijn moeder. Ik kan me haar beter bij dat tankstation voorstellen dan op Lilyfield. Misschien omdat mama altijd glimlachte wanneer ze tijd met Sam doorbracht. Haar robijnrode lippen deden me dan denken aan het zich openen van de Rode Zee. Zo wonderbaarlijk vond ik haar geluk.

Woody zit op de veranda van het tankstation naast Sam op een krat, zoals ik al wel had gedacht. Mijn zus heeft een oranje Nesbitt in haar hand en zoals gewoonlijk prijkt zijn vliegbril op haar neus. Hoewel die bril de helft van haar gezicht bedekt, is ze er gewoon stapel op. Sam heeft zijn honkbalpet ver omlaag getrokken, maar laat je daardoor geen rad voor ogen draaien. Hij weet dat wij eraan komen.

E.J. komt eindelijk uit de struiken tevoorschijn, zwetend en onder de schrammen. Uit zijn haren steken een paar twijgjes.

'Waar wacht je nog op?' vraag ik, en ik duw hem de weg over. 'Ga haar halen, Casanova.'

12

De Triple S is niet nieuw en glanzend zoals het Shell-station langs de snelweg.

Ik wil niet onaardig zijn of zo, maar het tankstation van Sam doet me denken aan een hond met drie poten. Er zijn slechts twee pompen en er is geen autowasserette. Er is wel een wc, maar omdat die eruitziet als de toegang tot de hel, zou ik liever in de kreek plassen! In Sams kantoortje vind je een gehavend bureau, een draaistoel en een rekenmachine, en aan de muur hangt een honkbalkalender. Er hangen V-snaren aan haken boven een vrieskist waaruit je een koel drankje kunt halen, en alles stinkt naar Valvoline.

Ik had Sam gevraagd hoe hij eigenaar van dat tankstation was geworden, omdat ik geen andere kleurlingen ken die er een hebben. Hij vertelde me dat zijn achterneef het hem in zijn testament had nagelaten. 'Het is maar goed dat Sander overleed en niet mijn neef Hembly, want anders zou ik nu garnalen vangen bij de Golfkust in plaats van een middag met jou door te brengen, Shen.'

'Daar heb je dan inderdaad geluk mee gehad,' zei ik. 'Je hoefde niet eens een nieuw uithangbord te laten maken.'

Nadat E.J. snel de tweebaansweg is overgestoken en op de veranda aankomt, pakt hij ook een krat en gaat naast mijn zus zitten. Ik ga meteen in de aanval. 'Jij verbruikt alle tijd die we moeten gebruiken om naar mama te zoeken en papa heeft bijna gezien...' Ze ziet er met die vliegbril op haar neus heel chic uit, alsof ze zo naar Jessop's Field zou kunnen gaan om een van de vliegtuigen te starten en het blauwe luchtruim in te schieten zonder ook maar afscheid van ons te nemen. Dat maakt me nog kwader. 'Heb je me gehoord?'

E.J. duwt mijn handen van haar schouders. 'Schud haar niet zo hard heen en weer. Zo meteen komen haar hersenen nog van hun plaats.'

'Maar ze zal er nog voor zorgen dat we... jij weet niet...'

Sam luistert naar ons gekibbel, maar bemoeit zich er niet mee. Hij smeert klauwenolie op zijn onherstelbaar beschadigde honkbalhandschoen. Bij zijn voeten staat een halfleeg flesje schuimend fris. Tegenwoordig raakt hij de sleepruimenbrandewijn niet meer aan. Mama heeft hem geholpen te stoppen met drinken. (Toen ze was verdwenen heeft hij nog even naar de fles gegrepen, maar hij heeft zich weer hersteld.)

Het zou natuurlijk heel onbeleefd zijn Sam naar zijn leeftijd te vragen en dus heb ik dat ook niet gedaan, maar ik denk dat hij rond de veertig is. De ravijnen die van zijn neus naar zijn lippen lopen worden volgens mij zo rond die leeftijd zichtbaar, ook als iemand niet al te vaak glimlacht. Zijn neus is snavelvormig. Zijn ogen hebben de kleur van hazelnoten en net als de Zoeloes in het tijdschrift *National Geographic* heeft hij borstelig haar, dat hij niet insmeert met olie. Hij kleedt zich heel wat beter dan zijn moeder, maar verder lijkt hij op haar. Met uitzondering van zijn huidskleur. Alleen Blinde Beezy weet wie zijn vader is, en dat vertelt ze aan niemand. Ik weet dat het niet Carl Bell was. (Gelukkig maar. Ik heb foto's van hem gezien.

Hij zag eruit alsof hij rond de dageraad van een brug was gevallen en niemand de moeite had genomen hem voor de schemering uit het water te vissen.)

'Hoe is het met jou, Shen?' vraagt Sam, die nog steeds met de handschoen bezig is. Omdat Sam zestien jaar in het noorden heeft gewoond is het merendeel van zijn zuidelijke accent verdwenen, maar in sommige woorden hoor je het nog wel. Niet alleen aan de klank. Ook aan de woordkeus. Hij behandelt ons altijd alsof we in hetzelfde team spelen. Aanvankelijk gaf zijn vriendelijke stem me een ongemakkelijk gevoel. Alsof Sam niet al te mannelijk was. Nu ben ik er echter aan gewend.

'Ik heb me wel eens beter gevoeld, Sam,' zeg ik, en ik maak het me gemakkelijk naast zijn lapjeskat die Wrigley heet en niet naar het wapen is vernoemd maar wel naar een honkbalveld in Chicago, Illinois. Zelfs als ik je niet zou vertellen dat iemand deze kat uit een snel rijdende auto had gegooid, zou je dat toch meteen denken wanneer je hem ziet. Qua persoonlijkheid is hij ook niet bijzonder. Wrigley straalt iets uit van ik-heb-net-een-vogel-met-huid-en-haar-opgegeten-en-wat-ben-je-van-plan-daaraan-te-doen. (Hij doet me sterk aan grootvader denken.)

'Heb je gisteravond toevallig die vallende sterren gezien?' vraagt Sam, die omhoogkijkt alsof ze een schroeiplek op de nu blauw-witte hemel kunnen hebben achtergelaten.

'Jazeker wel.'

'Heb je nog een wens gedaan?'

'Zeker niet.'

'Waarom niet?'

'Dat weet je best.' Wensen? Bah! 'Ik heb nagedacht.'

'Dat voorspelt weinig goeds.' Sam schudt een paar citroensnoepjes uit het doosje dat hij in het zakje van zijn shirt heeft zitten, stopt er een in de tot een kommetje gebogen hand van

Woody en zwaait met het doosje naar E.J., die daar natuurlijk geen nee tegen zegt. 'Wil jij er ook een?' vraagt hij aan mij.

'Nee, dank je, en hou alsjeblieft op met me af te leiden.'

Hij gooit een van de snoepjes in de lucht, zoals je dat met pinda's kunt doen. 'Waarmee hebben jouw grote hersenen het zo druk dat je geen tijd hebt om van de leukere dingen in het leven te genieten?'

Ik kijk langs hem heen naar mijn zus. 'Onder andere met het feit dat papa dreigt Woody weg te sturen omdat ze niet wil praten.'

Sam kijkt me snel en indringend aan, alsof hij me iets wil vertellen. Toch doet hij dat niet. Dat is een van de andere dingen die ik echt in hem waardeer. Hij probeert nooit me op te vrolijken. Hij zal niet zeggen dat de Heer geeft en neemt. Hij weet dat je je door het spuien van dergelijke nonsens helemaal niet beter gaat voelen.

'En vanmorgen heeft Beezy tegen me gezegd dat ik nog wel eens te veel hooi op mijn vork kan nemen met het idee mama te vinden,' zeg ik. 'Ze denkt dat ik iemand zou kunnen gebruiken die me daarbij helpt. Ken jij zo iemand? Ik kan ervoor betalen, want ik heb meneer Jackson en Louise met pokeren stevig ingemaakt.'

'Wil jij de reep chocola voor me halen die op mijn bureau ligt?' vraagt Sam aan E.J.

Net als Beezy is Sam er heel goed in van onderwerp te veranderen wanneer mama ter sprake komt. Ik heb erop gezinspeeld en weer gezinspeeld, maar hij heeft niet aangeboden zijn vaardigheden als politieman in te zetten om haar te vinden. Hij is edelmoedig, dus denk ik niet dat hij dat expres niet doet. Nee. Hij doet het niet om een combinatie van heel goede redenen.

Ik geloof dat Sam iets van zijn zelfvertrouwen heeft verloren toen zijn partner recht voor zijn ogen werd doodgeschoten. Een slechterik, die ongetwijfeld Stompie of De Made heette of een soortgelijke afschuwelijke bijnaam had, had Johnny Sardino – Sams partner bij de politie en zijn beste vriend – in een val gelokt. Ik heb geen idee hoe de moordende griezel op borgtocht vrij kon komen, maar de politie vond hem twee dagen later dood in een steegje in Decatur. Het duurde een tijdje voordat De Made was geïdentificeerd, want zijn gezicht was tot moes geslagen. Toen ze eindelijk wisten wie hij was, werd rechercheur Sam Moody meteen verdacht. Er werd een aanklacht tegen hem ingediend, maar wegens onvoldoende bewijs (zoals dat in juridische termen heet) werd hij niet vervolgd. Zijn baas riep hem naar zijn kantoor en zei dat hij door iedereen erg zou worden gemist maar dat het toch beter was wanneer hij met vervroegd pensioen ging. (Hij weet niet dat ik dat weet. Ik heb het uit Beezy gepeuterd.) Grootvader zegt altijd dat je het beste wraak kunt nemen als je woede iets is gezakt, maar dat ben ik niet met hem eens. Je moet wraak nemen als je bloed nog kookt, vind ik, en ik geloof dat Sam daar net zo over denkt. En dan heb ik zijn afkomst niet eens in aanmerking genomen. Zijn moeder had haar echtgenoot naar de andere wereld geholpen, nietwaar? Dus kan ik het volledig begrijpen als Sam die terechte moord heeft gepleegd, maar ik ben wel bang dat de politie in Decatur daar anders over zou denken. Het zou mogelijk zijn dat ze nieuw bewijsmateriaal ontdekten over de dood van Stompie of De Made en dat ze dan op zoek zouden gaan naar Sam. Ik weet hoe meedogenloos politiemensen kunnen zijn.

'Alsjeblieft,' zegt E.J., die met de Baby Ruth in zijn hand het kantoortje weer uit komt. Hij gooit de reep naar Sam toe, die hem met één hand vangt.

'Nu ik deze chocoladereep zo van dichtbij bekijk, herinner

ik me dat ik een paar kilo moet afvallen,' zegt Sam, en hij gooit E.J. de reep weer toe. 'Eet jij dat verleidelijks maar namens mij op.' (Wat hij in feite doet is denken aan de altijd knorrende maag van E.J. Sam is helemaal niet te dik. Hij is even dun als een stokje van een ijslolly.) 'Dat doet me ergens aan denken. Weet je dat Babe Ruth tijdens de World Series van 1918...'

Ik onderbreek hem. Sam is een paar seizoenen lang pitcher geweest in de Appalachian League en wanneer hij over honkbal begon, kon hij daar eindeloos over doorgaan. Maar Babe Ruth is niet zijn favoriete speler. Ik doe altijd mijn best om in een gesprek nooit de namen Jackie, Robinson, Brooklyn of Dodgers te laten vallen, omdat ik weet dat ik er dan geen woord meer tussen zou kunnen krijgen. 'Ik had het over iemand die kon helpen.'

Sam kijkt me aan zoals een pitcher naar een slagman kan kijken wanneer hij van plan is een rechte bal of een boogbal te gooien. 'Ik ben vanmorgen de sheriff tegen het lijf gelopen,' zegt hij.

Hij had gekozen voor de boogbal.

'Werkelijk?' zeg ik, totaal niet opgewonden. Ik vermoed al geruime tijd dat het met de sheriff niet helemaal snor zit. Ik denk dat papa een vette cheque voor sheriff Nash heeft uitgeschreven voor zijn Wees-handig-stem-op-Andy-campagne. Sam is dat niet met me eens. Hij denkt dat sheriff Nash 'gegeven de omstandigheden doet wat hij kan'. Ik heb die twee regelmatig een praatje met elkaar zien maken. Omdat ze allebei politieman zijn vindt Sam Nash aardig. Ik niet. De sheriff heeft mama niet gevonden. Die man zou tijdens een picknick nog geen mier kunnen vinden. 'Heb je nog iets van hem gehoord over de verdwijning van mama?'

'Daar mag hij geen mededelingen over doen,' zegt Sam.

Dat dacht ik al. Ik ken het Elfde Gebod – Niemand heeft iets te maken met wat er met de Carmody's gebeurt – even goed als ik de andere tien ken. Uit mijn hoofd.

Sam kijkt naar mijn pols en zegt: 'Je hebt het horloge van Evie om.'

Ik houd mijn hand omhoog, zodat de zon erop kan schijnen. 'Ik weet dat je tegen me hebt gezegd dat ik voorzichtig moet zijn, maar... je vindt het niet echt erg, hè?'

Toen ik dat horloge de vorige maand bij de oude put had gevonden, was ik meteen naar hem toe gegaan om het hem te vertellen. Sam was bij de kreek aan het vissen. 'Kijk eens wat ik heb gevonden!' zei ik terwijl ik naar hem toe rende. 'Het horloge dat jij aan mama hebt gegeven, en het loopt nog steeds.' Omdat ik het geweldig vond, verwachtte ik een aanzienlijk enthousiastere reactie dan ik kreeg. Het leek alsof alle lucht uit zijn lichaam ontsnapte. Ik had er geen rekening mee gehouden dat het zien van dat horloge hem van streek zou maken, tot ik besefte dat ik van iemand aan wie ik zo'n mooi cadeau gaf, zou verwachten dat die er zuinig op zou zijn. Ik zou me net zo voelen als ik het mezelf toestond me af te vragen of mama was weggelopen en Woody en mij gewoon had achtergelaten.

'Heb je nog iets anders gevonden?' vroeg Sam, die zijn hengel weglegde.

'Nee, er was... Ja, toch wel.' Gedetailleerd vertelde ik hem wat ik niet bij maar wel ín de put had gevonden. Als ik had geweten dat Sam daardoor nog meer van streek zou raken, zou ik het niet hebben gezegd.

'Was er... heb je...' vroeg hij.

Ik deed mijn ogen dicht en schudde mijn hoofd. Hij vroeg naar het briefje. Opnieuw.

'Sam?'

'Ik zie hem, E.J.'

Een jongen in een glanzend witte cabriolet scheurt het tankstation binnen. Hij trapt hard op de rem voor pomp nummer twee, toetert en roept: 'Ik heb niet de hele dag de tijd. Schiet een beetje op.'

Ik heb Sam nog nooit snel zien lopen. Meestal blijft hij op de veranda zitten en kijkt naar degene die gearriveerd is tot hij er zeker van is dat die persoon zich hoogst ongemakkelijk voelt, om dan pas op zijn gemak naar hem toe te lopen. Daarna buigt hij zich voorover om de chauffeur nog eens goed te bekijken en zegt dan: 'Wat kan ik voor u doen?'

'Ik ga wel,' zegt E.J., en hij wil gaan staan. 'Het is...'

'Ik weet wie het is,' zegt Sam, die zijn lange lijf overeind hijst.

Het is Remmy Hawkins. Hij is wat je de slechte jongen van de stad zou noemen. Een ware James Dean, maar zonder diens fraaie uiterlijk. Remmy is gebouwd als een kleerkast, maar hij heeft een plat gezicht – alsof hij tegen een muur op is geknald. Verder heeft hij bijna nooit een shirt aan en zou het hem niets kunnen schelen wanneer je ging overgeven bij het zien van zijn puisterige rug. Het allerergste is nog wel dat hij rood haar heeft. Niet zulk kastanjerood haar, dat zou niet zo erg zijn. Het lijkt meer op het haar van Clarabelle, en hij is ook even stom. Zijn grootvader is burgemeester. Remmy doet dingen voor hem. Boodschappen en zo. En zijn tante Abigail is degene die ons maar eten blijft brengen.

E.J. en ik kijken vanaf de veranda opgewonden toe. Zelfs Woody lijkt op het puntje van de krat te gaan zitten wanneer Sam nonchalant naar de zijkant van de auto loopt. Hij steekt een hand naar binnen om de radio zachter te zetten, waaruit *Stand by Your Man* schalt. Dat vond ik een mooi liedje, maar nu niet meer omdat die idioot het ook mooi lijkt te vinden.

'Wat kan ik voor u doen, jongeman?' vraagt Sam.

'Je verkoopt hier toch benzine?' zegt Remmy zonder op te kijken.

'Dat weet u, meneer Remmy.' Sam laat zijn gecultiveerde toon varen en klinkt opeens alsof hij net van een wagen vol suikerbieten is gevallen. 'Ik zou op de hele wereld niets liever doen dan de tank van deze fraaie wagen met benzine vullen. Dat zou echt een privilege zijn.'

Remmy kijkt nog altijd niet op. 'Ik heb niet de hele dag de tijd.'

'U bent een belangrijke man, dus zal dat wel waar zijn.' Sam draait zich om en geeft ons een knipoog. 'Het vervelende is dat ik u graag van dienst zou zijn, maar dat mijn pompen kuren vertonen. Ik had erop durven zweren dat ze vanmorgen nog helemaal vol waren, maar nog geen twee minuten geleden zat er geen druppel benzine meer in. Is dat niet sterk?'

Vanaf twintig meter afstand kan ik zien dat Remmy op zijn tong bijt. Hij doet zich heel wat slimmer voor dan hij is, geeft gas en zet de wagen in de versnelling. Maar voordat hij wegrijdt glimlacht hij heel spookachtig naar Sam, met tanden die zo ver naar voren staan dat hij een maïskolf nog door een hek heen zou kunnen eten. Dan roept hij in de richting van de veranda: 'Hebben jullie de laatste tijd nog iets van je mama gehoord, meisjes?'

Ik spring van mijn krat af, schud met mijn vuist en schreeuw: 'Remington Hawkins, scheer je weg!' Ik wil niet dat Sam in de problemen komt en dat zal gebeuren wanneer de kleinzoon van de burgemeester bij het avondeten een blauw oog blijkt te hebben. Mama was Sams beste vriendin en hij zal zoveel brutaliteit niet tolereren. 'Ik meen het.'

Remmy toetert en rijdt in een wolk van stof weg van de Triple S. Zijn verdorven lach bereikt onze oren pas wanneer het voor mij te laat is er nog iets aan te doen.

'O, wat zou ik graag... wat zou ik graag...' Hier had ik niet op gerekend. Omdat het tankstation nogal afgelegen ligt, komen er vrijwel alleen mensen die de weg zijn kwijtgeraakt en kleurlingen, en geen van hen zou tegen papa zeggen dat ze ons hadden gezien.

Wat zou er gebeuren wanneer Remmy tegen iemand zei: 'Weet je wie ik vanmiddag heb gezien? De dochters van de rechter, die zaten bij de Triple S met Moody te kletsen.'

En wat zou er daarna gebeuren wanneer er een grote bemoeial regelrecht naar Lilyfield rende om het papa mee te delen? Zoals ik je al eerder heb verteld weten maar heel weinig mensen in de stad dat papa Woody en mij gevangen houdt, maar iedereen weet wel dat we niet met kleurlingen mogen omgaan tenzij die voor ons werken. Omdat wij de meest vooraanstaande familie in de stad zijn worden we geacht het goede voorbeeld te geven. Grootvader is een van die mensen die geloven dat negers nauwelijks moeten worden gezien en nooit moeten worden gehoord. Dat is iets waarover mama en papa het nooit eens zijn geworden. Wanneer mama tegen papa zei dat zo'n bevooroordeelde manier van denken niets anders was dan zuidelijke, op angst gebaseerde onwetendheid, reageerde hij met: 'Het staat je vrij je verlichte noordelijke houding mee terug te nemen naar de plaats waar die thuishoort, moeder.'

Sam stapt de veranda weer op en hij glimlacht. Hij glimlacht!

Ik ben nog steeds woedend. 'Verdraaid! Ik zou met een tuinschaar op Remmy af kunnen gaan en als hij dan op de grond lag te kronkelen, zou ik...'

'Shen, let op je woorden,' zegt Sam. Hij waarschuwt me er voortdurend voor dat ik niet moet vergeten dat een temperament als het mijne me iets kan laten doen waar ik later spijt van krijg. Als hij dat zegt denk ik aan Stompie of De Made die in dat steegje in Decatur dood op de grond ligt en dan moet ik me wel afvragen of hij uit ervaring spreekt. 'Waar hadden we het over?'

'Je kunt iemand razend maken met die kalmte van je, weet je dat wel?' zeg ik, en ik haal geïrriteerd mijn neus op.

Sam pakt zijn handschoen weer en gaat door met die zachter te maken, maar wat hij in feite doet is mij negeren tot ik mezelf weer in de hand heb.

'Prima als je het zo wilt.' Ik haal heel diep adem, zoals hij me dat heeft geleerd, en ik tel tot tien. 'We waren gebleven bij het punt waarop jij erin zou toestemmen mij te helpen naar mama te zoeken en als je dat zo snel mogelijk zou willen doen zou ik dat waarderen,' zeg ik. 'Het wordt al laat en we moeten terug naar huis voordat papa...'

Mijn zus begint te piepen alsof ze een kip is die in een ren zit waar een vos op af komt.

Wat briljant van haar!

Misschien is ze er niet zo beroerd aan toe als het lijkt. Woody beseft dat hij met haar te doen zal hebben. Hoe hard hij ook lijkt, hij is in feite heel teerhartig.

E.J. springt snel van zijn krat af om mijn zus gerust te stellen en ik steek mijn handen uit naar Sam, met de handpalmen omhoog. 'Zie je nu wel? Het is allemaal jouw schuld. Ze zal blijven piepen tot je erin toestemt ons te helpen mama te vinden. Zeg iets voordat we er allemaal stokdoof van worden.'

'Ik zal...' begint Sam.

'Maar...' Ik ben er zeker van dat hij weer met een excuus zal komen.

'Laat me uitspreken, Shen.'

'Dat zou ik doen als ik daartoe in staat was. Woody, zo is het welletjes,' brul ik. Ik ben nu niet meer trots op haar en zou haar het liefst wurgen. 'Zachter!' E.J. doet de juiste dingen. Hij klopt haar zachtjes op haar rug en fluistert haar geruststellende woordjes toe, maar ook hij heeft niet erg veel succes.

Sam pakt Wrigley en zet hem bij Woody op schoot. Hij neemt haar handen in de zijne en legt ze zacht op de rug van de kat. Het lijkt alsof iemand bij haar een knop omdraait. Ze glimlacht en houdt haar mond. Daarna besteedt Sam weer aandacht aan mij en zegt heel vriendelijk: 'Dit hebben we al eerder besproken. Je weet waarom het niet verstandig zou zijn als ik vragen ging stellen over je moeder.'

De kleurlingen en de blanken zijn als vogels en bijen. De vogels worden geacht alleen met hun soortgenoten om te gaan, en hetzelfde geldt voor de bijen. Als Sam aan mensen gaat vragen: 'Weet jij iets over de verdwijning van Evelyn Carmody?' zou iemand het gerucht kunnen verspreiden dat Sam en mama aan het... bestuiven konden zijn geweest, zal ik maar zeggen. (Er is altijd wel iemand die bereid is zo'n vuurtje aan te wakkeren, hoe stom de roddel ook is.)

'Als jij iets ontdekt wat belangrijk lijkt in verband met de verdwijning van je moeder, kun je me dat komen vertellen en zal ik je helpen,' zegt Sam.

'Je bedoelt zoiets als een tweehonkslag?' Nu heb ik zijn aandacht. Het honkbaltaaltje is voor hem onweerstaanbaar.

Sam grinnikt van oor tot oor, net zoals Blinde Beezy dat doet, en zegt: 'Jij hebt veel van je moeder weg, weet je dat wel?'

'Dat dacht ik net over jou en jouw moeder.' Ik moet altijd bijna alles uit hem en uit Beezy trekken. 'Hoe bedoel je dat?'

'Ben je aan het vissen?'

Naar complimenten, bedoelt hij.

'Dat denk ik wel.'

'Jullie lijken in veel opzichten op elkaar, maar ik dacht voornamelijk aan haar vasthoudendheid.' Hij kijkt naar het horloge om mijn pols en zegt heel ernstig: 'Ik wou dat je dat hier bij mij liet, dan kan ik het veilig bewaren.'

Dat had hij ook tegen me gezegd op de dag nadat ik het had gevonden en direct hierheen was gerend.

'Dat doe ik niet. Ik zal er goed voor zorgen. Mama zal het willen dragen, zodra ze weer thuis is, en dus moet ik het bij de hand houden.' Mijn keel zit een beetje dicht. 'Het geeft me het gevoel een beetje dichter bij haar in de buurt te zijn... Begrijp je dat?' Ik vind het niet erg dat ik niet aan zijn wens tegemoetkom, want ik had iets anders meegenomen wat hem aan mama kan herinneren. 'Wacht even.' Uit mijn achterzak haal ik een boek met ezelsoren en zeg met een heel opgewekte glimlach: 'Ik weet dat ze zou willen dat jij dit bij je houdt tot we haar naar huis hebben kunnen halen.' Het is het boek dat ze vlak voor haar verdwijning samen bestudeerden. Mama kon me het deel waarin Julia een drankje inneemt waardoor ze dood lijkt te zijn, nauwelijks voorlezen. Waarin Romeo denkt dat Julia dood is, en hij vergif drinkt. Dan wordt Julia wakker en pleegt ze zelfmoord met een dolk, zodat ze in elk geval in de hemel bij elkaar kunnen zijn. Wat een ellende.

Wanneer ik Sam het boek overhandig zegt hij niet: 'Dank je. Wat aardig van je.' Dat is niet erg. Ik geef het hem niet omdat ik een prijs wil winnen als de meest vrijgevige persoon op deze aarde. Ik kan het gewoon niet meer bij me in de buurt hebben. Als ik me voorstel hoe mama het in haar handen met de afgebeten nagels hield, ga ik te erg verlangen naar haar, en naar mijn vader zoals die vroeger was. Ik heb me zitten afvragen of het boek een aanwijzing over haar verdwijning zou kunnen bevatten. Iedereen weet dat het een liefdesverhaal is dat zich afspeelt in Verona, wat een van mijn oorspronkelijke ideeën over waar mama naartoe kan zijn gegaan geloofwaardiger maakt. 'Denk je... denk je dat ze naar Italië kan zijn gegaan?' vraag ik.

'Nee,' zegt Sam, die liefdevol naar het kleine rode boekje kijkt en dan naar House Mountain. 'Ik... hoop dat je moeder veel dichter bij huis is.'

'En ik hoop dat je daar gelijk in hebt. Want ik heb hard mijn best gedaan, maar ik heb van de Berlitz-grammofoonplaat alleen *Buon giorno. Dov e la bibliotheca* geleerd. Dat betekent...'

'Een goede dag. Waar is de bibliotheek?'

Zijn overleden partner had hem een beetje Italiaans geleerd wanneer ze in Decatur iemand moesten observeren. Ik heb er spijt van dat ik hem aan Johnny heb doen denken. Daardoor gaat zijn adamsappel altijd heel snel op en neer. 'Sorry, Sam. Het was niet mijn bedoeling...'

'Jullie kunnen nu maar beter naar huis gaan.'

'Oké.' Ik begrijp dat hij zich niet van ons probeert te ontdoen en mij ook geen standje wil geven. Hij denkt na. Hoewel hij niet precies weet wat er zal gebeuren wanneer we te laat terug zijn op Lilyfield, weet hij wel hoe strikt papa is. 'Woody, we moeten gaan.' Ik buig voor E.J. langs om de vliegbril van haar neus te halen, maar ze draait haar bovenlichaam zo dat ik er niet bij kan en begint weer te piepen. Dat doet voor mij de deur dicht. Ik ben plakkerig en moe en ik ben nu echt bang dat we hier te lang zijn gebleven. 'Waarom moet je altijd zo koppig zijn?' brul ik. 'Ik zou je Ezelin moeten gaan noemen. Hoe zou je dat vinden? Ezelin... Ezelin... Ezelin. Misschien zou ik je bij de kermis moeten brengen als die hier weer komt. Ja, dat zal ik doen. Je zou naast de Schubbenjongen op dat podium kunnen gaan staan en dan zouden jullie samen...'

'Shenny, hou je waffel.' Zonder voorafgaande waarschuwing duwt E.J. me van de veranda af. Ik beland hard op mijn achterste op de stoffige grond. Geschokt schreeuw ik: 'Jij kleine...' Ik krabbel overeind en ga in de aanval.

'Shenandoah, zo is het wel genoeg,' zegt Sam. Hij pakt mijn arm voordat ik E.J. een flinke dreun kan verkopen.

'Maar...' Ik probeer me los te trekken. 'Het is niet eerlijk! Ik ben de jongste. Zij zou voor mij moeten zorgen.' Ik krijg er zo genoeg van haar met fluwelen handschoenen aan te pakken. Haar tanden te poetsen. Haar haren in te vlechten. Die stomme musicalliedjes te brullen. Ik moet zelfs boter op haar toast smeren. Ik verdien die vliegbril met het glanzende montuur. 'Zij krijgt altijd wat ze wil hebben.'

'Is dat zo?' Sam wijst over mijn schouder naar mijn zus, die is gaan staan. Ze strekt haar armen, draait eerst langzaam maar dan steeds sneller rond, als een draaikever die van een tak van een eikenboom valt. 'Misschien wil je daar nog eens over nadenken?'

'Ik weet dat het beroerd met haar gaat... Maar hoe zit het met mij? Ik ben degene die altijd...'

Sam zegt heel zacht: 'Je zus heeft die bril harder nodig dan jij.'

Ik haat het als hij zoiets doet. Hij probeert me het gevoel te geven dat ik me gedraag als een straalverwend kind.

Sam kijkt met een trieste blik in zijn ogen naar Woody. 'De wereld door een roze bril bekijken. Zegt die uitdrukking jou iets, Shenny?'

Hoewel ik precies weet wat die uitdrukking betekent, ruk ik mijn arm los en zeg: 'Nee.' Ik wil hem kwetsen zoals hij mij heeft gekwetst. Dus steek ik mijn neus in de lucht en zeg zo kattig mogelijk: 'Dat moet iets zijn wat alleen naast hun schoenen lopende negers zeggen.' Dan stap ik de veranda af en schrijd over het terrein van het tankstation alsof ik vind dat exrechercheur Samuel Quincy Moody dat in zijn zak kan steken, omdat ik blank ben en hij dat niet is.

13

Ik loop voorop naar huis.

Woody loopt ingeklemd tussen mij en E.J., zodat hij haar kan pakken wanneer ze probeert weg te lopen. We zijn op de plek op het pad waar het huis bijna te zien is wanneer E.J. half schreeuwend en half fluisterend zegt: 'Shen... Shenny... je moet iets minder snel lopen.'

'Dat ben ik absoluut niet van plan.' We waren veel langer bij de Triple S gebleven dan had gemoeten. Papa zal waarschijnlijk nog wel een dutje doen, maar als dat niet zo is en wij hem tegen het lijf lopen, zal hij de lucht van motorolie, waarvan onze kleren zijn doordrongen, kunnen ruiken. Woody en ik gaan vanavond in bad. Zonder gemor.

'Blijf staan!' roept E.J. nog indringender.

Omdat ik bang ben dat Woody is weggelopen draai ik me snel om en zie tot mijn opluchting dat mijn zus precies het tegenovergestelde doet. Ze is midden op het pad blijven staan en daardoor is E.J. gestruikeld. Hij ligt met gespreide armen en benen in de klimop langs het pad.

'Je zou moeten waarschuwen als je van plan bent opeens te blijven staan,' zeg ik, en ik loop terug. Ik doe heel vriendelijk tegen haar omdat ik er al spijt van heb dat ik bij de Triple S gemeen tegen haar heb gedaan. Sam had gelijk. Ik had me als een verwend kind gedragen omdat ik me misbruikt voelde door mijn tweelingzus, van wie ik zielsveel hou. Wat bezielde me? Ik weet heel goed dat ze – als ze dat kon – direct zou ophouden met al dat ronddraaien, met haar armen wapperen en wegrennen. Woody heeft transpireren nooit prettig gevonden. Dat vindt ze niet damesachtig. 'Schatje?' Ik strijk haar haren glad en blaas tegen haar voorhoofd. 'Heb je het te warm?' Ik trek de vliegbril een eindje omlaag en zwaai met mijn hand voor haar ogen, maar ze knippert niet eens. Ze kijkt strak naar iets wat ze over mijn rechterschouder ziet. Ik zie niets anders dan een paar verhitte kardinaalvogels, maar ik vertrouw erop dat mijn gevoelige zus een geur heeft opgesnoven. Haar neusgaten zijn wijd opengesperd.

Ik moet op onderzoek uitgaan.

'E.J., kom overeind en hou haar vast. Ze heeft iets gemerkt.'

'Dat probeerde ik je te vertellen, Shen.' Hij gaat staan en klopt zijn kleren af. 'Het zou leuk zijn als je eens in de zoveel tijd naar me luisterde.'

'De volgende keer moet je harder praten. Ik kon dat miezerige stemmetje van je niet horen.' Zodra hij Woody stevig vastheeft, zet ik een paar stappen het bos in. Zij jammert, maar ik klim toch op een tak van een notenboom.

Ik zet mijn verrekijker voor mijn ogen en verken de omgeving, zoekend naar wat mijn zus als een in een hoek gedreven konijn zo aan het trillen heeft gemaakt. Meneer Cole wiedt de groentetuin, met zijn strohoed op. Louise staat naast hem en is kennelijk in woede uitgebarsten. Ze kibbelen over iets tot Lou stampvoetend terugloopt naar het huis. Misschien heeft meneer Cole ontdekt dat Lou met oom Blackie de wei op gaat. Het zou kunnen zijn dat ik in de schuur een anoniem briefje voor meneer Cole heb achtergelaten over die ontmoetingen rond middernacht. Ik kan niet met zekerheid zeggen dat ik dat heb gedaan, maar er zijn tijden dat ik zo razend ben dat het lijkt alsof ik een hele fles onverdunde woede tot me heb genomen. Als ik zo ben kan ik er iets uitflappen en domme dingen doen. Kijk maar eens hoe ik Sam net heb behandeld. Als we weer naar de Triple S gaan, zal ik meteen 'Jackie Robinson' zeggen.

Ik kijk nu naar de voorkant van het huis.

Ik moet echt aan meneer Cole vragen de luiken op de tweede verdieping te schilderen en de deurbel te repareren, want die hangt aan een draadje. Maar daardoor is Woody niet zo van streek geraakt. Ik zie nog altijd niet... Wacht! Die vage figuur op de hoek van de veranda. Ik zou zijn silhouet overal herkennen. Woody's neus had papa's geur opgepikt. Het verbaast me dat ze niet als een wolf is gaan janken. De Edelachtbare zit op een van de stoelen met een hoge rugleuning. Zijn lippen bewegen, dus hij praat met iemand. Ik draai mijn verrekijker naar de aan het dak van de veranda hangende schommel. Daar zit sheriff Andy Nash te schommelen, met ijspegelvormige zweetplekken onder zijn oksels. Hij ziet eruit alsof hij aan het smelten is, terwijl papa even koel oogt als een iglo. Hij heeft een sneeuwwit hemd aan en zijn haar is strak naar achteren gekamd. Vanaf hier kan ik bijna zijn lotion – English Leather – ruiken. Hij heeft mijn raad iets aan zijn uiterlijk te doen opgevolgd en is van de slordige, treurende man die ik in zijn kamer had achtergelaten veranderd in zijn schitterende magistrale zelf.

Hij is bezig met wat hij zijn vorstelijke routine noemt.

Ik heb hem dat te vaak zien doen om het niet te herkennen. Na de zondagsmis staat hij op de trap van Sint Patrick, geeft de mannen joviale schouderklopjes en deelt overdreven complimenten uit. 'Jullie echtgenotes zien er jonger uit dan de lente en jullie kinderen zijn leuk.' Als een middeleeuwse heerser deelt hij, op de terugweg naar zijn kasteel, hapjes eten uit aan uitgehongerde dorpelingen. Je staat er perplex van en het is kwetsend. Hoe kan hij tegen die mensen zo aardig doen en zijn eigen vlees en bloed zo beroerd behandelen? Ik weet dat hij het niet expres doet, maar soms geeft hij Woody en mij het gevoel dat we een paar boerendochters zijn die de pest hebben.

Er moest een reden zijn waarom Andy Nash hier was. Misschien is papa ons gaan zoeken en heeft hij hem gebeld toen hij ons niet kon vinden, of misschien heeft Lou ons verraden of... Misschien heeft de sheriff nieuws over mama en kan ik mijn zoektocht – die eerlijk gezegd tot dusver niet zo goed is verlopen – afblazen.

Als de sheriff echt met een verbazingwekkend verslag over onze moeder is gekomen, zullen Woody en ik ballonnen opblazen en zal ik een vanillecake bakken. Maar als hij op de veranda met papa zit te praten tot zijn hulpsheriff arriveert, moet ik een ontsnappingsroute bedenken. 'Kinderen zijn nu eenmaal kinderen,' zal papa zeggen als ze ons hebben gevonden. Maar zodra de sheriff is vertrokken zal hij ons meenemen naar de kelder. Ik kan dat wel aan, omdat ik een dikke huid heb, maar Woody? Zij bestaat eerder uit veren dan uit leer. Ik denk niet dat zij het nog een nacht op haar knieën kan volhouden, hoeveel verhalen ik haar ook vertel.

Nadat papa ons twee keer had meegesleept naar die kelder, kreeg ik de ingeving een paar belangrijke dingen in een tas te stoppen, en die mee te nemen naar ons tweede huis.

De afgelopen nacht had ik de koele muren afgetast tot ik bij de verstelmand was waaronder ik de tas had verborgen. Ik maakte hem open en zocht naar wat ik wilde hebben. Woody begint zo bang te worden in het donker dat ze niet eens meer kan huilen, dus streek ik meteen een van de lucifers aan, zette de kaars dicht bij haar neer en zei met mijn meest liefhebbende stem: 'Denk je dat je wilt tekenen?' Ik had ook een schetsboek met spiraal en een paar potloden in de tas gedaan. 'Zodat je het gevoel krijgt ergens anders te zijn?' Het kaarslicht scheen op de gebarsten muren van de kelder, en op het gezicht van mijn zus. Hoe lelijk en vervallen alles in de kelder ook was, zij zag er nog beeldschoon uit.

Ze pakte niet meteen haar tekenspullen, dus gaf ik haar een duwtje en zei: 'O, ik begrijp het al. Je wilt eerst iets eten. Zullen we een pot openmaken?' Dat was een grapje. Woody en ik kunnen al die potten aardbeienjam op de gammele plank aan de achtermuur niet meer zíén omdat we er al zoveel van soldaat hebben gemaakt. Een keer hadden we zo'n honger dat we ook ingemaakte bietjes aten. 'Kom, schatje. Je weet dat de tijd sneller voorbij zal gaan als je tekent.' Daarna begon ik *Some Enchanted Evening* te zingen. Woody is stapel op dat liedje. Toen mijn stem het dreigde te begeven, vertelde ik haar fluisterend over twee meisjes die samen met hun moeder naar een ver strand gaan. Zij vindt dat het allermooiste verhaal. 'Eens diende zich een perfecte dag aan. Geen enkel wolkje aan een strakblauwe lucht. De mama van de meisjes ontspant zich onder een gestreepte parasol, leest en kijkt toe terwijl haar tweeling zandkastelen bouwt.' Mijn verhaal was zo geloofwaardig dat Woody wegdoezelde. 'Wakker worden,' zei ik toen ze scheef ging hangen. In een van die nachten had ik ontdekt dat er een muis aan haar haren knabbelde en daarna vielen we in de kelder niet meer in slaap, hoe moe we ook waren.

Ik begrijp waarom papa ons in die kelder stopt. Hij is strenger geworden omdat hij zoveel drinkt, hij was altijd al erg streng. Hoe kunnen zondige kinderen iets leren? Over dat onderwerp spreekt de Bijbel duidelijke taal; Woody en ik verdienen het te worden gestraft. We hebben papa niet de volledige waarheid verteld over de avond waarop mama is verdwenen en op de een of andere manier weet zijn benevelde geest dat. Telkens wanneer hij ons ondervraagt laat ik de vriendschap van Sam en onze moeder onvermeld en ik vertel hem ook niet hoe ik die avond door het bos naar Sams hut was gerend, op zoek naar haar. Verder weigert Woody iets tegen hem te zeggen en dat maakt hem nog kwader. De Edelachtbare verwacht dat je je aan de regels houdt. Als je dat niet doet, word je gestraft. Dat is zijn taak.

Natuurlijk was het E.J. opgevallen. Hij wees op de korsten op onze knieën en vroeg: 'Waarom zitten daar altijd korsten op?'

'Omdat we op de vloer van de kelder knielen, natuurlijk,' zei ik.

Hij grinnikte en vroeg: 'Over welke kelder hebben we het?' Alsof hij verwachtte dat ik weer een mop vertelde.

Omdat ik hem niet verlegen wilde maken met zijn armoede zei ik: 'Dat doen sommige mensen, ik denk niet dat je het begrijpt.'

Ik steek een hand in mijn zak om een toffee te pakken – die heb ik altijd paraat voor momenten als deze – maar ik kan er niet één vinden. 'Wacht hier en laat haar vooral niet los,' zeg ik terwijl ik E.J. mijn verrekijker geef. 'Ik ga het terrein nader verkennen.'

Onze handlanger begrijpt niet waarom we altijd zo stiekem moeten doen. Ik maak hem echter niet wijzer. Ik verwacht dat E.J. me vertrouwt, en meestal doet hij dat ook. Ik ga op de grond zitten en maak de veter van mijn gymschoen los. Dan trek ik mijn sok uit en maak er een balletje van. Vroeger konden we mijn zus stil houden door een hand tegen haar mond te drukken, maar ze heeft ons te vaak gebeten om dat nog eens te doen. 'We moeten voorkomen dat ze gaat brullen. Stop die sok in haar mond.'

'Shen, dat is zo...' Hij houdt de sok bij het teenstuk vast.

'Denk je dat ik niet weet dat het walgelijk is? Als jij een ander idee hebt moet je het zeggen. Zonder toffee is dit de enige manier om haar stil te houden, en ik ben vergeten toffees mee te nemen. Oké? Ik kan toch niet altijd aan alles denken?' zeg ik, maar ik voel me wel schuldig.

E.J. kijkt naar zijn geliefde Woody. 'Sorry, meisje,' zegt hij terwijl hij de sok in haar mond stopt en haar handen vastpakt om te voorkomen dat ze de sok meteen weer uit haar mond haalt. Ik wil voorstellen dat hij het touw uit zijn broek trekt en daarmee haar polsen vastbindt, maar ik weet dat hij dat niet zal doen.

Ik waarschuw Woody. 'Je kunt een massage met amandelcrème vanavond vergeten als je die sok uitspuugt. Doe wat E.J. zegt.' Dan loop ik dichter naar het huis toe om er achter te komen waar papa en de sheriff mee bezig zijn.

In het oostelijke deel van de tuin trekt meneer Cole niet langer melkdistels uit de grond. Hij is nu bezig een zieke appelboom om te hakken. Hij ziet me, dat weet ik. Meneer Cole houdt zich meestal op de achtergrond, maar hij besteedt aandacht aan wat zich op Lilyfield afspeelt. Zeker als het iets met Woody en mij te maken heeft. Hij heeft Beezy beloofd haar op de hoogte te houden van ons welzijn en die verantwoordelijkheid neemt hij heel serieus.

Meneer Cole zwaait naar me, pakt een groen appeltje van de grond en maakt dat glanzend door ermee over zijn broekspijp te wrijven. Hij weet dat ik die appeltjes het lekkerst vind. Het is duidelijk dat hij 'Juffrouw Shen, kijk eens wat ik voor je heb' wil roepen. Dus schud ik zo hard mogelijk mijn hoofd. Meneer

Cole kijkt verward, tot ik op de veranda wijs. Hij knikt, brengt de bijl omhoog en hakt harder en sneller. Dan gaat hij ook nog eens *I've Been Workin' on the Railroad* zingen. Erg goed schrijven kan hij niet, maar dat betekent niet dat hij niet slim is. Hij weet dat ik soms moet rondsluipen om te kijken wat hier gaande is. Hij produceert nu zoveel herrie dat de geluiden die ik maak daardoor onhoorbaar zullen zijn.

Ik sluip tussen de struiken door en ga op mijn hurken onder het keukenraam zitten, en zorg ervoor dat ik nergens op trap waardoor papa op mij geattendeerd zou worden. De sheriff en hij zitten slechts een paar meter van me vandaan. Boven mijn hoofd kan ik Lou horen, die in de keuken keihard met een lepel in een kom roert. Ze maakt zoveel lawaai dat het me moeite kost te verstaan wat de sheriff zegt. '... weet het niet helemaal zeker. Aanvankelijk dacht ik dat hij in de kreek was verdronken, maar ik had Perry Walker, de lijkschouwer uit Charlottesville, gevraagd hem te komen bekijken. Die zei dat er geen water in Clives longen zat. Perry heeft nog niet alle onderzoeken gedaan, maar het ziet er verdacht uit. Misschien is hij vermoord. Hebt u vrijdagavond toevallig vreemde geluiden gehoord bij zijn huis?'

'Vrijdag?' zegt papa. 'Ik wou dat ik je kon helpen, Andy, maar als ik het me goed herinner hebben de meisjes en ik die avond een lichte maaltijd tot ons genomen en een spelletje cribbage gespeeld, waarna we vroeg naar bed zijn gegaan.'

Dat is niet waar. We spelen nooit cribbage. We doen nooit leuke dingen samen.

Dan zegt papa met zijn meest overtuigende stem: 'Ik zou dit graag stilhouden. Nu het Founders Weekend in aantocht is willen we de pret niet drukken met nare verhalen over een mogelijke moord, nietwaar? Ik denk niet dat mijn vader dat zou waarderen.'

'Ik begrijp wat u bedoelt,' zegt de sheriff.

Natuurlijk begrijpt hij dat. Ik moet toegeven dat ik een wrok jegens hem koester omdat hij mama niet heeft gevonden, maar daardoor laat ik mijn beoordeling van zijn persoonlijkheid niet beïnvloeden. Sheriff Andy Nash heeft bruine ogen, bruin haar en een bruin uniform en als hij naast een berg koeienstront stond, zou je hem niet kunnen ontdekken. Hij is niet boosaardig of zo. Eigenlijk is hij best wel aardig. Hij lijkt alleen altijd meer belangstelling te hebben voor het geven van een vriendelijke handdruk dan voor het oplossen van een misdaad. Sam is gewoonlijk heel kieskeurig als het om mensen gaat met wie hij tijd doorbrengt. Ik begrijp werkelijk niet wat hij in de sheriff ziet.

Ik durf erom te wedden dat de sheriff zijn kin met zijn rode bandana dept. Dat doet hij vaak, omdat hij veel zweet. 'Wat is het heet! Hebt u gezien dat de bomen deze vochtige hitte zo erg opzuigen dat ze nauwelijks overeind kunnen blijven staan? Doet me denken aan zwervers die aan de boemel zijn,' zegt hij. 'Ik kan me geen zomer herinneren die zo erg was. Misschien die van '61. Ja, toen was het ook snikheet. Je kon een ei bakken op...'

'Had je verder nog iets te bespreken, Andy?' vraagt papa, hem onderbrekend. 'Ik ben bang dat ik niet veel tijd heb.'

'Als u het niet erg vindt zou ik de tweeling graag even willen spreken. U weet dat kinderen soms dingen horen en zien die volwassenen ontgaan. Ik weet dat ze dat boomfort hebben vanwaar je het huis van Clive Minnow kunt zien.'

'Ik ben bang dat dat slecht uitkomt,' zegt papa beleefd, maar aan de toon van zijn stem kan ik toch horen dat de sheriff hem tegen de haren in heeft gestreken. 'Ik zal de meisjes vanavond vragen of ze iets hebben gezien en dan weer contact met jou opnemen. Heb je tussen twee haakjes nog iets gehoord over de nieuwe route van de optocht?'

'Nee. Zou ik u om nog een glas thee mogen vragen? Deze hitte! Ik ben uitgedroogd.'

'Louise?' roept papa ongeduldig.

Louise loopt niet naar de veranda toe, zoals haar is geleerd, om te vragen of ze iets nodig hebben. Ze zet de kom met een klap op het aanrecht en steekt haar hoofd door het keukenraam waar ik op mijn hurken onder zit. Ze hoort mij naar adem snakken, schrikt zelf ook en stoot haar hoofd tegen de onderkant van het omhooggeschoven raam. Met samengeknepen ogen kijkt ze naar mij en zegt: 'Ja, Edelachtbare?'

'We hebben nog een karaf zoete thee nodig. Graag een beetje snel.'

Ik vouw mijn handen, alsof ik bid, en smeek Louise met mijn ogen niet te zeggen: 'Uw verwende dochters zijn tegen uw nadrukkelijke wens in regelmatig naar de stad gegaan. Ze hebben met allerlei mensen over de verdwijning van uw vrouw gesproken en o, kijk eens! Een van hen zit onder mijn keukenraam en luistert naar wat jullie tegen elkaar zeggen.' Ze houdt echter haar mond, en dat is opmerkelijk. Ik begin al beter over haar te denken tot ze naar mama's horloge wijst. Dat wil ze dolgraag hebben. Ik zend haar een over-mijn-lijk-blik toe. Zij reageert met een nonchalant schouderophalen.

'Meneer?' roept Louise. Nu kijkt ze me aan als Rex de kaaiman, met geloken ogen. 'Voordat ik u die thee kom brengen wilt u waarschijnlijk wel weten dat ik heb gevonden waarnaar u eerder op zoek was.'

Ze doelt op mij. Ik moet het horloge wel afdoen en het in haar uitgestoken klauw laten vallen.

'Die stroopwafels waarnaar u vroeg bleken toch in de voorraadkast te liggen. Willen u en de sheriff er een paar?'

Verdorie!

Ik zal mama's horloge terugkrijgen. Daar maak ik me geen

zorgen over. Maar ik ben hier al langer gebleven dan mijn bedoeling was en ik maak me zorgen over Woody, dus steek ik mijn tong uit naar Lou en kruip achteruit door de struiken terug.

Als ik weer bij Woody en E.J. ben, zie ik dat E.J. mijn zus in zijn armen houdt, maar niet op een romantische manier. Ze probeert zich los te wurmen. Als ik haar nagels niet heel kort had geknipt, zou ze zijn gezicht volledig openhalen.

'Het is in orde. Met mij is alles in orde. Laat haar maar los, E.J.' Woody stort zich op me alsof ze niet had verwacht dat ik levend en wel zou terugkeren. Ik knuffel haar en zing telkens weer 'Wees niet *miauw-miauw*.' Dat betekent in ons taaltje dat ze niet bang moet zijn, maar het werkt niet. Woody klappert harder met haar tanden dan het nepgebit dat grootvader voor een van zijn practical jokes gebruikt.

'Wat heb je met haar gedaan?' vraag ik aan E.J., alsof het zijn schuld is dat ze zo van streek is.

'Het ging goed met haar, tot ze je vader en Louise hoorde schreeuwen,' zegt hij, en hij masseert zijn wang. Een vage rode plek maakt duidelijk dat Woody hem een klap heeft gegeven. 'Waar ging dat eigenlijk over?'

'Niet iets wat jij zou begrijpen.' Als ik hem vertel dat ik papa en de sheriff op de veranda heb bespioneerd, of dat Louise me onder het raam heeft zien zitten en mama's horloge heeft ontfutseld, zal Woody dat ook horen en nog wilder worden dan ze toch al is. Ik pak haar bij haar schouders en zeg: 'We lopen naar de tuin aan de zijkant van het huis en glippen zo naar binnen. Dan gaan we zilver poetsen, alsof we nooit weg zijn geweest. Papa zal niets te weten komen. Dat beloof ik je. Hoor je me? Dat beloof ik je.'

Ze worstelt nog wel een beetje, maar draait haar lichaam niet meer zo heftig. Ik haal Sams vliegbril van haar neus. 'Die zal ik voor je bewaren. We willen hem beslist niet kwijtraken.'

In werkelijkheid ben ik bang dat papa – als we hem niet kunnen ontlopen – meteen zal vragen: 'Van wie heb je die interessante bril gekregen, Jane Woodrow?'

'Ik denk dat je...' begint E.J.

'Kan het ons iets schelen wat jij denkt?' Ik houd mijn vuist een paar centimeter van zijn neus vandaan. 'Dat kan ons niets schelen en zelfs als het ons wel iets kon schelen, hebben we op dit moment geen tijd om naar een van jouw stomme ideeën te luisteren.' Ik wil niet dat hij nog verder bij al deze ellende betrokken raakt dan toch al het geval is. Zijn mama heeft net een baby gekregen, en zijn vader heeft zwarte longen. Ze hebben hun zoon nodig, omdat die voor een beetje contant geld kan zorgen. Als Woody en ik erop worden betrapt dat we bij de Triple S zijn geweest, zal E.J. het heel moeilijk krijgen. Dat overkomt iedereen die samen met een Carmody in de problemen is gekomen. Wat er ook gebeurt... het is niet onze schuld maar de jouwe. Volgens oom Blackie luidt het familiemotto: 'Niet ikkum maar jijjum zit met problejums.'

Als E.J. weigert te vertrekken geef ik hem een duw tegen zijn schouder en sis: 'Ed James, ben ik niet duidelijk genoeg geweest? We hebben jouw hulp niet nodig. Scheer je weg.'

Hij buigt zijn bovenlichaam en brengt Woody's roomblanke hand naar zijn rode bessenmond. Wanneer hij rechtop gaat staan is hij weer minder Musketier en meer man uit de bergen. 'Tot morgen,' zegt hij tegen me op een toon alsof ik de laatste ben die hij dan of wanneer dan ook wil zien.

Terwijl ik die magere jongen zie weglopen, kan ik alleen maar aan onze moeder denken. Hoe ze Woody en mij elke avond instopte, onze ogen kuste en fluisterde: 'Deze dag is in een dun straaltje veranderd, schatjes. Maar morgen is een rivier die wacht om ons mee te nemen naar onze meest dierbare dromen.'

Ik begin het afschuwelijke gevoel te krijgen dat mijn mama zich daarin kan hebben vergist.

Dat ze zich daar écht helemaal in heeft vergist.

14

Grootvader met zijn trukendoos zal nu snel arriveren.

Toen ik nog een kind was en te dom om beter te weten, kocht hij me om om practical jokes uit te halen met mama. Hij liet me een dunne draad in de deuropening van de eetkamer spannen, zodat ze struikelde en viel wanneer ze met de vuile vaat naar de keuken liep. Of ik moest een blik verf boven op een dichte deur zetten en dan mama roepen alsof ik me had bezeerd. Het duurde twee weken voordat die oranje verf weer uit haar haren was. Grootvader kreeg me zover door me een palomino te beloven. Ik deed wat hij me vroeg en ik dacht dat hij zich ook aan zijn belofte zou houden. Tot hij op een middag verscheen met een in een stokpaard veranderde bezem en zei: 'Kijk eens wat ik voor je heb meegenomen, Shenny. Je eigen Trigger.' Hoe harder ik jammerde, hoe harder hij lachte. Ik denk dat grootvader mama alleen mist omdat hij de draak niet meer met haar kan steken.

Oma Ruth Love komt ook, en ik weet dat zij mama in alles mist. Ze heeft het erg moeilijk met haar verdwijning. Ze konden geweldige gesprekken voeren. Ze houden allebei van tuinieren, dus meestal praatten ze met elkaar als ze onkruid aan het wieden waren, of planten water gaven. 'Dit is een heel nieuw tijdperk, Ruth Love,' had ik mijn moeder een keer horen zeggen. 'Je moet jezelf zijn. Jij spendeert te veel tijd aan het je bezorgd afvragen hoe je de kragen van de shirts van Gus schoon kunt krijgen, of wat je hem als maaltijd moet voorschotelen. Hij koeioneert je omdat hij wil dat je onderdanig bent.'

Oma reageerde op dergelijke opmerkingen altijd met een ingetogen glimlach op haar gezicht onder de breedgerande hoed. 'Lieverd, ik weet dat je het goed bedoelt, maar hier in het zuiden bekijken we de zaken anders.'

Dan ging mama het onkruid sneller wieden en zei iets als: 'Persoonlijke vrijheid wordt niet bepaald door de Mason-Dixonlijn.'

Ze bespraken dergelijke stimulerende ideeën een tijdje tot oma uiteindelijk de Bijbel ging aanhalen. 'De Heilige Paulus heeft gezegd dat vrouwen zich aan hun echtgenoten moeten onderwerpen.' Dan gaf mama het op tot het volgende bezoek van oma. Omdat dat waar is. Met de Bijbel valt heel moeilijk te discussiëren, en mijn oma kent die woord voor woord uit haar hoofd.

Onze grootouders logeren tijdens het Founders Weekend bij ons om te voorkomen dat grootvader zijn kostbare truck nog een keer aan barrels rijdt. Drie jaar geleden heeft die dronkenlap zijn Chevy een greppel in gereden toen hij onderweg was naar huis. Oma had een nare wond in haar voorhoofd opgelopen omdat ze daarmee tegen de kruk van het portier knalde, en daar heeft ze een litteken aan overgehouden. Daarom heb ik de vorige maand een roestige spijker van achterlicht tot koplamp over de zwarte glansverf gehaald toen die truck voor Willie's Public House stond. Grootvader tiert nog steeds dat degene die dat heeft gedaan het zwaar zal moeten bezuren als hij eenmaal weet wie dat is. Maar hoe zit het dan met het voorhoofd van oma? (Dat is ook iets wat ik van mijn vader heb geërfd. Ik houd de weegschaal van de gerechtigheid graag in evenwicht en zorg daar zo mogelijk ook voor.)

Oma Ruth Love heeft eigenaardige trekjes. Ze raakt geïrriteerd als ons huis bij haar aankomst niet brandschoon is, en natuurlijk willen we haar bezoek niet bederven. Daarom zeg ik op gedecideerde maar wel heel vriendelijke toon tegen Woody: 'Prima! Ga zo door.' We sluipen op onze tenen door de lege keuken, onderweg naar de eetkamer en naar al dat zilver dat nodig moet worden gepoetst, wanneer gerammel in de bezemkast mijn aandacht trekt. Op het moment dat ik me herinner dat Lou graag voor heks speelt en 'Kijk uit, Woody. Ze komt eraan!' roep, springt Lou uit de kast.

'Hebbes! Hebbes! Hebbes!' brult ze.

Deze keer werkt de grap echter niet.

Woody rent niet weg en ze begint ook niet te krijsen zoals ze dat gewoonlijk doet, waardoor Lou dubbelslaat van het lachen. Mijn zus blijft midden op de keukenvloer stokstijf stilstaan. Ze is spierwit geworden. Zoiets heb ik nog nooit eerder gezien. Het is afschuwelijk. Zelfs Lou moet dat vinden, want ze huppelt niet langer rond als een oude heks en kijkt met een verbaasd gezicht naar Woody. Ze loopt dichter naar mijn tweelingzus toe en steekt een hand uit om haar aan te raken, zoals je dat doet met een beeld in een museum dat heel levensecht lijkt. 'Woody, is alles goed...' begint ze aarzelend.

'Blackie en jij vinden zoiets heel geestig, maar...' Ik duik op Lou af en ze bonst met haar rug tegen de deur van de bezemkast. 'Zie je wat je hebt gedaan?' Ik leg mijn handen om haar gezicht en draai haar hoofd naar Woody toe. 'Je hebt haar doodsbang gemaakt!' Lou trapt naar me en probeert onder mijn armen door te duiken, maar ik pak haar haren beet. Er blijven een paar haren in mijn hand achter en die houd ik voor haar gezicht. 'Deze neem ik mee naar juffrouw Delia. Ze zal je beheksen. Zij heeft ervoor gezorgd dat Charity Thomas die bochel kreeg en jou zal hetzelfde overkomen. Denk je dat Blackie nog om zo'n vooruitstekend gevaarte heen zal snuffelen? Denk je dat echt?'

'Je maakt mij niet bang! Charity heeft me verteld dat ze met die bochel is geboren,' brult Lou terug.

'Dat liegt ze. Ze had een rechte rug totdat...' Ik zie dat mijn zus, die ruzies haat, haar hoofd in haar nek heeft gegooid en dat haar mond wijd open is. Papa is buiten, vlak bij ons in de buurt. 'Nee, niet doen,' zeg ik naar adem snakkend. Ik laat Lou los en duik op Woody af, maar ze krijst al. Ik druk mijn hand tegen haar mond, maar ondanks het getik van de boven de voorraadkast hangende koekoeksklok en het vrolijke liedje dat uit de transistorradio komt, hoor ik dat de voordeur wordt geopend en met een klap wordt gesloten. Hij heeft het gehoord en hij komt onze kant op.

'Wat is hier aan de hand?' vraagt papa vanuit de deuropening van de keuken. 'Shenandoah, waarom schreeuwen jullie zo?'

Hij weet niet zeker wie van de tweeling ik ben, dus laat ik mijn tanden zien en zeg: 'Een goede middag, Edelachtbare. Het spijt me erg dat we u hebben gestoord. Hier is niets belangrijks gaande. Woody... eh...' Mijn zus blijft alleen overeind staan omdat ik daarvoor zorg. 'Jane Woodrow heeft haar teen gestoten. Dat is alles.' Ik grinnik. 'U weet hoe ze kan zijn.' Dat zeg ik niet rechtstreeks tegen hem maar tegen Lou. Ik kijk naar haar haren, die ik in mijn hand heb.

'Klopt dat, Louise?' vraagt papa. Hij moet naar haar opkijken, want zij is een paar centimeter langer dan hij.

'Ja, meneer, dat klopt. Niets anders dan een gestoten teen.' Ze trekt leugenachtig haar rechterwenkbrauw op en recht haar rug. Ik houd mijn vingernagels tussen haar schouderbladen gedrukt om haar aan mijn dreigement over die bochel te herinneren.

'U ziet er mooi uit,' zeg ik tegen papa. Hoewel zijn stem streng klinkt, voel ik weer hoe hard ik hem nodig heb. 'Moet u vanavond ergens heen? Anders kunnen Woody, u en ik misschien naar het fort gaan om naar de sterren...'

'Is alles in orde, Walt?' roept iemand vanuit de gang die van de hal naar papa's werkkamer leidt.

'Abby, we zijn in de keuken,' zegt papa, die nog altijd strak naar ons kijkt.

Abby?

Abigail Hawkins. Ik heb haar Cadillac niet zien staan. Ze heeft hem waarschijnlijk bij de schuur geparkeerd. Daar zou ze zich zelf ook prima thuis voelen.

De familie Carmody en de familie Hawkins hebben minstens een eeuw van samen jagen en drinken achter de rug. Onze oma vertelt graag hoe iedereen in Rockbridge County er als vanzelfsprekend vanuit ging dat haar kostbare jonge zoontje en het meisje Hawkins uiteindelijk met elkaar zouden trouwen. Het was dus geen verrassing toen ze kort na hun middelbare schooltijd een trouwdatum vaststelden. Abigail werkte op de paardenboerderij van haar familie, papa ging aan de universiteit studeren en alles verliep volgens plan. Tot Abigail ziek werd op de avond waarop papa van plan was naar een feest in Washington & Lee te gaan. Daarom voelde hij zich eenzaam, en toen hij Evelyn Anne MacIntyre aan de andere kant van de drukke dansvloer zag, was een enkele blik genoeg. Hij viel als een blok voor mama, en Abigail met haar turftrappers had geen schijn van kans meer.

Oma sloot dat verhaal altijd af met een diepe zucht. 'Zoals je je wel zult kunnen voorstellen had die arme Abby het er erg moeilijk mee dat ze Walter aan een andere vrouw had verloren. Ze is nooit getrouwd.' Ik vind dat nauwelijks verbazingwekkend. Wie zou er nu de rest van zijn leven elke ochtend wakker willen worden naast een vrouw die op een van de Clydesdales lijkt die door haar familie worden gefokt?

'Walter?' Juffrouw Hawkins komt de keuken in, met luid geklepper van haar enorme witte schoenen met glanzende gespen op de neuzen en gekleed in een blauwe jurk van katoen die haar een maat te klein is. Ze zal wel weer iets te eten hebben gemaakt om haar web te spinnen, zoals Beezy dat noemt. Ik zie nu pas twee van haar perfecte taarten op het aanrecht staan.

Lokaas.

Juffrouw Abigail brengt haar handen naar haar bolle wangen en vraagt heel bezorgd: 'Is alles hier in orde?' Onder het spreken wipt haar paardenstaart op en neer. Haar haardos is even onstuimig rood als die van haar niet zo intelligente neef Remmy.

O.

Nee.

Is die jongen vanaf de Triple S meteen doorgereden naar de boerderij van zijn tante om haar te vertellen dat hij ons had gezien? Is ze daarom hier? Heeft ze behalve die taarten ook slecht nieuws gebracht? Mijn hart bonst als ik me voorstel dat ze zegt: 'Daar heb je die ondeugende meisjes die Remmy vanmiddag bij het tankstation heeft gezien bij die halfbloed van een Sam Moody.'

Ik kijk naar mijn vader. Ik concentreer me. 'Als je denkt dat hij boos is, is het belangrijk niet alleen te luisteren naar wat hij zegt, maar hem ook te bestuderen zoals je dat met een wegenkaart zou doen,' had onze moeder tegen Woody en mij gezegd. 'Let op de manier waarop zijn schouders in kleine bergen veranderen. Kijk of er rimpels in zijn voorhoofd zitten en of hij zijn wangen naar binnen heeft gezogen. Dat zijn tekenen dat hij boos is.'

Hij is ook boos, maar niet op de meest beroerde manier. Niet zo boos als hij zou zijn geweest wanneer juffrouw Hawkins hem net had meegedeeld dat zijn meisjes ongehoorzaam waren geweest en er vandoor waren gegaan, weg van Lilyfield. Als dat zo was, zou zijn gezicht eruit hebben gezien als een bevroren vijver. Maar onder dat ijs zou dan een man schuilgaan die op het punt stond te exploderen.

Papa glimlacht stralend, draait zich om naar Abigail en zegt: 'Niets waarover jij je zorgen hoeft te maken, Abigail. Jane Woodrow had haar teen gestoten.'

'O, mijn hemel. Dat doet altijd meer pijn dan je zou verwachten. Misschien moet ik wat ijs gaan pakken,' zegt ze, en ze loopt naar de vrieskist alsof ze hier thuis is.

'Dat is niet nodig.' Papa werpt ons een blik toe die duidelijk maakt dat er wat zal zwaaien wanneer we ons niet keurig netjes gedragen. Hij haat het wanneer we in aanwezigheid van anderen drukte maken. 'Meisjes, wat is er met jullie manieren gebeurd?'

Ik tril nog op mijn benen door mijn aanvaring met Lou en ik maak me zorgen over Woody. Toch doe ik wat er van mij wordt verwacht. Ik maak een buiginkje, zo goed en zo kwaad als dat gaat in een short van blauwe spijkerstof. 'Een goede middag, juffrouw Hawkins. Wat een genoegen u weer te zien, en hartelijk bedankt voor die mooie taarten.' Ik wijs op het aanrecht. Oma Ruth Love wint op de kermis altijd de eerste prijs, en juffrouw Abigail altijd de tweede. 'Perzik? Heerlijk. Ik kan niet wachten er een punt van af te snijden.'

Ik zou nog liever boombast eten. Ik zou nog liever dood zijn.

'Wat ben je toch lief,' zegt juffrouw Hawkins. 'Het is heel leuk je weer te zien… eh…'

'Ik ben Shenandoah Wilson, en dit is Jane Woodrow.' Ik knik naar Woody, die nog altijd erg van streek lijkt te zijn. 'Zij is de sterkste en de stilste van ons beiden.'

Lou staat nog tegen de deur van de bezemkast gedrukt en zegt: 'Hoe maakt u het, mevrouw? Kan ik iets koels voor u inschenken?'

'Daar hebben we de tijd niet voor,' zegt papa. 'Juffrouw Abigail moet een vergadering van de Ladies Auxiliary voorzitten.'

'Edelachtbare?' Ik moet hem om een gunst vragen, ook al maakt mijn verkrampte maag me duidelijk dat dit daar het juiste moment niet voor is. Mama zei altijd dat het juiste moment uitkiezen ook belangrijk is. Maar misschien kan de aanwezigheid van Abigail Hawkins me helpen, want papa lijkt indruk op haar te willen maken. 'Die hond waarover ik het eerder met u heb gehad? Ivory? Volgens mij heeft hij al in dagen niet gegeten. Hij ligt op de veranda van het huis van meneer Minnow en hij ziet er heel mager uit.'

Papa draait zich naar Abigail toe en zegt verontschuldigend: 'Ik ben bang dat het mijn dochter moeite kost gehoorzaam te zijn.' Dan zegt hij tegen mij: 'Ben je naar dat huis toe gegaan?'

'Nee.'

Zijn mondhoeken plooien zich tot de triomfantelijke glimlach die hij laat zien wanneer hij meent een getuige op een leugen te hebben betrapt. 'Wil je me dan alsjeblieft uitleggen hoe je weet dat die hond op de veranda ligt?'

'Ik kan hem vanuit mijn slaapkamerraam zien, Edelachtbare. Mag ik hem gaan halen?' vraag ik voordat hij weer met een vraag kan komen die ik misschien niet kan beantwoorden. 'We zullen goed voor hem zorgen.' Een adem die naar gras ruikt en een dikke vacht. Dat heeft mijn zus nodig.

'En Woody? Wil jij die hond hebben?' vraagt hij aan Woody.

Ze kijkt hem niet aan. Ze staart naar de grond, pakt mijn hand en knijpt daar heel hard in.

'Ja, dat wil ze echt,' zeg ik. 'Ze mist Mars zo erg.'

Papa steekt zijn kin naar voren. Vernauwt zijn ogen tot spleetjes. Ik ken die blik. Als hij een hamer in zijn hand had, zou hij die laten neerkomen. De Edelachtbare staat op het punt een uitspraak te doen. 'Jane Woodrow, als je me zélf vraagt of je die hond mag hebben, zal ik daar misschien toestemming voor geven.' Hij wil dat ze weer gaat praten, zodat ze zijn vragen kan beantwoorden over de avond toen mama is verdwenen. Dreigen haar weg te sturen is het ergste wat hij zou kunnen doen, maar dit is ook erg. Papa weet dat Woody dol is op alle levende wezens. Ze is zelfs opgehouden met vissen omdat ze met geen mogelijkheid wormen aan het haakje kon doen.

Mijn zus wiegt – heel licht – heen en weer.

Dat vindt papa niet prettig. De ader bij zijn slaap zwelt op en wordt blauw. Hij balt zijn handen telkens weer tot vuisten en ontspant ze weer. Dat is geen goede zaak. Als mama hier was zou ze hem vragen of ze zijn nek mocht masseren, om zijn woede om te leiden.

'Mag ik u...' begin ik, maar hij hoort me niet. Hij is te zeer op Woody geconcentreerd.

Papa gaat zo bruusk voor haar op zijn hurken zitten dat ze schrikt en hij zegt streng: 'Je weet wat er gebeurt met dieren die niet langer bruikbaar zijn, nietwaar?'

'Dat weet ik, papa. Dat weet ik,' zeg ik, en ik zwaai met mijn hand door de lucht als een iets te enthousiaste leerling. Ik probeer hem af te leiden van mijn zus. 'Als onze dieren oud worden of dodelijk gewond raken, geeft u meneer Cole opdracht een kogel door hun kop te schieten en ze achter de schuur te begraven.' Woody heeft op elk graf een kruis gezet dat ze van twijgjes had gemaakt. 'Als ze hun werk niet meer kunnen doen, hebben we niets meer aan ze.'

'Dat klopt, Shenandoah, en je zus zou er verstandig aan doen dat goed te onthouden.' Papa klopt Woody te hard op haar hoofd.

'Dat zal ze zeer beslist doen, Edelachtbare,' zeg ik vol vuur. 'Hartelijk bedankt voor dat schitterende advies.'

'Kom mee, Abigail.' Hij draait zich om en wil weglopen. 'Anders kom je nog te laat voor die vergadering.'

'O, mijn hemel. Je hebt gelijk,' zegt ze. Ze kijkt op haar horloge, dat niet half zo mooi is als dat van mama. Ze buigt zich zo ver voorover dat ik de bovenkant van haar borsten vol sproeten kan zien. 'Leuk jullie weer eens te hebben gezien, meisjes. Ik verheug me erop binnenkort heel wat meer tijd met jullie door te brengen.' Wanneer ze snel achter mijn vader aan loopt, laat ze een wolk van haar misselijkmakende, naar gardenia's ruikende parfum achter.

'Bent u thuis voor het avondeten?' roept Lou mijn vader na.

'Nee,' zegt hij zonder de moeite te nemen om te kijken.

Gewoonlijk zou ik na een gesprek met papa denken dat hij gelijk had zo streng te zijn ten aanzien van Woody. Een dezer dagen moet ze weer gaan praten. Of misschien zou ik een andere verklaring voor zijn manier van doen bedenken. Iets in de trant van dat het zijn bedoeling niet was om zo wreed te zijn. Dat hij vreemd doet omdat hij onder de verdwijning van zijn vrouw lijdt.

Dergelijke gedachten spelen nu echter helemaal niet door mijn hoofd.

Zie je dat, Shen? Een stem in mijn hoofd schreeuwt me toe. *Zie je hoe de Edelachtbare de toch al breekbare Woody probeert te breken. Woody, die zo verdrietig is door het verlies van haar mama dat ze niet kan slapen, spreken of iets eten wat niet zoet is? Heb je gehoord dat hij tegen haar zei dat het slecht zal aflopen met een hulpeloos dier als ze niet doet wat hij wil? Nou, heb je dat gehoord?*

Ik zou het het liefst willen ontkennen. Maar het gemene gedrag van papa komt me even bekend voor als het Bijbelverhaal over Salomo die bereid was een baby door midden te snijden om een punt te scoren.

Ik zou niet zo moeten denken. Mijn longen weten dat ook, want ze zuigen de lucht sneller op dan normaal en werken die ook heel snel weer naar buiten.

'Shenny?' zegt Lou, en ze zet een stap van mij vandaan. 'Wat bezielde je?' Ze denkt waarschijnlijk dat een duivelse geest bezit van mij heeft genomen, en ik ben ook bang. Ik heb het gevoel dat ik heb gezondigd tegen het gebod je vader te eren, te respecteren en te steunen. Het spijt me, Heer. Vergeef het me. Ik kan er niets aan doen. Ik weet dat U wilt dat we de ander onze andere wang toe keren, maar telkens wanneer we dat doen geven we papa de kans nog een klap uit te delen. Of ons op onze knieën in de kelder te laten zitten. Of ons uur na uur te ondervragen over wat we hebben gezien op de avond toen mama verdween. Ik weet dat hij erg veel verdriet heeft, maar zou een liefhebbende vader niet om zijn dochters moeten geven, hoe erg hij zelf ook rouwt? Kan hij niet meer begrip voor Woody opbrengen in plaats van te dreigen haar weg te sturen? Hij had Ivory van Clive Minnows veranda moeten gaan halen. Hij had een roze lintje om zijn hals moeten binden. Hij had die hond aan mijn zus moeten geven, in de hoop dat zij daardoor snel beter zou worden. Dat zou hij ook hebben gedaan in de tijd toen we elke avond samen op de vloer van het fort naar de hemel lagen te kijken. Toen hij zijn tweeling nog heel dicht tegen zich aan hield en zei: 'Ik hou evenveel van jullie als van de sterren.'

Het heeft geen zin. Ik kan niet meer doen alsof. Ik kan niet langer ontkennen dat er een barst in ons universum is gekomen. Eerst is onze zon neergestort, en nu gebeurt hetzelfde met onze maan.

Woody heeft in haar broek geplast.

15

Gezichtsbedrog.

Het overkwam mij vorige week voor het eerst in de praktijk van dokter Keller, toen ik wachtte terwijl hij Woody onderzocht. Ik pakte een *Jack and Jill*-tijdschrift van de stapel in de wachtkamer en bladerde het door om de tijd door te brengen. Bij de puzzels zag ik een afbeelding van een mooie bokaal, onder een kop met VERBAZINGWEKKEND. Wat is daar nu zo verbazingwekkend aan, vroeg ik me af. Maar toen ik de bladzijde omdraaide trok die afbeelding weer mijn aandacht en gebeurde er iets dat echt VERBAZINGWEKKEND was. De afbeelding van de bokaal was op de een of andere manier in iets totaal anders veranderd. Opeens keek ik naar een identieke tweeling die neus tegen neus stond. Wanhopig probeerde ik de bokaal weer te zien. Ik sperde mijn ogen zo ver mogelijk open. Ik kneep ze tot spleetjes samen. Dat deed ik wel tien keer, en toen gaf ik het op.

Beter kan ik je niet beschrijven hoe ik nu over onze vader denk. Hoe hard ik ook mijn best doe... Ik kan hem niet meer zien als vroeger.

Woody, Lou en ik zijn nog in de keuken. We staan dicht bij

elkaar, als soldaten die zich na een verrassingsaanval proberen te hergroeperen. De geluiden van juffrouw Abigails lach en het geknars van de banden van papa's auto komen door het keukenraam naar binnen. Ik doe alsof ik de plas op de grond niet zie.

'Shenny?' zegt Lou, en ze laat haar vingertoppen over mijn arm omhoogkruipen. 'Luister. Toen ik opeens uit die kast opdook, maakte ik alleen een grapje. Blackie had tegen me gezegd... Het was niet mijn bedoeling...'

'Lou, hou je stomme bayou-waffel. En als je die medelijdende uitdrukking niet van je gezicht haalt, zal ik dat voor je doen.' Ik draai me om naar mijn zus. 'Woody?' Met het laatste beetje kracht dat ik in me lijk te hebben steek ik een hand uit naar mijn zus. We gebruiken elkaar als krukken terwijl we de hal door strompelen en de trap aan de voorkant van het huis op gaan.

Een restje liefde heb ik als anker gebruikt om te voorkomen dat ik op drift raakte. Dat is me nu duidelijk. Ik druk mijn brandende wang tegen de koele muur die mama blauw heeft geschilderd om ons rust te geven. Ik word meegesleurd door verdriet en daar kan ik niets aan doen. Ik heb aldoor tegen mezelf gelogen. Niet alleen tegen papa. Dat je pas weet wat je had als je het niet meer hebt, is maar al te waar. Kon ik mijn armen maar om mama heen slaan en haar excuses aanbieden omdat ik bijna altijd papa's kant heb gekozen wanneer zij ruzie hadden. Omdat ik hem heb verdedigd. Ik voel me zoals zij zich moet hebben gevoeld. Hulpeloos.

Niemand kan zo gemakkelijk zo vaak ongelukjes krijgen.

Mijn zus zit op de rand van ons bed. Het witte washandje dat ik uit de badkamer had gehaald hangt aan haar vingertoppen, alsof ze zich overgeeft.

Ik ga op mijn knieën voor haar zitten en zeg: 'In je broek plassen is echt niet zo erg. Het overkomt mij voortdurend. Zondag heb ik het twee keer gedaan.' Haar gympen zijn kletsnat, dus trek ik ze uit. 'Woody, het spijt me zo. Ik zal me heus niet altijd zo blijven gedragen. Ik zal mama vinden. Wacht maar eens af.' Dat zeg ik zoals altijd, ook al geloof ik er zelf niet meer in. Ik ben er niet eens meer zeker van dat ik er ooit echt in heb geloofd, maar dat kan ik mijn breekbare zus niet laten weten. 'Kom, we moeten weer wat vrolijker worden. Ik zou dat liedje uit *Camelot* voor je kunnen zingen dat mama en jij zo mooi vinden.' Ik veeg met mijn arm het snot van haar neus en laat mijn stem zo ver mogelijk dalen. '"If ever I would leave you, it... it wouldn't be in summer. Seein' you in summer I never would go. Your hair streaked with sunshine, your..."'

Ik wil wanhopig graag dat ze hard aan een van mijn vlechten trekt en zegt, zoals ze dat vroeger zou hebben gedaan: 'Weet je wanneer ik me heel wat beter zou voelen? Als jij ophield met zingen. Shenbone, je zingt zo ongelooflijk vals.'

Ik pak het washandje uit haar vingers en wrijf ermee over haar benen, waarbij ik voorzichtig om haar nog beschadigde knieën heen ga. De pleisters die ik daar vanmorgen op had gedaan zijn verdwenen. 'Zeg alsjeblieft, alsjeblieft, iets tegen me. Als je dat wilt, kun je dat ook. Dokter Keller zegt dat er niets mis is met je stem. Probéér toch een paar woorden over je lippen te laten komen.'

Langzaam doet ze haar mond open. Een gezegend moment lang denk ik dat ze echt iets gaat zeggen. Maar dan steekt ze haar tong uit en likt snel over mijn wang.

'Jakkes, Woody, dat is zo...' Hoewel ik erg geschokt ben, veeg ik het speeksel niet weg. Ik geef haar ook een lik en denk bij mezelf dat zij misschien het juiste doet.

Degene die ooit heeft gezegd dat stokken en stenen beenderen kunnen breken maar woorden je nooit pijn kunnen doen, moet slechthorend zijn geweest. Papa had Woody nergens mee moeten dreigen. En hij had ook niet zo kwetsend tegen mama moeten praten. Hij had haar niet moeten uitschelden omdat ze dingen op haar eigen, onafhankelijke manier wilde doen in plaats van op zijn manier. Hij gebruikt zijn tong als een zwaard dat met elk woord een stukje van je hart afsnijdt. Misschien is zwijgen echt wel goud.

Omdat ik weet dat ik me voor mijn zus moet vermannen – ook al ben ik daar helemaal niet aan toe – zeg ik: 'Ik zal je schone kleren aantrekken.' Ik loop langs het raam en blijf even staan. Ivory is daar buiten. Ik voel de warme lik van Woody nog steeds op mijn wang en ik weet wat ik moet doen.

Ik pak de schoonste kleren die ik kan vinden uit de steeds groter wordende stapel op de bodem van de kleerkast, trek haar de natte spullen uit en hijs een schone onderbroek en een schoon short omhoog over de benen van mijn zus. 'Ziezo. Dat is veel beter,' zeg ik, en ik zet een stap achteruit zoals je dat wordt geacht te doen wanneer je een kunstwerk bekijkt. 'Je ziet er echt fantastisch uit. Met uitzondering van je haar, dan. Dat ziet er niet uit. Laat me het invlechten.' Ik pak de goudkleurige haarborstel van mama van de toilettafel en probeer die door de klitten te halen, maar ze duwt mijn hand weg en pakt mijn tinnen lunchtrommeltje dat ik op het bed had gesmeten. Dat drukt ze tegen haar buik.

'Wil je iets te eten hebben?' vraag ik.

Sinds Woody stom is geworden heeft communiceren wel iets van een raadspelletje. Uit haar gebaren moet je proberen iets zinnigs te maken. 'Wil je een eindje wandelen?' Nu klopt ze op haar borst. 'Heb je last van maagzuur? Ik heb geen Rennies meer. Ik zal morgen nieuwe halen wanneer we naar Slidell's gaan.' Mijn zus smijt het lunchtrommeltje op het kleed en gaat er op haar buik voor liggen. Ze krabt aan de sluiting, dus denk ik dat mijn eerste indruk juist kan zijn geweest. Ze heeft honger. Ze is uitgehongerd, als ik het harde klauwen moet geloven.

'Daar zit niets meer in. Ik heb alles vanmorgen aan E.J. gegeven, weet je nog wel?' Ik maak het lunchtrommeltje open, maar ze gaat niet op zoek naar restjes spekpannenkoek. Ze pakt de tekening die ze vanmorgen bij Beezy heeft gemaakt en zwaait die als een gek voor mijn gezicht heen en weer. Het is de tekening van een hevig bloedende Mars.

Ik had de hond dezelfde middag gevonden als het horloge van mama.

Op zo'n lentemiddag waarop je bij Moeder Natuur op schoot wilt kruipen om haar uit dankbaarheid een zoen te geven zat ik op het leesbankje van mama en mij, onder de trillende espenboom. Daar verstopten we ons 's middags meestal. Af en toe, als papa en zij het die ochtend goed met elkaar konden vinden, voelde ze zich luchthartig genoeg om iets voor me te zingen. Soms was ze Laurie uit *Oklahoma!* en zong ze *People Will Say We're in Love*. Of ze zong als Maria uit *West Side Story: I Feel Pretty*, met wapperende rok ronddansend. Maar meestal lazen we. Als we iets lazen waarvan de ander naar ons idee een kick kon krijgen, lazen we hardop. Mama citeerde gewoonlijk dichters. Ik las haar delen van avonturenverhalen voor, want die waren bij mij favoriet. Ik ben stapel op verhalen vol intriges die zich afspelen in verre landen zoals China, het Donkere Continent of Californië. Als ik een bijzonder opwindende passage had gelezen zei ik: 'Moet u eens luisteren.' Dat was voor mijn van reizen houdende moeder het teken om haar ogen dicht te doen en zich door mijn stem heel ver te laten meenemen.

Maar op de middag dat ik het horloge vond, las ik niets opwindends. Ik bladerde *The Miracle Worker* door om aanwijzingen te vinden over hoe ik mijn zus weer aan het praten kon krijgen, toen ik in het zonlicht bij de put iets zag schitteren. Ik legde mijn boek neer, veegde wat bladeren rond de put weg en pakte het ding op. Even verloor ik mijn evenwicht en moest ik me aan de stenen rand vasthouden. Toen zag ik het karkas. Mama had papa voortdurend gesmeekt meneer Cole de opgedroogde put te laten dichtmetselen, maar dat was nog altijd niet gebeurd.

Ik keek naar de beenderen die tussen de afbrokkelende wanden van de put lagen. Stof zal tot stof wederkeren, dacht ik. Ik meende dat ze van een wasbeer of zo waren, want daar hadden ze zo ongeveer de juiste afmetingen voor. Net toen ik wilde teruglopen naar de bank herinnerde ik me wat in eerste instantie mijn aandacht had getrokken. Ik deed mijn hand open en zag het horloge van mama, dat ze van Sam had gekregen. Ik voelde me duizelig, wond het op, deed het rekbare bandje om mijn pols, drukte het klokje tegen mijn oor en luisterde naar het nog altijd harde getik. Ik streek met mijn vingers over het woord *Speranza* op de achterkant. De Heer heeft me naar dit horloge geleid, dacht ik. Het is een teken. Maar wat vertelt Hij me precies? Dat ik de tijd aan mijn kant heb? Dat ik moet hopen? Ja!

Ik was heel dankbaar voor dit onverwachte geschenk, ik liet me op mijn knieën zakken en bad: 'Onze vader die in de hemel is, gezegend...' Toen begon me iets dwars te zitten. Ik had maar even in de put gekeken, maar... wat had daar behalve beenderen nog meer in gelegen? Ook iets glinsterends. Omdat ik dacht dat het nog iets van mama kon zijn, vroeg ik de Heer even te wachten. Ik ging op mijn buik op de rand van de put liggen om er beter in te kunnen kijken. Ik zag echter niet een van mama's broches of kettingen, maar wel een zilveren belletje. Het belletje dat Woody van een kerstversiering had gehaald en aan de halsband van Mars had vastgezet om de eekhoorns te waarschuwen als hij op jacht was. Dat belletje lag bij zijn schedel.

Toen ik die avond in bed lag haalde ik het horloge van mama onder mijn kussen vandaan, zwaaide ermee voor de ogen van mijn zus en fluisterde: 'Kijk eens wat ik heb gevonden.' Woody raakte niet net zo opgewonden als ik. Ze begon te huilen. 'Stil, want anders hoort hij je nog. Wees niet jaloers. Jij mag het af en toe ook dragen.'

De reden waarom ik mijn zus nog niet heb verteld dat ik Mars had gevonden, was dat ik mezelf ervan had overtuigd dat zo'n tragische mededeling haar over de rand kon duwen waarop ze leek te wankelen. Nu besef ik echter dat ik niet háár in bescherming heb genomen, maar mezelf. Ik wilde Woody niet nog eens zo verdrietig zien. Als ik zag hoe ze in haar slaap huilde, brak mijn hart het ergst. Kijken naar haar tranen was vrijwel moordend.

Ik geloof dat Ralph Waldo Emerson ooit heeft geschreven dat de waarheid mooi is maar dat leugens dat ook zijn. Nu vind ik liegen tegen mijn zus niet mooi meer. Maar hoe moet ik haar vertellen dat haar geliefde Mars nooit meer terug zal komen? En dat ik er niet meer zeker van ben dat onze mama terug zal komen? Ik zie nu in dat hoop een illusie is. Geen gezichtsbedrog, maar een illusie van je hart. Hoop is voor zwakkelingen. Ik moet even sterk zijn als het sterrenbeeld Hercules.

Ik moet mijn zus de waarheid vertellen.

Ik neem de tekening van de hond van haar over, strijk met mijn vinger over het rood dat van zijn rug stroomt en over de geruite koffer in zijn bek. Ze heeft al eerder tekeningen van Mars gemaakt, maar die koffer is iets nieuws. Ze moest die eraan hebben toegevoegd toen ik papa's badkamer schoonmaakte.

'Ja.' Ik knijp mijn ogen dicht om niet naar het gezicht van mijn zus te hoeven kijken. 'Dat klopt. Mars is... op reis gegaan... maar hij zal nooit terugkomen. Hij is dood, Woody. Ik heb zijn botten in de put gevonden en ga alsjeblieft niet huilen. Ik zal een andere hond voor je halen, die een veel dikkere vacht heeft. Dat beloof ik je.'

Elke spier van mijn lichaam spant zich om mezelf te beschermen tegen haar verdriet. Ik hoor haar ademhaling zich vermengen met de mijne, maar meer gebeurt er niet. Ik doe mijn ogen een voor een open en zie haar ogen glanzen. Niet van verdriet. Wel van... pure opluchting.

'Woody? Wat...' Was ze toch niet zo aan Mars gehecht als ik had gedacht? Nee, ze hield van die gemene hond. Daar ben ik zeker van. Misschien is ze net als ik zo moe geworden van het hopen dat ze het heeft opgegeven, of... O, mijn hemel. Ik kan slechts één andere reden bedenken waarom ze niet op de grond ligt te huilen. Omdat ze helemaal niet geschokt is door de mededeling dat de hond dood is. Maar hoe is dat mogelijk?

Ik kijk weer naar de tekening. Ik kan zijn haren bijna voelen, zijn ergerlijke geblaf horen. Op de avond dat onze moeder verdween had hij een keer bloedstollend gejankt, en daarna was het stil geworden. Toen de hond zich de volgende morgen niet liet zien, had ik aangenomen dat hij was weggelopen. Ik dacht dat Woody dat ook geloofde. Nu denk ik dat deze tekening van een bloedende Mars wel eens geen creatie van haar artistieke geest kan zijn, maar een waarheidsgetrouw beeld. Zoiets als een foto.

Ik wil de waarheid niet kennen. Ik moet de waarheid kennen.

'Woody, probeer je me door die tekening duidelijk te maken dat...'

De geruite koffer die Mars in zijn bek heeft is van mama.

16

Woody moet mama die avond in het bos hebben gezien. Dat vertelt de tekening van Mars en de koffer. Daarom ziet die er zo echt uit. Mijn zus heeft mama zien vertrekken.

Hoewel ik me triest voel, ben ik niet echt geschokt. Een tijdje heb ik gedacht dat ze ergens getuige van was geweest, maar daar ben ik nooit op doorgegaan. Nu heb ik geen keus. De tekening van Woody bevestigt wat ik uit angst niet voor mezelf heb durven toegeven. Mama is weggelopen.

Natuurlijk kan ik daar niet honderd procent zeker van zijn, maar ik voel me echt wat vrijer nu ik bereid ben toe te geven dat ze uit eigen vrije wil is weggegaan en mezelf niet langer in de maling neem met het idee dat ze elke minuut terug kan komen, dat ze alleen een reis naar Italië is gaan maken, aan geheugenverlies lijdt of is ontvoerd. De leugens verliezen iets van hun greep. Mijn ergste angst was dat mama ergens op een donkere plek tegen haar wil werd vastgehouden. Daar weten Woody en ik alles van.

Onze moeder kon onmogelijk hebben geweten hoe verdrietig – nee, hoe bóós – papa zou worden toen ze wegging, want rond die tijd spraken ze nauwelijks meer met elkaar.

Als ze samen in een kamer waren leek het alsof ze twee ijsbergen waren die tijdens een poolnacht langs elkaar schraapten. Mama moet hebben geloofd dat haar echtgenoot zo blij zou zijn even van zijn brutale echtgenote te zijn verlost, dat hij weer hartelijk en knuffelig zou worden. Iets beters zou haar geliefde meisjes niet kunnen overkomen.

Ik ben er vrij zeker van dat ik weet waarom ze Woody en mij niet heeft gevraagd met haar mee te gaan. Dat zij wegging was een ding, maar het zou iets heel anders zijn geweest als ze ons had meegenomen. Mama is alleen met hem getrouwd, maar Woody en ik hebben het Carmody-bloed. Wij horen bij papa. Ze wist dat de Edelachtbare direct achter ons aan zou zijn gekomen en dat er voor ons leven moest worden gevreesd wanneer hij ons had gevonden.

Woody zit nog op de rand van het bed te kijken naar haar tekening van Mars met de koffer. Ik geef haar een klopje op haar hand en zeg: 'Ik begrijp het nu. Met deze tekening wil je me duidelijk maken dat je die avond vanuit het fort mama hebt zien vertrekken, nietwaar?' Ze knikt niet, maar dat moet het geval zijn geweest. 'We moeten haar vinden. Ik ben al op zoek geweest naar haar dagboek, maar dat lag niet in haar bolwerk. Er moet iets in staan wat ons kan helpen te achterhalen waar ze naartoe is gegaan. Ik durf erom te wedden dat ze ons elke dag heeft geschreven om te vertellen waar we haar kunnen vinden. En dat papa die brieven achterhoudt. Of misschien heeft Daryle Lawson niet de moeite genomen ze te bezorgen.' Onze postbode zou een boek kunnen schrijven met als titel *Ik ben lui*. 'Schatje, weet jij waar haar dagboek is? Dat weet je inderdaad, hè?'

Woody loopt snel naar onze ladekast en ik kan niet geloven dat ze het dagboek aldoor al had. Ze rommelt in de laden en ik voel me verpletterd. In het verleden had ze nooit geheimen voor mij.

Wanneer ze heeft gevonden wat ze zocht, komt ze naar me toe en legt het op mijn schoot. Het is niet mama's dagboek, maar een van haar eigen schetsboeken. Ze wil me nog meer tekeningen laten zien. Het boek voelt loodzwaar aan. Dat komt door mijn geweten. Daar ben ik zeker van.

Omdat Woody zo gevoelig en broos is, wist ik dat zij de verzorging nodig zou hebben die alleen een moeder kan geven. Dus heb ik, na mama's verdwijning, de rol van moeder op me genomen.

Omdat ik dacht dat het misschien zou helpen – net zoals het dragen van je zondagse kleren je heiliger laat voelen – trok ik truien van mama aan die nog naar haar parfum roken en stak haar haarkammen van schildpad, waarin nog blonde haren van haar zaten, in mijn haar. Maar ik voelde me beroerd wanneer ik omlaag keek en mijn benen uit haar opgerolde broek zag steken.

Dus hield ik op met pogingen er net zo uit te zien als zij en ging ik alle dingen doen die zij zou hebben gedaan als ze er nog was. Ik zong musicalliedjes voor mijn zus. Ik kriebelde haar achter haar oren. Ik probeerde zelfs naar haar tekeningen te kijken en er iets complimenteus onder te schrijven, zoals mama dat zou hebben gedaan. Maar Woody tekende geen vlinders meer die boven een wei rondvlogen, of een regenboog met een pot glinsterend goud. Na mama's verdwijning werden de tekeningen van mijn zus afgrijselijk. Ik hield mezelf voor dat ze alleen een 'Blauwe Periode' had, net zoals meneer Pablo Picasso die had gehad. Onder de tekeningen schreef ik zelfs dingen als: 'Wauw! Kijk eens naar die woeste tanden en dat bloedende spook! Alleen een genie zou zoiets kunnen bedenken.' Ik bleef geloven dat dat morbide gedoe slechts iets tijdelijks was, net als al het andere dat ons overkwam. Woody zou snel weer vrolijke dingen gaan tekenen, zei ik tegen mezelf, maar dat gebeurde niet. Uiteindelijk gaf ik voor mezelf toe dat mijn eens zo zonnige zus een donkere wereld in was gezogen, en ik kon het me niet veroorloven haar daarheen te volgen. Ik kon mezelf niet toestaan opnieuw zo wanhopig te worden, en dat zou zeker gebeuren wanneer ik te lang naar die helse afbeeldingen keek. Nee. Ik moest degene zijn die voor ons zorgde. Dus wanneer Woody me haar tekeningen liet zien, deed ik mijn ogen dicht of keek ik een andere kant op. Dan stelde ik voor een spelletje te gaan doen of te kijken wat E.J. uitspookte.

Ik zie nu in dat dat niet alleen laf was, maar ook een van mijn grote vergissingen.

Ze was niet morbide. Nou ja, misschien een beetje, maar ik weet nu dat Woody me door die tekeningen iets belangrijks wilde vertellen. Iets over de avond waarop mama verdween. Zoiets als een getekend raadsel. Ja, daar ben ik zeker van.

'Ik heb je in de steek gelaten,' zeg ik, en ik druk de walging die ik voor mezelf voel weg. Wat ben ik een lafaard geweest! 'Nu ben ik er klaar voor. Laat het me zien.'

Als ze ziet hoe erg mijn handen trillen, slaat ze het schetsboek voor me open.

De eerste tekening beneemt me mijn laatste restje adem. Hij is van onze prachtige moeder met haar korte haar. Hij doet me denken aan de ochtend waarop ze die haren kort knipte.

We zaten met zijn drieën op het trapje naar de veranda. De tuinslang lag over onze voeten en mama neuriede *Gonna Wash that Man Right Out of My Hair* terwijl ze de pony van Woody en mij bijknipte. Toen ze daarmee klaar was zuchtte ze en zei ze alsof ze er heel, heel lang over had nagedacht: 'Ik heb hier nu wel zo ongeveer genoeg van.' Ze pakte haar dikke knot en zette er de schaar in. Ik had de tijd niet haar te smeken dat niet te doen, want de knot lag al bij mijn voeten. Met haar vingers streek ze door haar nog resterende haardos. Toen pakte ze de slang, maakte haar haren nat en schudde haar hoofd. 'Dat is veel beter. Lichter. Vrijer.'

'Nu ziet u eruit als die filmactrice Mia Farrow,' juichte Woody, maar ik vond dat ze iets idioots had gedaan. Was ze vergeten dat papa had gezegd dat ze haar haren nooit kort mocht knippen?

Laat die middag kwam ze naar het fort met twee sandwiches en twee flesjes frisdrank. De Edelachtbare kon elk moment thuiskomen. 'Blijven jullie hier maar een tijdje, schatjes,' zei ze. 'Ik ben bang dat er ruw weer op komst is.' Opeens leek ze niet meer zo zeker van zichzelf.

Woody kreeg tranen in haar ogen en riep stotterend: 'Wat hij ook zegt, ik vind uw nieuwe kapsel mooi.'

Ik deed alsof ik mama niet hoorde toen ze schoorvoetend terugliep naar het huis. Ze bleef even bij de rozentuin staan en zwaaide zwakjes naar ons. Toen schoot ik uit mijn slof en zei tegen Woody: 'Ik begrijp niet waarom je zo van streek bent. Dit heeft ze zich zélf op de hals gehaald. Ze weet hoe dol hij is op haar lange haren.'

O, wat zou ik die middag graag overdoen. Ik zou haar ook een complimentje hebben gemaakt. Ik zou haar kushandjes hebben toegeworpen en 'Succes' of '*Buona fortuna*' hebben geroepen.

Op de tekening van Woody staat er iemand boven mama. Ik kan moeilijk bepalen of het een man of een vrouw is.

'Wie is dat?' vraag ik, en ik wijs. 'Papa?' Als ik dit onder ogen moet zien, kan ze me op zijn minst een handje helpen. Ze zou een potlood kunnen pakken en kunnen schrijven: 'Shenny, doe niet zo stom. Kun je niet zien dat dat een tekening is van...' Is dat te veel gevraagd?

Woody springt het bed af en loopt snel naar het raam, waar ze wilde gebaren maakt. Ik loop naar haar toe en pak haar middel met twee handen vast. Dan kijk ik naar de bank en de open plek vlak daarachter. Ik zie niets. Mijn tweelingzus wordt beslist volslagen gek. Ze laat haar armen wapperen en produceert dat eigenaardige geluid dat klinkt als een auto die niet wil starten. Ze denkt niet meer aan wat ze me over de tekening probeerde te vertellen. Ze is weer nukkig.

'Zo is het wel genoeg,' zeg ik, en ik trek hard aan haar. Zo kan ze soms doen. Vooral na een aanvaring met papa. 'Laat de vensterbank los. Laat die los!' Wanneer ze dat doet vallen we achterover op het kleed. We rollen een tijdje door, tot ze schrijlings op mij gaat zitten en mijn handen tegen de grond drukt. 'Misschien moet ik je toch wel aan de kermis verkopen. Als Worstelende Woody.' Ik lach, maar als ze haar handen om mijn hals slaat en begint te knijpen is het niet meer zo geestig. 'Wat doe je? Je bent... Ik kan geen adem meer halen,' zeg ik, en ik mep op haar armen.

Ze laat me los en kijkt me gekwetst en verward aan.

Op dat moment begrijp ik waar ze door het raam heen op wees. Het moet het huis van Minnow zijn. 'Woody, niet huilen.' Ze zit nog op mijn buik. Ze haalt moeizaam adem en haar haren lijken in het rond te vliegen. Opeens besef ik dat het me niets meer kan schelen wat papa zal zeggen of doen als hij me betrapt. Ik zal voor zijn kleine meisje doen wat hij voor haar had moeten doen. Ik zal ervoor zorgen dat ze krijgt wat ze hebben wil, wat ze nodig heeft. 'Als je me overeind laat komen is het voor mij misschien gemakkelijker om Ivory te gaan halen. Dat probeer je me duidelijk te maken, nietwaar?' Ik ben er zeker van dat dat zo is.

Haar tong komt weer tevoorschijn.

'Waag het niet...' zeg ik, en ik duw haar van me af. 'Eén waarderende lik is prima, maar ik wil niet dat dit eigenaardigheid nummer zoveel van jou wordt. Dat meen ik.'

Mijn zus begint te kwispelen. Met haar armen en haar benen en zelfs met haar hoofd.

'Oké.' Ik trek mijn gympen aan en loop onze slaapkamer uit. 'Pak de zeep en laat het bad vollopen. Die hond lijkt op Clive. Hij ziet er vast niet uit en hij zal ongelooflijk stinken.'

17

Ivory Minnow is klein voor een labrador.

Hij lijkt wat corgibloed in zich te hebben. Of misschien is hij, net als een mens, door de ouderdom gekrompen. Hij ligt tussen de schommelstoel en de metaaldetector van meneer Clive in. De metaaldetector staat tegen het huisje, dat ongeveer dezelfde afmetingen en dezelfde vorm heeft als een goederenwagen.

Zo bracht onze buurman het merendeel van zijn dagen door toen hij nog leefde. Schommelend in zijn schommelstoel of met zijn metaaldetector door het bos lopend tussen zijn huis en het onze om 'verborgen schatten die je zo mag meenemen' te vinden. Hij had veel munten uit de Burgeroorlog gevonden, en andere aandenkens die in de hitte van de strijd waren achtergelaten. Musketten en snuifdozen, veel knopen van uniformen van beide partijen, gespen van riemen en zwaarden. Als Clive iets vond wat naar zijn idee extra waardevol was, nam hij er een foto van en vroeg me dan mama te halen. Zij nam het ding in kwestie vervolgens mee naar de stad wanneer wij daarheen gingen. Artesia Johnson, de eigenaresse van What Goes Around Comes Around, gaf de vondst van Clive dan een plekje in haar winkel, waarna die door de een of andere enthousiaste toerist werd gekocht.

Het geld dat hij daarvoor kreeg vulde de cheque aan die hij elke maand van de regering kreeg voor zijn aan ons land verleende diensten. Toen hij jonger was, werkte hij bij de Amerikaanse kustwacht en was hij tijdens een orkaan overboord geslagen. Het duurde twee hele dagen voor hij werd gered. Minstens een keer per week zei Clive tegen me: 'Je denkt dat we alleen zijn in dit universum, maar dat zijn we niet. Ik heb vier vliegende schotels boven mijn hoofd langs zien zoeven terwijl ik in die oceaan wachtte tot ik zou worden gered. Niet een. Niet twee. Vier.'

Soms zat ik 's avonds wel eens met hem op deze veranda, omdat Clive net als ik graag naar de hemel keek. Maar niet om dezelfde redenen. Hij vond het niet erg wanneer ik sterrenbeelden aanwees, maar ik moest mijn mond houden zodra hij iets zag wat op een vliegende schotel leek. Dat was zijn hartstocht. 'Ze zijn daar boven en ze houden ons in de gaten,' zei hij altijd op heel griezelige toon. Het idee dat er buitenaardse wezens waren die ons konden bespieden maakte mij doodsbang, maar hem gaf het troost. Omdat hij weinig vrienden had op deze planeet, denk ik dat hij geloofde dat er heel ver weg wezens konden zijn die wel bij hem op bezoek wilden komen. (In films heb ik buitenaardse wezens gezien. Die zijn ook niet knap om te zien, dus zouden Clive en die wezens alvast een overeenkomst hebben gehad.)

Hij zal heel teleurgesteld zijn dat hij door zijn dood de mannen niet meer op de maan kan zien landen. Daar verheugde hij zich echt op.

Het is iets harder gaan waaien en de schommelstoel gaat heen en weer. De lucht wordt donkergrijs en ik kan achter Elephant Mountain al donderslagen horen. Het gaat onweren.

'Hallo, jongen,' zeg ik tegen Ivory als ik het trapje naar de veranda op loop en mijn hand uitsteek om hem daaraan te laten snuffelen. Hoewel ik tegen papa heb gezegd dat de hond de hongerdood nabij was om hem een beetje meeleven te ontlokken, had ik tegen E.J. gezegd dat zijn aanstaande vrouw gelukkig zou zijn als hij een keer per dag naar het huis van Minnow ging om die arme stakker te eten te geven. Daarom staat er een schaaltje met schoon water en een kom met nog wat van het eten dat Clive in een vuilnisbak achter zijn huis had opgeborgen. Zoals ik al had gedacht stinkt de hond erger dan natte wol en zitten er bramen in zijn chocoladebruine vacht. Onder zijn ogen zit viezigheid. 'Ken je me nog? Ik heb elke woensdagmiddag schaak gespeeld met je baas.'

Ik kijk door een van de ramen aan de voorkant van het huis naar binnen. Clive was geen al te beste huishouder, maar zo beroerd heb ik zijn huis nog nooit gezien. Het lijkt alsof het leger van generaal Sherman door de zitkamer is gemarcheerd. De kussens van de bank zijn opengesneden en liggen op de grond. Alles wat op de eikenhouten schoorsteenmantel boven de haard van riviersteen stond ligt ook op de grond. Misschien zijn er inbrekers geweest die hem een klap op zijn hoofd hebben gegeven, hem naar de kreek hebben gesleept en toen zijn huis hebben doorzocht. Als dat is gebeurd, waren het geen beroepsinbrekers. Het pijpenrek staat nog op de lage tafel, naast zijn lievelingsstoel. 'Blijf met je handen vol bacillen van mijn witte pijpen af. Ze komen uit Duitsland en ze zijn geld waard,' had Clive heel vaak tegen me gezegd.

Of misschien waren het helemaal geen inbrekers geweest.

Sheriff Nash had vanmiddag op de veranda tegen papa gezegd dat onze buurman misschien kon zijn vermoord. Waarschijnlijk hadden de sheriff en Homer Willis, de hulpsheriff, de boel overhoop gehaald, op zoek naar aanwijzingen. Maar wie zou meneer Minnow nu willen vermoorden? Hij was vrijwel antiek. Het lijkt niet waarschijnlijk dat iemand de moeite zou nemen een man te vermoorden die al heel hoog stond op de lijst van de Man met de Zeis. Voor zover ik weet had Clive geen familie (afgezien van Ivory) of een vriendin, dus kon zijn dood niet het gevolg zijn van wat in juridische kringen een 'crime passionnel' wordt genoemd – wat betekent dat je heel veel van iemand moet houden om hem of haar te vermoorden.

Ivory komt niet in beweging. Hij neemt me even wantrouwend op als Clive dat altijd deed.

'Kijk me niet zo aan,' zeg ik. 'Hij heeft gezegd dat ik de ring mocht hebben als hij dood was. Dat heb je zelf gehoord.'

Op de voordeur hangt een velletje papier met VERBODEN TOEGANG. DE SHERIFF VAN ROCKBRIDGE COUNTY. De deur zit echter niet op slot en ik kan mijn nieuwsgierigheid niet bedwingen.

Ik stap over de drempel zijn zitkamer in en denk: dit is het huis van een dode man. Het voelt niet alleen leeg aan. Het lijkt alsof alle spullen weten dat Clive nooit terug zal komen en zij ook in de rouw zijn. De planten in de buurt van het raam hangen slap. Alles wat had moeten staan ligt. De vloerlamp doet zijn naam eer aan. Delen van het peertje liggen rond de kapotte kap. Clive las graag sciencefiction en zijn boeken zijn uit de boekenkast getrokken. Het scherm van zijn fraaie kleurentelevisie is kapotgeslagen met een pook die er nog in steekt.

De afgelopen zomer moest Clive iets echt zeldzaams hebben gevonden, want toen ging hij geld uitgeven. Hij kocht een grote kleurentelevisie uit de catalogus van Sears Roebuck, evenals een mooiere camera met een lange lens om betere foto's van de lucht te kunnen maken. Ik was bij hem toen zijn nieuwe en betere detector en de camera werden afgeleverd.

'Voorzien van alle toeters en bellen,' zei hij heel verheugd.

Natuurlijk was ik blij voor hem, maar ik maakte me ook zorgen. Voordat mama verdween wist ik al dat ze hem iets van haar huishoudgeld toestopte omdat hij problemen had met het betalen van zijn rekeningen. Dus wees ik op de lege dozen en zei: 'Vind je dat niet een beetje overdreven?'

Dat maakte hem heel opgewonden en hij zei: 'Maak je over mij geen zorgen, meisje. Ik heb wat je een investering op lange termijn noemt gedaan.' Toen rende hij het bos in en zag ik hem een paar dagen niet.

Ik stap over de berg foto's op de grond van zijn zitkamer heen. Degene die hier binnen was geweest had ook de oude kist geopend waarin Clive zijn fotoverzameling bewaarde. Het moesten er duizend of meer zijn. Voornamelijk van de lucht, maar ook een paar van Ivory, van zijn vondsten en van bomen en stof.

Ik ben hier niet alleen vanwege Ivory gekomen. Ook vanwege het doosje in de vorm van een zeester dat onaangeroerd naast de speciale stoel staat waarin hij zijn pijpen rookte. Clive had dat doosje op een van zijn reizen uit het Verre Oosten meegenomen. 'De Chinezen zijn heel sluw en ondoorgrondelijk. Ze houden van puzzels en van verborgen laden,' had hij tegen me gezegd. Hij had me altijd zijn rug toegekeerd om te voorkomen dat ik kon zien hoe dat doosje openging, maar boven de haard hangt een spiegel en daar had ik het prima in kunnen zien.

Ik werd meteen verliefd op de ring toen Clive die op een ochtend met zijn metaaldetector onder een berk had gevonden. Ik smeekte hem elke keer wanneer we een spelletje schaak speelden mij dat ding te geven, maar dan zei hij onveranderlijk: 'Over mijn lijk.'

Dus was de ring nu van mij.

Het laatje aan de zijkant van de doos – dat je niet kunt zien tenzij je weet dat het er is – floept open en ik zie de parelmoeren ring op het rode fluweel liggen, alsof hij op mij heeft gewacht. Even krijg ik een vreemde gedachte. Stel dat Clive me de ring niet wilde geven omdat hij van plan was hem aan oma Ruth Love te geven? Dat zou me iets zijn! Volgens mij was hij smoorverliefd op haar. Hij dofte zich altijd uitgebreid op wanneer hij wist dat ze hem iets lekkers kwam brengen.

Toen Clive nog leefde voelde hij er niets voor mij zijn huis te laten zien, hij was heel achterdochtig. Nu ik daar de kans voor heb, wil ik om me heen kijken. Ik loop de zitkamer uit naar de badkamerdeur, die dicht is. Als het me eindelijk lukt de deurknop om te draaien, deins ik achteruit vanwege de stank.

Zo te zien heeft de sheriff het mis (wat een verrassing!) als hij denkt dat Clive is vermoord. Hij had af en toe over maagpijn geklaagd, maar ik had dat hypochondrische gedoe niet serieus genomen. Ik denk dat ik dat wel had moeten doen, omdat hij aan een echte ziekte doodgegaan lijkt te zijn. Waarschijnlijk griep. Er waart een beroerde griep rond. Er zit opgedroogde kots op de wc, de wasbak en de groen betegelde muren. Deze badkamer deed ook dienst als Clives donkere kamer en zijn dure spullen om foto's te ontwikkelen staan er nog, zonder kots erop. De laatste foto's die hij had genomen hangen aan de kromme stang van de douche, op hun plaats gehouden door wasknijpers van rood plastic. Er is een foto van mij bij, en dat maakt me van streek. Clive vond me echt aardig. Soms noemde hij me 'snoes'. En hij had me de lunchtrommel met VERLOREN IN DE RUIMTE gegeven die hij in een greppel langs de weg had gevonden.

'Goeie genade,' zeg ik, als ik de keuken in loop. De deuren van de kastjes staan open en de inhoud ervan is op de grond gesmeten. Gedeukte blikken met Campbell's varkensvlees en bonen (Clives absolute favoriet), een paar potten met Kraftskaas, omdat hij onder het schaken soms een sandwich voor me maakte, andere etenswaren en een hele familie dode muizen. Hun rottende lijven zorgen deels voor de stank. De rest komt uit de te volle vuilnisbak.

De luiken van het huis rammelen. Net als de ramen. Gewoonlijk duurt het een tijdje voordat een onweersbui over de bergen komt en het dal in kan gaan, maar soms kan zo'n bui je opeens verrassen. Zoals nu. Bliksemschichten maken me zenuwachtig. Dus loop ik snel terug naar de veranda, doe de voordeur dicht en pak Ivory bij zijn halsband. 'Kom mee, ouwe jongen. We gaan naar huis. Er komt iets akeligs onze kant op.'

18

Takken slaan tegen het vier panelen tellende raam. In huis is het pikdonker, zoals altijd wanneer er zo'n harde wind staat. Dan zitten we zonder stroom. Lou zegt tegen Woody en mij dat er in zo'n geval een geest een truc met ons uithaalt. Ik geloof haar maar half, omdat meneer Cole telkens weer heeft geprobeerd iets wat er in de stoppenkast mis moet zijn te repareren maar daar nooit in is geslaagd. Ik heb een paar kaarsstompjes aangestoken, kaarsvet op de porseleinen wasbak laten druppen en daar die stompjes in gezet.

Mijn schaduw danst over de witte badkamermuur wanneer ik als een chorusgirl in een verfilmde musical voor de vijfde en – dat zweer ik – laatste keer zing: *When you walk through a storm keep your head up high and don't be afraid of the dark.* Dit liedje uit *Caroussel* is ook een grote favoriet van Woody. Ik heb het in de kelder vaak voor haar gezongen.

Ik ben al in bad geweest. Nu zit mijn zus in het bad met klauwenpoten, onder de zeepbelletjes, en haar net gewassen haren drijven als zeewier in een oceaan. Ik heb haar al nagezocht op plekjes die zo groot zijn als een dubbeltje.

De eerste keer dat ik die purperen plekjes zag, schrobde en

schrobde ik en toen ze niet verdwenen vroeg ik aan haar: 'Heb je een zwanenduik gemaakt in een bessenstruik of zo?' Het was mysterieus en het werd nog mysterieuzer toen ik zag dat die plekjes bleven komen, ook als er geen bessen te vinden waren. De oorzaak werd me duidelijk toen ik Woody op een middag naar de dierenbegraafplaats achter de schuur zag rennen. Ze wilde een babyvogeltje begraven dat uit het nest was gevallen. Toen ik bij de schuur was zag ik dat Blackie, die hier was om Pegasus – het paard van papa – van nieuwe hoefijzers te voorzien, Woody had gezien. Hij trok het dode vogeltje uit haar hand en gooide het zo ver mogelijk weg. Toen het tegen een boom belandde, lachte hij en zei: 'Het heeft kennelijk nog wat oefening nodig.' Hij deed het wapperen met haar armen van Woody na. 'Je kunt die idiote vader van je in de maling nemen, maar mij niet. Je doet maar alsof.' Toen begon hij haar overal te knijpen.

Daar hield hij alleen mee op omdat ik brulde: 'Oom Blackie, er is een vrouw voor u aan de telefoon. Ze heeft een stem als die van Marilyn Monroe. Komt u maar snel.' Ik wilde papa vertellen wat Blackie deed, maar ik wist dat Blackie in dat geval wraak zou nemen. Wanneer hij mijn zus dan weer te pakken kreeg, zou hij haar nog veel harder knijpen.

Ik zit op de rand van het bad en begraaf mijn tenen in de chocoladebruine vacht op de rug van Ivory. Hij kijkt heel vrolijk naar me op. 'Als ik jou was, zou ik die glimlach van mijn snuit halen, want straks ben jij aan de beurt,' zeg ik tegen hem. 'Woody, kom nu dat bad uit. We moeten in het fort zijn voordat het gaat regenen.'

Als ze staat, valt het me op dat we niet meer plat zijn. We beginnen borstjes te krijgen. Tussen onze benen verschijnen een paar haartjes en onze heupen zijn iets voller geworden. Tranen springen in mijn ogen wanneer ik mijn zus in een handdoek wikkel, zoals mama dat zou hebben gedaan. Woody en ik worden zonder haar kleine vrouwtjes.

Omdat Ivory zo ongebruikelijk klein was, kon hij gemakkelijk in de Emmer Express. Mama was met het idee gekomen om een touw aan een tak van het boomfort vast te maken, er bovenaan een katrol aan te bevestigen en onderaan een emmer, zodat we dingen naar boven konden halen zonder het fort uit te hoeven. 'Een goede uitvinding,' zei ze toen ze een stap naar achteren zette om haar werk te bewonderen, en dat vond ik prachtig.

Woody, Ivory en ik liggen als lepeltjes in een doosje in de slaaphoek van ons fort. Misschien is dat de reden waarom ik opeens moet denken aan het rijmpje dat papa graag voor ons citeerde wanneer we daar in de lente samen naar de sterrenbeelden keken. Ik doe mijn best er niet aan te denken, maar dat lukt me niet.

Hey diddle diddle,
The cat and the fiddle,
The cow jumped over the moon,
The little dog laughed to see such sport,
And the dish ran away with the spoon.

'Zien jullie dat meisjes?' Papa sprak dan altijd zacht, alsof hij op jacht was en de sterren zou kunnen verjagen. 'De kat is jullie geboorteteken – Leo de Leeuw. En de viool is Lyra – de lier. De koe uit het rijmpje verwijst naar Taurus de stier. De kleine hond is Canis Minor. Zien jullie hem? En de schaal is Crater, die wegloopt met de lepel: de Grote Beer.'

Herinneringen hebben altijd twee kanten.

Het ene moment omhelzen ze je als een lang verloren vriend,

maar het volgende verscheuren ze je alsof ze je ergste vijand zijn.

'Ik word zo *akelierig* van alles,' fluister ik tegen mijn zus.

Woody en ik praten voor het slapengaan met elkaar, zoals we dat altijd al hebben gedaan. Ik wilde dat zij haar mond ook weer eens opendeed. Rond deze tijd van de dag zijn mijn gedachten zo snel en wild. Ik verlang er wanhopig naar dat mijn tweelingzus tegen me zegt: 'Weet je wat jouw probleem is, Shenny? Je denkt veel te veel na. Stilmaar.'

Toen we op deze wereld kwamen, kenden we een vreemde taal. Mama vond dat leuk en probeerde met ons mee te kletsen, maar papa beval ons onze mond te houden omdat we volgens hem klonken als aapjes. Dus waren we dat taaltje vrijwel vergeten, zoals dat gaat met alles wat je niet bijhoudt. We herinneren ons er nog wel iets van, en die woorden gebruiken we als we alleen zijn. Voordat Woody besloot te zwijgen, bedoel ik dan. Je weet al dat stilmaar betekent dat alles in orde zal komen, hoe beroerd iets op een bepaald moment ook lijkt. Maar akelierig? Dat betekent zoiets als rampzalig en dodelijk bezorgd. Het beste woord dat we hebben bedacht is *boemba*: liefde. Niet van die vertrouwelijke liefde zoals bij je vader en moeder die nog om elkaar geven en die op het trapje achter het huis zitten om hun dag te bespreken. Hun stemmen komen dan door het raam van je slaapkamer naar binnen waar jij na een bubbelbad slaperig tussen in de zon gedroogde lakens ligt. En ook niet de romantische liefde die E.J. voor Woody voelt en ik voor Bootie Young. Een boemba kun je eerder vergelijken met het krijgen van een onverwacht cadeautje. Mijn zus kreeg een boemba toen ik Ivory Minnow in haar armen legde, dat weet ik wel zeker.

Dat doet me denken aan die arme Clive. Ik wou dat ik Rennies had. Denken aan hem maakt mijn maag opstandig, net zoals de zijne dat vlak voor zijn dood moet zijn geweest. Helemaal in je eentje sterven moet afschuwelijk zijn.

Of misschien is mijn maag van streek omdat ik zo'n voorgevoel heb waar Sam het altijd over heeft. 'Als jullie meisjes het gevoel krijgen dat er iets ergs gaat gebeuren, is dat waarschijnlijk ook zo. Vertrouw op dat instinct,' zegt hij heel vaak tegen ons. 'Zodra dat gebeurt, moet je meteen naar het tankstation komen.'

'Voelt jouw maag ook aan alsof je een springstok hebt ingeslikt?' vraag ik aan Woody.

Onder de sterrenloze hemel moet ik juist aan Sams woorden denken. Ik ben er niet zeker van dat papa zichzelf zou kunnen tegenhouden iets te doen waarvan ik me niet eens een voorstelling kan maken, als hij te weten komt wat Woody achterhoudt. Ze weet dat mama een koffer bij zich had toen ze vertrok en ze weet nog iets. Geloof me. Ik kan het weten, want zij is mijn tweelingzus.

'Schatje, waarom denk je dat papa ons blijft vragen wat we die avond hebben gezien?'

Het lijkt erop dat hij zijn liefhebbende vrouw niet eens meer terug wil hebben, dus is het bespreken van de details rond haar verdwijning even zinloos als een zakje op de rug van je shirt. Vanmiddag in de keuken had hij een arm om Abigail Hawkins heen geslagen. Hij kon in haar web verstrikt zijn geraakt – iets waar mijn grootvader heel verguld mee zou zijn. Die is blij dat mama weg is. De enige reden waarom hij die hoge beloning voor inlichtingen over haar verblijfplaats heeft uitgeloofd, is dat zijn makkers dan onder het eten in Ginny's Diner tegen elkaar zullen zeggen dat Guster Carmody een heel zorgzame man is.

Als grootvader op een zondag voor de lunch naar Lilyfield kwam, beval hij mama altijd blaffend van alles en nog wat voor hem te halen en riep haar beledigingen toe, maar dat kunnen zijn kameraden niet weten. Dat deed hij niet alleen met haar. Hij sprak ook tegen oma alsof zij een van zijn retrievers was. Wanneer zij zich probeerden te mengen in een gesprek dat de mannen aan tafel voerden, zei grootvader: 'Jullie kletsen maar wat. Jullie hebben geen van beiden hersenen.'

Nadat ze de keuken aan kant hadden gemaakt, gingen ze een wandeling in de buurt van de tuin maken. Dan zei mama tegen oma: 'Je bent niet Gus' eigendom, Ruth Love. Je bent geen stuk grond of zo. Hebben is hebben en krijgen is de kunst, zeggen ze, maar dat is niet hetzelfde als houden van. Zie je dat dan niet in?' Mama smeekte haar wat krachtdadiger te worden en oma knikte glimlachend, maar ik denk dat het waar is dat je een oude aap geen nieuwe trucjes kunt leren; ik heb haar nooit tegen grootvader horen zeggen dat hij moest gaan zitten en zijn mond moest houden. Niet één keer.

'Ik heb nagedacht,' zeg ik tegen Woody. 'Hoewel oma je de laatste tijd van streek maakt, zou mama willen dat je heel aardig voor haar bent als ze dit weekend komt. Speel met haar poppen en kijk als ze je de foto's in haar album laat zien. Ik zal Vicks VapoRub op je neus smeren, zodat je haar Bengay niet ruikt.' Ik geef mijn zus een behoorlijk harde duw. 'Slaap je of slaap je niet?' Haar langzame ademhaling doet me geloven dat ze slaapt, maar ze kan doen alsof. Ik til haar arm op en die valt zwaar terug op Ivory's rug, die tegen haar buik is gedrukt. Voorzichtig schuif ik van die twee vandaan, haal Sams vliegbril van de kop van de hond en zet hem op Woody's neus. Dat kan voorkomen dat ze wakker wordt van de bliksemschichten. E.J. heeft de vorige maand een stuk gegalvaniseerd tin over een deel van het fort vastgezet, toen ik hem had verteld dat we daar meer tijd doorbrachten dan in onze kamer. Dus zullen ze droog blijven als het eindelijk gaat regenen. E.J.

is handig met een hamer. Vandaag ben ik heel onaardig tegen hem geweest. Morgen zal ik iets extra's als ontbijt voor hem meenemen.

Ik kietel de wang van mijn zus nog een laatste keer, omdat ik volkomen zeker wil weten dat ze slaapt. Ik had een van de pillen die ik vanmorgen uit het medicijnkastje van papa had gehaald in een toffee gedaan en die aan haar gegeven. Het zijn dezelfde kalmerende pillen die hij in mama's thee deed. Maar anders dan hij doe ik dit echt voor haar bestwil. Ik heb iets belangrijks te doen en ik moet echt zeker weten dat Woody niet naar de Triple S, het kamp van de zwervers of God weet waar naartoe gaat.

Ik trek haar duim uit haar mond en vouw haar vingers open. In haar hete handpalm zit een vierkantje van de verscheurde sjaal van mama. Dat had ik al wel geweten. Ik kus haar afgekloven nagels, geef Ivory een aai over zijn snuit en zeg: 'Let op haar.' Ze ruiken allebei naar rozenzeep.

Ik stop mijn zaklantaarn in mijn short, pak het touw, til het luik van het fort op en zeg tegen mezelf dat ik voorzichtig moet zijn. Papa is net teruggekomen van waar hij ook is geweest. Ik heb zijn Lincoln Continental gehoord. En ik denk dat oom Blackie hier ook ergens in de buurt moet zijn, want dat is meestal zo. Zijn huis staat iets verderop langs de kreek, maar sinds hij met Lou in de wei stoeit – tot grote ergernis van Woody en mij – is hij veel vaker bij Lilyfield dan vroeger. Wat nog een goede reden is om waakzaam te blijven.

Een hond kan troost geven, maar niet zo goed als een moeder dat kan, en Woody heeft echt extra liefde nodig. Zo spoedig mogelijk. Ik weet zeker dat de dag waarop mama een jaar weg is als een vloedgolf over haar heen zal spoelen. Ik zie hem al aankomen. Ze zal iets nodig hebben om zich aan vast te klampen. Ik ga naar de stad om in te breken in What Goes

Around Comes Around en mijn zus zo van een back-upboemba te voorzien.

Iets terugnemen wat van jou is, is geen stelen.

Dat is toch zeker zo?

19

De C&O loopt zo dicht langs Lilyfield dat ik het getik van de wielen van de trein kan horen, evenals de fluit zodra hij Lexington uit rijdt om over de bergen door te gaan naar Lynchburg.

De spoorbaan stinkt naar teer en olie en is ook even zwart. Maar ik heb altijd gevonden dat de trein een soort wiegeliedje zingt. Helaas is dat deze avond niet voldoende om mijn angst te verdrijven. Ik heb te veel zorgen aan mijn hoofd. En de bossen waar ik overdag zo graag doorheen loop, veranderen na zonsondergang in iets wat regelrecht uit een horrorfilm lijkt te komen. Dieren vreten elkaar op met huid en haar en vleermuizen vliegen je tegemoet. Op een avond hoorde ik voetstappen achter me, en toen ik me omdraaide, kwam er een man uit het duister gestapt. Aan zijn uiterlijk kon ik zien dat hij een zwerver was. Zijn gulp stond open, hij was de weg kwijt en hij huilde. Nadat ik hem had verteld dat hij het spoor moest volgen naar de watertoren, zodat hij bij zijn soortgenoten kon zijn, gaf hij me een knuffel. Dat liet ik toe, omdat ik al zo lang geen knuffel meer had gekregen. Toen ik Curry Weaver over die ontmoeting vertelde, waarschuwde hij me voorzichtig te zijn, ook al is hij zelf een 'man van het spoor'. 'Ik weet dat het hartverscheurend is iemand te zien die zoveel pech in zijn leven heeft gehad,' zei hij, en hij wees naar het kamp om zich heen. 'Maar je moet goed onthouden dat iemand die niets te verliezen heeft gevaarlijk kan zijn.'

Ik zou dolgraag willen weten wat Curry is overkomen en hoelang hij van plan is hier te blijven. Woody is echt gesteld op hem en zijn mondharmonica, en ik zit graag naast hem op de schraagbrug. Zijn vragen beantwoorden geeft me het gevoel belangrijk te zijn. Dat is het moeilijkste van vriendschap sluiten met zwervers. Je leert ze kennen, je gaat ze aardig vinden en dan gaan ze weer weg.

Wat moest het prettig zijn gewoon op een trein te springen en je zorgen achter je te laten. Ik denk al enige tijd dat Woody en ik van Lilyfield zouden moeten vertrekken. Zoals mama dat heeft gedaan. Misschien zou papa dan beseffen hoeveel hij van Woody en mij houdt. Ik wist pas hoe belangrijk mama voor mij was toen ze was verdwenen. Maar als iemand ons met onze koffers naar het station zag lopen, zou dat meteen aan papa worden gemeld. (Bijna iedereen in de stad denkt dat de zon voor hém opkomt.)

We zouden naar Beezy's huis kunnen gaan, maar papa weet hoeveel wij van haar houden en dus zou dat de eerste plek zijn waar hij ons ging zoeken. Meneer Cole heeft alleen zijn huisje en bovendien woont Lou daar. Haar zien we al meer dan genoeg. Sam? Naar hem zou ik echt graag toe gaan, maar hij zou verschrikkelijk in de problemen komen als we bij hem werden aangetroffen. Bovendien stinkt zijn hut even erg als gebruikte bougies.

Dan blijft Vera Ledbetter over. Zelfs als papa haar onder druk zou zetten, zou ze hem niet vertellen waar we waren. Ze geeft niets om hem. Vera is een van mama's verboden vriendinnen en ze woont in een bungalow aan Montgomery Street, waar ze alleen een papegaai als gezelschap heeft. Dus twijfel ik er niet aan dat ze ons graag zou zien komen. Vera werkt ook als kok in Slidell's Drugstore en omdat alle kleren van Woody en mij net als die van E.J. veel te ruim zijn geworden, zou ze ons een beetje kunnen vetmesten. Dat zou prima kunnen werken. Zodra ik uit de stad terug ben, zal ik dit idee met Woody bespreken. (Omdat Vera een sprekende vogel heeft, zal mijn zus – die stapel is op alle dieren – dat ongetwijfeld schitterend vinden.)

Als ik bij de wei langs de kreek het bos uit kom, kan ik de lichten van het huisje van de Jacksons door de ritselende bladeren heen zien. Hoewel ik het Lou nooit zal vertellen, mis ik de avonden die Woody en ik bij de Jacksons doorbrachten heel erg. Toen was ze nog aardig. Zij vertelde ons verhalen over de bayou en meneer Cole maakte heerlijke maïskoekjes voor ons. Ik kan me niet herinneren wanneer ik die voor het laatst heb gegeten. Ik kom sterk in de verleiding daarheen te gaan, maar dat kan niet. Ik moet een zusterlijke plicht vervullen. Misschien als ik weer onderweg ben naar huis. Wanneer Lou in een van haar betere buien is, kan ik haar ertoe overhalen het verhaal over Rex de kaaiman nog eens te vertellen en zal meneer Cole ons te eten geven. Dan zou ik ook het horloge van mama terug kunnen krijgen. Meneer Cole zou haar dwingen dat aan me terug te geven.

Opgetogen over dat plan loop ik nog sneller naar de steppingstones in de kreek en hoor dan opeens: 'Waar denk jij naartoe te gaan?'

Ik denk dat Lou Jackson dat tegen mij zegt en ik wil venijnig reageren, als ik mijn oom hoor zeggen: 'Het is afgelopen.'

Ik doe mijn zaklantaarn uit.

De broers Carmody hebben dezelfde bulderende stem, maar oom Blackie lacht zoals de duivel dat volgens mij doet. Daardoor weet ik dat hij het is, en niet papa. Hij zegt tegen Lou dat er een eind aan de romance is gekomen. Hij wil haar in de vuilnisbak gooien – iets waarvoor ik haar al had gewaarschuwd. Net zoals hij al zoveel meisjes had gedumpt, onder wie Dagmar Epps: de dame zonder morele scrupules die in het kamp van de zwervers woont.

'Maar... ik... ik...' jammert Lou. 'Dat kun je niet menen. Wil je niet... Ik heb iets heel leuks voor je. Kijk maar eens.'

Ik gluur om de boom heen waarachter ik me heb verborgen. Ze zijn niet meer dan zo'n vijftien meter van me vandaan, maar ik kan hen pas duidelijk zien wanneer het bliksemt. Blackie houdt Lou tegen de zijkant van de tuinschuur gedrukt. Blackie is knap om te zien, net als papa, maar zijn donkere haardos oogt wilder. Op zijn gespierde arm heeft hij een tatoeage van een dame wier boezem enigszins wordt bedekt door twee hoefijzers, en zijn borstkas is breed.

De blouse van Lou is helemaal losgeknoopt en haar beha hangt om haar hals. Blackie kijkt glimlachend naar haar puntige borsten. 'Ik heb je in het begin meteen gezegd dat het feest voorbij zou zijn wanneer ik dat zeg, maar ik neem aan dat er niks mis is met een afzakkertje voor onderweg.'

Lou kreunt laag en lang. Bij de volgende bliksemschicht zie ik dat Blackie zijn hand onder haar rok heeft gestopt. Hij beweegt zich als een zaag heen en weer en Lou doet dat ook, tot mijn oom daar beneden iets doet waardoor ze een verstikte kreet slaakt.

Hoewel ze me woedend kan maken, gaat mijn hart toch naar haar uit. Tot het vlammetje van Blackie's aansteker – een Zippo – het horloge van mama om haar pols belicht. Het zilver trekt ook de aandacht van mijn oom. 'Waar heb je dat vandaan?' Hij trekt het horloge van haar pols en houdt het buiten haar bereik. Als Lou erop af springt, duwt hij haar weg. 'Dit heb ik nog nooit eerder gezien. Heb je het gestolen? Geef antwoord op mijn vraag.' Wanneer ze dat niet doet, knijpt hij heel hard in haar arm.

'Het is van Shen,' zegt Lou jammerend.

'Wat zei je?' Ik weet dat Blackie haar heeft verstaan, want hoewel de boomtoppen ruisen en de donder dichterbij komt, hoor ik zelfs de kleinerende ondertoon in zijn stem.

'Geef me het horloge terug. Het is van Shenny!' roept Lou.

'Waar heeft dat kleine loeder zoiets moois gevonden?'

'Dat... dat weet ik niet,' zegt Louise. Maar als ik haar zou kunnen zien, zou ze haar rechterwenkbrauw hebben opgetrokken. Toen we het nog goed met elkaar konden vinden, had ik haar verteld dat ik het horloge van mama bij de oude put had gevonden.

'Ziet er duur uit. Niets voor een kind. Weet je zeker dat dit horloge niet van die schat van een Evelyn is?' Ik kan de snerende toon in zijn stem horen. Hij vindt mama aardig, maar niet als familielid. Hij legde altijd een hand op haar achterste en gaf haar dan een por tussen de billen, zonder dat het hem iets kon schelen of papa dat zag.

Mijn oom laat Lou los, stopt zijn shirt weer in zijn broek en zegt: 'Ik zal dat horloge teruggeven aan Walter.'

Als hij dat zou doen, zou dat rampzalig zijn. Maar ik ken hem te goed. Hij zal het houden en aan zijn volgende Kleenexmeisje geven.

'De Edelachtbare heeft het niet aan de moeder van de meisjes gegeven, dus hoef je het niet aan hem terug te geven.' Lou snikt zo hard dat ze ervan gaat hikken. 'Geef... *hik*... het alsjeblieft... *hik*... aan mij terug.'

Hoe weet zij dat mama dat horloge niet van mijn vader heeft gekregen? Ik heb haar dat niet verteld, en Woody kan het haar niet vertellen. Sam misschien? Of Beezy?

'Walt heeft het niet aan Evie gegeven?' zegt Blackie, opeens weer geïnteresseerd. 'Wie dan wel? Een minnaar? Piste ze naast de pot?'

'Blackie, alsjeblieft,' zegt Lou. Ze klinkt niet kwaad. Meer zoals het meisje in de opgelapte jurk die uit de Greyhound-bus was gestapt.

'Had Evie een minnaar?'

Ik wil een eind aan dit alles maken voordat het nog erger wordt, maar als ik het waag tussenbeide te komen zal mijn oom me meeslepen naar huis en naar papa brullen: 'Kijk eens wie ik erop heb betrapt zich weer met andermans zaken te bemoeien?'

Gelukkig maakt meneer Cole de deur van hun huisje open en steekt hij zijn hoofd naar buiten.

'Louise, het onweer komt steeds dichterbij. Kom maar snel naar binnen.' Een bliksemflits onderstreept die woorden als een uitroepteken. 'Lou? Ben je daar buiten?'

'Kom snel, meneer Cole,' wil ik roepen. Maar ik weet dat dat alles nog erger zou maken. Ik beschouw de Jacksons als familie, maar ze zijn personeel. Als ze proberen tegen de Carmody's in opstand te komen zal mijn grootvader ervoor zorgen dat niemand hen nog in dienst neemt wanneer ze van Lilyfield af zijn getrapt.

Nadat meneer Cole weer naar binnen is gegaan, zegt oom Blackie op misselijkmakende toon tegen Lou: 'Dank voor de gastvrijheid. Pas goed op jezelf.' Dan loopt hij als een haan het bos in.

Dat haat ik.

Ik vind het verachtelijk wanneer iemand die sterk is misbruik maakt van iemand die zwak is, maar wat kan ik doen? Niemand, zelfs grootvader niet – de gemeenste man die ik ken – voelt er iets voor mijn oom aan te pakken wanneer hij zich zo hanerig gedraagt.

Ik zal Lou mee naar binnen nemen. Meneer Cole zal droge kleren voor haar pakken en warme melk met een scheutje cognac voor haar maken. Als ze in slaap is gevallen, zal ik een haarlok van haar afknippen en die morgen meenemen naar het pension van juffrouw Hormel. Ik zal haar betalen om Lou die bochel te bezorgen. Misschien klinkt dat gemeen, maar het is echt het beste. Als Blackie een dezer dagen weer bij haar raam verschijnt omdat ze op een handige plek woont, zal ze in de verleiding komen het weer met hem aan te leggen. En dan zou haar hart opnieuw worden gebroken. Natuurlijk ben ik woedend op haar omdat ze mama's horloge aan mijn oom heeft gegeven, maar dat kan ik gemakkelijk weer terugkrijgen. Blackie zal vanavond door de drank bewusteloos raken, waarschijnlijk in de schommelstoel op de veranda aan de voorkant van Lilyfield. Dan zal ik het uit zijn zak vissen. Morgenochtend zal hij zich bij het wakker worden niet eens herinneren dat hij het van Lou heeft afgepakt. Zo'n kater zal hij hebben.

Ik doe mijn zaklantaarn weer aan en loop naar de schuur, maar als ik een paar stappen heb gezet, drukt iemand achter me een hand tegen mijn mond en word ik achter een boom getrokken. Ik heb visioenen van die knuffelende zwerver. Of misschien is het Blackie. Hij moet hebben gemerkt dat ik heb gezien hoe gemeen hij tegen Louise deed. Ik krom mijn schouders, wacht op het 'Hebbes!' en ben te bang om me te verzetten. Ik word nog banger wanneer ik zijn gladde kleine hand voel. En zijn English Leather ruik.

Het is geen verdwaalde zwerver, noch mijn walgelijke oom.

Het is papa.

Hij schreeuwt niets gemeens en draait me ook niet walgend om. Hij duwt me niet op de grond en hij brult niet. Hij spreekt niet eens onduidelijk. Met zijn allervriendelijkste stem, die ik nog altijd in mijn dromen hoor, zegt hij: 'Shenandoah, ben jij het?' Als ik me niet zoals gewoonlijk omdraai om hem de spleet tussen mijn tanden te laten zien, neemt hij aan dat ik mijn zus ben. 'Jane Woodrow, ik was bij het fort naar jou op zoek.'

Ik dank God dat ik Woody die slaappil heb gegeven.

Ik schaam me omdat ik hem zo hard nodig heb dat ik niet zeg dat ik het ben. Ik kan er niets aan doen. Ik wil dat hij me blijft vasthouden. Misschien wil hij excuses aanbieden, om vergiffenis smeken voor de manier waarop hij zijn dierbare meisjes heeft behandeld. Ik voel me al smelten.

Papa zegt: 'Al die tijd... ik... ik was er niet zeker van of ik jou of Shenandoah die avond vanuit het fort heb zien toekijken, maar dokter Keller heeft me eerder deze avond verteld dat hij er vrijwel zeker van is dat jij dat was. Mijn vader, jouw grootvader, is dat met hem eens. Hij wil dat ik je wegstuur.' De Edelachtbare klinkt als een angstig kind. 'Ik heb gehoopt dat dit zich vanzelf zou oplossen, maar het is alleen maar erger geworden. Jij hebt gezien wat er die avond is gebeurd, nietwaar?' Ik hoor zijn wanhopige angst en het enige wat ik kan doen is knikken. 'Dit is het werk van de Heer. Hij heeft jou je stem ontnomen om ons te beschermen. Als jij kon praten... als je kon vertellen wat je hebt gezien... zou dat de ondergang betekenen van alles waar we voor hebben gewerkt. Begrijp je dat, snoesje?' Hij houdt me steviger vast. 'Je hebt het Shenandoah toch niet verteld?' Ik schud mijn hoofd en voel dat zijn spieren zich nog meer spannen. 'Ik... ik wil dat je weet dat het me spijt dat het zo is afgelopen. Je moeder... ze... begreep het verkeerd.' Hij draait me om en trekt mijn hoofd tegen zijn borst. Ik kan zijn hartslag horen. 'Het leven van je mama is voorbij, maar het onze is dat niet. Vanaf nu zal alles hier anders worden. Dat zul je nog wel zien. Het wordt weer zoals voordat... voordat... We zullen samen naar de sterren kijken en ik zal je de stripverhalen uit de zondagskrant voorlezen en we zullen naar het strand gaan wanneer jij en je zus dat willen. Je vond dat erg fijn toen moeder...' Hij haalt trillend adem. 'Het enige wat je me moet beloven is dat je zult blijven doen wat je hebt gedaan: niets zeggen over wat je hebt gezien. Kun je dat doen voor je papa? Voor je tweelingzus?'

Zodra ik besef wat hij tegen me zegt wil ik krijsen, wegrennen en me verstoppen op een plek waar ik nooit kan worden gevonden. Maar ik knik opnieuw, zoals hij van me verlangt. Als ik dat doe, voel ik niet eindelijk koele regen maar zijn warme tranen. Hij drukt zijn lippen op mijn hoofd en beloont me met de woorden die ik zo dolgraag wilde horen: 'Ik hou van je, mijn kleine Tweeling.'

20

De wereld is uit het lood.

Door de stromende regen loop ik moeizaam terug naar het fort en ik tril zo erg dat ik nauwelijks grip krijg op de traptreden vol splinters die naar het fort leiden. Met een knal gooi ik het luik open en kruip naar de plek waar ik Woody heb achtergelaten. Ik tast met mijn handen over de vloer, zoekend naar mijn zus, en vind Ivory. 'Woody!' Bij de volgende bliksemschicht zie ik dat ze niet slaapt. Ze knielt voor het altaartje van de Heilige Judas Thaddeüs, met haar hoofd diep gebogen, haar lippen bewegend.

De regen klettert op het tin boven onze hoofden, maar niet zo luid dat papa's woorden daardoor worden weggevaagd. Al die ondervragingen. De kelder. De manier waarop ik haar tegen hem in bescherming heb genomen. Woody heeft me telkens weer horen zeggen dat ik onze moeder zou vinden. Ik voel me zo verraden wanneer ik denk aan die keren dat ik tegen haar zei: 'We zullen dit doen… we zullen die persoon ondervragen… maak je geen zorgen. Ik zal haar vinden. Ik zal jou niet teleurstellen.'

Ik trek mijn doorweekte shirt uit en smijt het zo hard ik kan weg. Met een plof landt het op haar in gebed gebogen rug. 'Zo gaan je knieën nog bloeden en ik weet niet waar de pleisters zijn. En zelfs als ik dat wel wist... Ga staan! Ga staan!' Ivory blaft en ik haal met mijn voet naar hem uit. 'Papa heeft me in het bos te grazen genomen. Hij dacht dat ik jou was. Hij heeft me verteld dat jij die avond iets met mama hebt zien gebeuren... Hij zei... dat het hem speet dat het zo was afgelopen. Dat het leven van mama... voorbij was.' Ik trek haar aan haar haren overeind en duw haar het fort door. 'Is dat waar? Zeg iets. Wat heb je gezien?' Wanneer Woody me wezenloos aankijkt, met haar lippen op elkaar geperst, ruk ik de vliegbril van haar neus, wring met mijn vingers haar mond open en brul: 'Ik haat je, stommerik. Hoor je me? Ik haat je! Ik haat mama. Jij... zij... Je bent een bedriegster en ik walg van je.'

Mijn zus doet een stap naar achteren en geeft me een klap in mijn gezicht.

Ik hoor niets anders dan het onweer, mijn eigen huilen en het gejank van Ivory. Tot Woody haar armen om me heen slaat. We laten ons op de vloer zakken en krullen ons samen op, alsof we nog veilig in de schoot van onze moeder zijn. Ik breng het onuitsprekelijke onder woorden, de angst die in een hoekje van mijn geest op de loer heeft gelegen. 'Ze... ze is niet weggelopen. Ze komt nooit meer terug, hoe goed ik haar ook zoek. Hoe hard jij ook bidt. Mama is... dood.'

'Stilmaar,' hoor ik mijn tweelingzus fluisteren, terwijl het buiten dondert. 'Stilmaar.'

Het kan ook zijn dat ik dat alleen wilde horen.

Toch moet ik toegeven dat ik diep in mijn hart was blijven hopen. Die hoop fladderde in me, als een vogel met een gebroken vleugel. Hoop deed me denken dat mama naar ons zou terugkomen, ook al vermoedde ik dat dat niet zou gebeuren. Ik weet het niet meer. Ik heb altijd gedacht dat mijn hart regelmatig klopte, maar dat is niet zo. Het schiet alle kanten op, wanhopig zoekend naar iets waar het intens naar verlangt en dat zoeken nooit opgevend. Tot het tegen een stenen muur aan slaat.

Het leek alsof Woody en ik daar wel twee dagen of misschien zelfs nog langer in ons nest bleven. We huilden tot we geen tranen meer over hadden. Al die tijd had ik geloofd… mijn best gedaan… me onze hereniging gedetailleerd voorgesteld. Hoe ik de satijnzachte wangen van mama zou kussen tot mijn lippen er dik van waren geworden. Haar oorlelletjes met mijn vingers zou masseren, terwijl ik een fluwelen feestjurk droeg. Haar smeekte *Oh, What a Beautiful Morning* te zingen.

Het is zo moeilijk te accepteren dat ze weg is en misschien nooit meer terugkomt. Zo zou haar tuin zich voelen wanneer de zon nooit meer opkwam.

De Edelachtbare kwam op een van die trieste avonden naar de boom met het fort toe. Hij riep niet: 'Ik hou evenveel van jullie als van de sterren aan de hemel.' Hij zei alleen: 'Jane Woodrow, vergeet je belofte niet. Jullie mogen Lilyfield nu weer verlaten, meisjes.'

Toen besefte ik waarom hij Woody en mij opgesloten had gehouden. Niet omdat hij bang was geweest dat zijn tweeling op dezelfde manier zou verdwijnen als zijn echtgenote. Maar omdat hij niet wilde dat we in de stad zouden vertellen wat we op de avond van de verdwijning van onze moeder hadden gezien. Of in elk geval wat Woody had gezien.

Gedurende die dagen die geen ochtendgloren en geen schemering kenden smeekte ik mijn zus het me te vertellen, omdat ik het niet kon verdragen het niet te weten. 'Jouw tekening van die koffer maakt duidelijk dat mama wilde weggaan, maar… wat is er daarna gebeurd? Is ze net als Mars in de put gevallen?

Heeft ze een hartaanval gehad? In het licht van de kermis zag ze heel bleek. Ik heb behalve papa nog iemand anders gezien. Jij ook?' Ondanks al mijn smeekbeden en mijn pogingen haar ervan te overtuigen dat ze haar geheim met mij moest delen, kwam er geen woord over haar lippen.

E.J. zal zich wel vreselijke zorgen zijn gaan maken toen Woody en ik ons 's ochtends niet lieten zien om zoals gepland weer naar mama op zoek te gaan, want hij kwam ook naar het fort toe.

Hij riep niet, zoals gewoonlijk, naar boven: 'Is er nog plaats voor iemand anders?' Hij bleef onder de takken staan en zong *Love me tender, love me true*. Toen klom hij de ladder op en deed het luik net ver genoeg open om een mandje versgeplukte bessen naar binnen te kunnen schuiven.

Lou kwam ook naar het fort toe en ze riep zacht: 'In het huisje heb ik spekpannenkoeken voor jullie gemaakt. Met extra veel stroop. Jullie moeten iets eten.'

Ik begreep niet waarom ze zo ongewoon aardig deed, tot ik me herinnerde dat Lou nog tegen de schuur aan had gestaan toen papa me vertelde dat mama dood was en daarna in de regen was verdwenen. Zij had mij bespied, net zoals ik dat met haar en oom Blackie had gedaan. Ze zal me wel naar het fort zijn gevolgd. En ze heeft me tegen Woody tekeer horen gaan en is toen waarschijnlijk naar het huisje gerend om alles aan meneer Cole te vertellen, want hij kwam ook.

'Is alles oké met jullie?' vroeg hij.

'Natuurlijk,' riep ik, al heb ik geen idee waarom ik dat deed. Daardoor klonk ik heel wat dapperder dan ik me voelde.

Meneer Cole moest zijn weggegaan om Beezy te halen, want enige tijd later hoorde ik haar beneden met haar kikvorsstem Lou tot de orde roepen. 'Waag het niet naar boven te gaan. Ze hebben geen botjes of bezweringen nodig. Laat die meisjes met rust. Ze zijn in de rouw.' Met vriendelijker stem riep ze naar Woody en mij: 'Jullie moeten op krachten blijven. Ik heb wat lekkers in de Emmer Express gedaan. Shen, als jij eraan toe bent om te praten, zal ik naar je luisteren.'

Ik weet dat ze dat ook zal doen. Ze is een expert op het gebied van de dood. Ze heeft niet alleen haar echtgenoot vermoord, maar ze woont ook tegenover de Stonewall Jackson Begraafplaats. Waar mama is. Nee. Bootie Young zou het me hebben verteld als hij een graf voor haar had gegraven en hij zou me zijn gemeende medeleven hebben betuigd. Als ik heb ontdekt waar ze is begraven, en dat zal gebeuren, zal ik geen witte pioenen bij de grafsteen zetten, vanwege wat ze tegen me had gezegd toen ik pioenen van Beezy voor haar had meegenomen. 'Het is belangrijk bloemen te laten groeien, en hetzelfde geldt voor mensen. Begrijp je dat?' Het is me nu duidelijk dat ze het toen over papa had gehad. Hoe hij haar het gevoel gaf te worden vertrapt.

Dan zal ik ook tegen de geliefde ziel van mijn overleden moeder zeggen: 'Ik heb veel spijt van de manier waarop ik u heb behandeld. Woody praat niet meer, maar ik weet dat zij u ook het allerbeste wenst. Maakt u zich geen zorgen. Ik zal goed op haar passen. Wanneer we naar de stad New York verhuizen, zal iedereen het over ons hebben.' Als we klaar zijn met huilen zal ik Emily Dickinson citeren, omdat zij mama's favoriet was. Het gedicht waarin de dood stil bleef staan en iemand in een koets meenam.

Maar in die koets zaten mama en de onsterfelijkheid niet alleen. Papa was op die open plek in het bos geweest op de avond dat mijn moeder overleed. En ik had een schaduw van iemand anders tussen de bomen gezien. Ik weet dat ik me dat niet heb verbeeld.

Gezien de manier waarop iedereen doet, heb ik de indruk

dat ze allemaal wisten of vermoedden dat mama dood was terwijl ik naar haar bleef zoeken. Ik heb het gevoel dat ze me geen van allen wilden helpen. Maar het kan ook zijn dat ze me wel degelijk iets duidelijk probeerden te maken en dat ik te zeer opging in mijn plan haar te vinden om daar aandacht aan te besteden. Beezy moedigde me nooit aan naar mama te zoeken. Ze zei dat het te moeilijk was om dat helemaal in mijn eentje te doen, of ze probeerde me af te leiden met een roddelverhaal. Soms betrapte ik meneer Cole erop dat hij met heel veel medelijden in zijn ogen naar Woody en mij keek. En Sam was nooit enthousiast te krijgen om detectivewerk voor mij te doen. Alsof hij wist dat zoeken naar zijn goede vriendin zinloos was. Hetzelfde geldt voor E.J. Achteraf gezien leek zijn vrolijke glimlach, elke keer wanneer ik het over het vinden van mama had, te verdwijnen.

Ik ben de laatste die het weet.

Nee, dat is niet waar. Ik heb aldoor al geweten dat er een eind was gekomen aan het leven van onze moeder.

Woody had het me verteld.

Ze had zich van top tot teen bedekt met de witte Chantillypoeder van mama. Ze had die volstrekt zwarte tekeningen gemaakt. Ik had mezelf ervan overtuigd dat ze wanhopig was door de verdwijning van mama en daardoor – net als ik aanvankelijk – in een diepe depressie was geraakt, maar dat was niet het geval. Dit was haar enige manier geweest om me duidelijk te maken dat mama dood was. Ik begrijp nu ook waarom Woody steeds wegliep. Dat deed ze niet om mij te kwellen. Mijn tweelingzus deed hetzelfde als ik: proberen weg te rennen van de waarheid.

Als ik genoeg kracht heb om me uit de armen van Woody los te maken verdwijnt de zon achter de bergen en kleurt hij de hemel oranje en rood. We hadden de bessen van E.J. en de beignets van Beezy opgegeten, maar ik heb weer honger en dus moet mijn tweelingzus ook honger hebben. De door haar uitgespuugde toffee met de pil ligt naast de kaars op het altaar van de Heilige Judas Thaddeüs. Mijn zus heeft niet nacht na nacht gebeden om de terugkeer van onze moeder. Ze wist dat mama nooit terug zou komen. Mijn tweelingzus smeekte de Heilige Judas Thaddeüs voor mij. Ik was de verloren zaak.

'Blijf waar je bent. Afgesproken? Ik ga iets te eten voor ons halen.' Woody ligt nog op de vloer van het fort en gebruikt Ivory als kussen. Ik strijk met een vinger over haar wang, het spoor van haar traan volgend. '*Ciao*,' zeg ik. Ik heb het idee dat Italiaans spreken haar aan mama doet denken en haar aan het glimlachen kan maken. Meer kan ik niet doen.

Zoiets doen mensen bij een begrafenis. Eten meenemen. Dierbare herinneringen ophalen. Net doen alsof ze weer een stap op hun levenspad kunnen zetten zonder de hand vast te houden van degene van wie ze hebben gehouden en die ze moesten verliezen. Terwijl ze diep in hun hart weten dat dat niets anders is dan een volstrekt hopeloze droom.

21

Via de steppingstones ben ik onderweg naar E.J.

Het water van de kreek stroomt snel en het is heel verleidelijk om erin te springen. En dan naar de helder wordende sterren te kijken terwijl ik stroomafwaarts drijf en uiteindelijk door de waterval word meegesleurd. Heeft mama dat gedaan? Voelde ze zich door haar ongelukkige huwelijk zo triest dat ze zich in het water heeft gestort? Dat zou de reden kunnen zijn waarom papa zo weinig over haar dood heeft gezegd. Hij zou niet willen dat mensen wisten dat zijn vrouw liever zelfmoord pleegde dan nog een dag met hem getrouwd te blijven. Het zou hem in verlegenheid brengen, en dat haat hij even erg als meelijwekkend te worden gevonden.

Iedereen in de stad had het erover gehad toen mevrouw Clayton, die net als mama in het kerkkoor zong, haar trouwjurk had aangetrokken, een touw aan een plafondbalk van een schuur had gebonden, op een melkbus was geklommen en de eeuwigheid in was gegaan nadat haar man haar had verteld dat hij niet meer van haar hield. Maar mevrouw Clayton had geen kinderen en mama had Woody en mij gehad. Nee. Ze kon nooit zelfmoord hebben gepleegd. Maar als ze dat in een moment van zwakte toch had gedaan, zou ik het kunnen begrijpen. Als je eenmaal in een graf ligt kan niemand meer bij je hart komen.

Door die gedachte citeer ik hardop een gedicht van William Wordsworth over niet blijven rouwen en kracht vinden in wat is blijven bestaan, waar mama zo vaak om heeft moeten huilen.

Ik weet dat ik niet in staat zal zijn niet te blijven rouwen, maar ik heb me wel vast voorgenomen diep vanuit mezelf kracht te putten uit wat nog bestaat. Tijdens die trieste nachten in het fort nam ik mezelf plechtig voor de waarheid omtrent mama's dood te achterhalen. Ontdekken wat er met haar was gebeurd is de enige manier die ik nog heb om de herinnering aan haar te respecteren en haar te eren.

De eerste en de beste plaats om naar antwoorden te zoeken is – zoals altijd – bij mijn familie.

Papa weet wat er met mama is gebeurd, en dat betekent dat grootvader en Blackie dat ook zullen weten. De Edelachtbare is als was in hun handen. Maar oma? Omdat de mannelijke Carmody's alles wat belangrijk is voor zich houden, kan het zijn dat oma Ruth Love niets weet over de dood van mama. Tenzij ze hen heeft horen praten – wat waarschijnlijk het geval is. Hoewel grootvader haar onder de duim heeft, weerhoudt dat haar er niet van een glas tegen een muur te houden om gesprekken af te luisteren of heel stiekem de haak van een tweede telefoon op te pakken. Maar als oma iets weet over de dood van onze moeder… waarom heeft ze dat dan niet aan Woody en mij verteld?

Grootvader heeft haar er waarschijnlijk op betrapt dat ze voor luistervinkje speelde en het haar verboden ons er iets over te vertellen. Als ze hierheen komt voor het Founders Weekend zal ik haar bij hem weghalen zoals onze moeder dat vroeger deed. Ik zal haar meenemen naar onze slaapkamer en haar vragen stellen over onze geliefde overleden mama. Ik weet zeker dat ze me zal bekennen dat ze het aldoor heeft geweten en het gewoon niet kon verdragen ons zulk slecht nieuws mee te delen. En als we dan allemaal hebben gehuild, zal ze een stukje uit de Bijbel citeren voor haar goede vriendin en schoondochter. Waarschijnlijk dat stukje over liggen in groene weiden.

O, mama.

Ik wil bij u zijn.

Het zou zo gemakkelijk zijn het water van de kreek dit verdriet voor altijd te laten wegwassen.

Ik kan maar beter over de weg naar E.J. gaan.

Krekels fungeren als sopranen en alten, en kikkers zingen harmonieus met ze mee. Als was het een romantische compositie. Ik heb besloten me nooit bij dat koor aan te sluiten. Je wordt meegesleept door de liefde en voordat je het weet ben je getrouwd. En een huwelijk roest. Hoe hard je ook je best doet die roest weg te schrapen en de boel weer op te poetsen… de oude glans zal nooit meer terugkomen. Ik denk niet alleen aan het ongelukkige huwelijk van papa en mama of aan dat van grootvader en oma. Kijk maar eens naar Mary Jane Upton die half gekleed door de stad loopt, zoekend naar die rokkenjager van een man van haar. En de dames in de schoonheidssalon van Filly klagen er voortdurend over dat hun mannen kauwen met hun mond open en dat ze lui zijn, behalve als ze kunnen gaan jagen of vissen.

Ik ken slechts een uitzondering op die rampzalige regel. Dorry en Frank Tittle. Dat straatarme echtpaar houdt zielsveel van elkaar.

Op hun onverharde oprit probeerde ik zo zachtjes mogelijk te doen, maar hun buren – de Calhouns – fokken jachthonden en die hebben vast mijn geur opgesnoven. Ze blaffen zo luid dat mevrouw Tittle de doorzakkende veranda van haar vervallen huis op komt, met de nieuwe baby tegen haar borst gedrukt. Ze is een onopvallende vrouw met steil bruin haar dat ter hoogte van haar kin is afgeknipt. Ze is blootsvoets, maar ze heeft een mooie witte jurk aan die eens van mijn moeder is geweest en ik moet op mijn wang bijten om geen kreet te slaken. Mama kon niet tegen onze vader zeggen dat ze de jurken met ruches en zo die hij voor haar kocht niet mooi vond. Papa had haar een keer gevraagd waarom ze de nieuwe jurk met de grote strikken niet droeg. 'Sorry, lieve, maar ik kan de rits niet dicht krijgen. Ik ben denk ik een paar kilo aangekomen,' zei ze. Dan vouwde ze zo'n jurk op en bracht die hierheen.

'Shenny, ben jij dat?' roept mevrouw Tittle in het donker.

Ik stap uit de schaduw en zeg: 'Ja, mevrouw. Sorry dat ik u stoor. Hoe is het met meneer Tittle?' Ik kan zijn blaffende hoest door de ramen heen horen. E.J. had me verteld dat alle zwarte troep in de longen van zijn vader wakker wordt wanneer hij probeert te slapen.

'Met meneer Tittle gaat het...' begint de mama van E.J.

Ze wil me vertellen dat met haar echtgenoot alles in orde is. Ik behoed haar voor een pekelzonde door te zeggen: 'Het is een mooie avond, nietwaar?'

Mevrouw Tittle kijkt niet omhoog en ze vraagt niet wat ik hier doe. Ze weet dat ik voor haar zoon ben gekomen. Als baby Fay begint te jammeren, wiegt ze haar zacht en zingt het liedje dat alleen moeders lijken te kennen.

'Dan wens ik u een goede avond.' Het kost me moeite dat te zeggen.

Als zij het huis weer in loopt, wil ik achter haar aan rennen, in haar armen kruipen en me door haar laten wiegen alsof ik ook haar baby ben. De lege plek in mijn hart die door mama werd ingenomen, voelt zo zwaar aan dat het me moeite kost mijn ene voet voor de andere te zetten.

Ik vind E.J. achter het huis, waar hij konijnenvallen uitzet. Dat doet hij altijd rond deze tijd van de avond.

'Hallo,' roep ik naar hem.

Hij springt overeind en stoot zijn rode lantaarn om. 'Hallo.'

Dit is niet de eerste keer dat ik hierheen ben gegaan om hem om hulp te vragen, en het zal ook wel niet de laatste zijn.

Ik zet de lantaarn weer rechtop en zeg: 'Trek je schoenen aan.'

'Wat is er aan de hand? Is er iets mis met Woody?' vraagt hij geschrokken terwijl hij zijn gympen pakt. 'Is ze weer weggelopen?'

'Nee, met haar is alles in orde.' Ik sla een kruisteken in de naam van de Vader, de Zoon en de Heilige Geest om dat te garanderen.

E. J. wijst naar mijn hand en zegt: 'Dat is een mooie ring. Waar heb je die vandaan?' Ik durf erom te wedden dat hij die ring een leuk verlovingscadeau voor Woody zou vinden wanneer het moment daar was.

Ik ga naast hem zitten op een stuk hout en houd de ring van parelmoer voor mijn gezicht. 'Clive had tegen me gezegd dat ik die na zijn dood mocht hebben.' De ring is echt schitterend. Hij ruikt zelfs lekker, als de oceaan. 'Ik heb hem uit zijn huis meegenomen toen ik Ivory ging halen.'

E.J. glimlacht en knikt. Hij weet dat ik harder blaf dan bijt. De hond zal Woody rustiger maken dan wat dan ook.

Ik kijk toe terwijl hij de veters strikt van de hoge gympen die hij tijdens een fancy fair van de kerk heeft gekocht. Ze zijn koningsblauw en ze zijn hem twee maten te groot. 'Nog bedankt voor de bessen die je naar het fort hebt gebracht, maar dat liedje had van mij niet gehoeven. Ik begrijp werkelijk niet waarom Woody het zo mooi vond.'

Hij grinnikt.

'Onze moeder is dood,' zeg ik.

'Dat vermoedde ik al,' zegt hij zonder op te kijken.

'Werkelijk? Waarom?' vraag ik een beetje enthousiast. Het huis van de Tittles staat dicht bij het onze en E.J. rent altijd rond door het bos en bij de kreek, zoekend naar iets te eten. Is het mogelijk dat hij had gezien wat er met mama was gebeurd en was hij te zenuwachtig geweest om me dat te vertellen?

'Dat ging ik denken toen ze zo lang niet terugkwam,' zegt hij. 'Ze was er de vrouw niet naar om zomaar weg te gaan en haar baby's achter te laten. Zo'n type was ze niet.' Mama had altijd aardig tegen hem gedaan.

Ze had hem te veel geld gegeven voor klusjes op en rond Lilyfield, en toffees om mee te nemen naar huis en zijn twee zusjes. Die vonden ze heerlijk omdat ze geen kieskeurige eters zijn. 'Mijn mama denkt dat ook. Ze zei dat mevrouw Evie inmiddels wel naar huis zou zijn gekomen als ze dat kon. Dat moet betekenen dat ze dat niet kon. Dat ze... je begrijpt het wel.'

Ik pak een steen en gooi die hard naar de kreek. 'Je had wel eens tegen me kunnen zeggen dat je aan die mogelijkheid dacht.'

E. J. pakt ook een steen, maar gooit die niet weg. Hij laat hem tussen zijn vingers door rollen. 'Ik dacht... jij leek er zo zeker van te zijn dat ze nog leefde... en jij bent zoveel slimmer dan ik.' Hij geneert zich omdat hij vorig jaar moest stoppen met school om voor zijn familie te werken. 'Hoe ben je te weten gekomen dat ze...'

Ik kijk naar Lilyfield. Hoewel papa tegen me had gezegd dat alles nu anders zou worden, krijg ik gewoontegetrouw kippenvel als ik bedenk dat Woody in haar eentje in het fort is. 'Dat heeft de Edelachtbare me verteld.'

'Is ze al lange tijd dood of hebben ze haar net... Heeft je vader je verteld hoe je mama...'

'Ze...' Mijn mond is droog van verdriet, maar ik moet het hem vertellen. E.J. heeft ons door dik en dun gesteund. 'Ze is nu bijna een jaar weg. Ze is overleden tijdens de kermis van vorig jaar.'

'Hoe?' vraagt hij stomverbaasd.

Ik weet niet zeker of ik die vraag wel moet beantwoorden, maar ik doe het toch. 'Dat heeft de Edelachtbare me niet verteld, maar Woody heeft gezien wat er is gebeurd. Zij heeft aldoor geweten dat mama dood is.'

'Heeft ze gesproken? Heeft ze iets tegen jou gezegd?' Hij springt op.

'Doe niet zo stom. Dat zou ik je meteen hebben verteld,' zeg ik voordat hij door het dolle heen raakt. Hij vindt het even erg als ik dat zij niet meer praat. Hij mist hun lange gesprekken over een gezamenlijke toekomst. Ze willen in Lee Chapel trouwen en voldoende kinderen krijgen om een honkbalteam te kunnen vormen.

We horen mevrouw Tittle in het huis een wiegeliedje voor de baby neuriën. Ik vertel E.J. waarom ik ben gekomen. 'Je weet toch dat Woody voortdurend van die angstaanjagende tekeningen maakt?'

'Ik vind ze niet angstaanjagend.'

'Ze zijn heel erg eng en dat weet je.'

'Ik...' Als ik hem met een enkele blik duidelijk maak dat hij me niet in de maling moet nemen, houdt hij zijn mond. 'Oké,' zegt hij. 'Wat wilde je over die tekeningen zeggen?'

'Heb je die tekening gezien van mama en nog iemand anders? Woody had die persoon getekend en hem weer half uitgegumd of hem niet afgemaakt of zoiets. Toen ze hem vandaag aan mij liet zien raakte ze erg opgewonden. Ik denk dat het iets te maken heeft met wat ze die avond heeft gezien, maar ik kan niet bedenken wát.'

E. J. staart naar het bos. 'Als je jaagt kun je iets soms niet te pakken krijgen, hoe hard je er ook je best voor doet. Dan moet je geduld hebben en wachten tot het weer naar je toe komt.'

'Je weet wel beter,' zeg ik.

Natuurlijk reageert hij daar niet op. Geduld oefenen is niet mijn beste eigenschap. 'Wil je me helpen erachter te komen wat er met onze moeder is gebeurd? Hoe ze is gestorven en waar ze is begraven?'

E.J. trekt een gezicht. Hij moet in dezelfde richting denken als ik. Op zoek gaan naar een verloren gewaande moeder is een ding, maar proberen te achterhalen hoe ze is gestorven is iets heel anders. Dat is een veel triestere klus.

Omdat ik hem voel aarzelen zeg ik: 'Woody kan ons niet vertellen wat ze heeft gezien, dus moeten we dat zelf achterhalen om die last met haar te kunnen delen.' Ik kan zien dat E.J. dat wel grotendeels met me eens is. Ik heb de overtuigende persoonlijkheid van de Edelachtbare geërfd. 'Ze zal zich zoveel beter voelen als ze dat geheim met iemand kan delen.' Ik glimlach en kom dan met mijn slotopmerking. 'Ik durf te wedden dat ze dan weer over liefde en trouwen zal gaan praten.'

E.J. zet zijn pet recht – die volgens mij de bron van zijn dapperheid is – en zegt: 'Hoe luidt het nieuwe plan?' Hij laat alle voorzichtigheid varen wanneer die wasbeer op zijn hoofd zit.

Het nieuwe plan? Hier heb ik nog niet grondig over nagedacht. Ik heb geen idee wat ik nu moet doen, anders dan praten met oma, of Woody ertoe overhalen me te vertellen wat ze die avond heeft gezien. 'Ik zou... wij zouden... E.J., mama komt nooit meer naar huis.'

Hij voorkomt dat ik op de grond val door zijn armen om me heen te slaan. Onder de schemerige hemel laat hij me op zijn schouder huilen.

'Shen?' zegt hij als ik niet meer huil. 'Ik weet dat je al een tijd met Vera wilt praten. We zouden naar haar winkel kunnen gaan.'

Met de onderkant van mijn T-shirt veeg ik het verdriet van mijn gezicht en zeg: 'Jij wilt alleen naar Slidell's toe omdat je weet dat Vera je iets lekkers zal geven. Schaam je je niet?' Dat is mijn manier om hem te bedanken voor een goed idee. Vera Ledbetter was een goede vriendin van mama. Ik heb haar al grondig ondervraagd over de verdwijning van onze moeder. Ze had me toen niet veel te vertellen en dat zal nu nog wel zo zijn. Maar ze kan een heerlijke milkshake maken en ze geeft me altijd gratis Rennies. Bovendien had ik Woody eten beloofd. Een van Vera's sandwiches met eiersalade zou mijn zus veel goed doen. Toen we elkaar knuffelden had ik op haar ribben kunnen spelen zoals meneer Lionel Hampton, de favoriete muzikant van Beezy, zijn vibrafoon bespeelt.

'We moeten het snel doen, want ik wil Woody niet te lang alleen laten.' Gewoontegetrouw kijk ik naar mijn pols om te zien hoe laat het is. Dat is nog iets wat ik moet regelen. Vanavond moet ik mijn oom het horloge van mama ontfutselen. 'We moeten ook even langs bij What Goes Around Comes Around.'

'Waarom?' vraagt E.J.

'Ik wil een van mama's sjaals halen voor Woody. Papa heeft... Ik ben de sjaal die ze had per ongeluk kwijtgeraakt.' Het is niet volstrekt onzelfzuchtig van me om een sjaal voor haar te willen halen. Als ze weer een sjaal van chiffon om haar hals heeft, vertelt ze me misschien wel wat ze de avond waarop mama is gestorven heeft gezien. Als ze later deze avond haar buik rond heeft gegeten en door die zachte stof wordt omgeven, kan ik misschien iets uit haar trekken. En als dat niet werkt, zal ik streng moeten zijn. Geen massages tot ze me het heeft verteld.

Ik ga staan en veeg het stof van mijn achterste. 'Ben je er klaar voor?'

E.J. kijkt om zich heen en zoekt naar mijn lunchtrommeltje. 'Heb je de vermommingen meegenomen?' Als we naar het drukke deel van de stad moeten zet ik een zwarte pruik op die mama had aangeschaft toen ze op het idee was gekomen dat Woody, zij en ik ons op Halloween zouden verkleden als de drie heksen uit *Macbeth*. E.J. gebruikt dan de baard die ik heb overgehouden van het spelen van een van de drie koningen tijdens het toneelstuk dat met Kerstmis in de kerk werd opgevoerd.

'Die vermommingen hebben we niet meer nodig. Woody en ik mogen van papa de stad weer in.'

E.J. kijkt me met samengeknepen ogen aan. Ongetwijfeld vraagt hij zich af waarom we opeens weer mogen rondzwerven, maar net als alle anderen hier weet hij dat hij zich niet met familieaangelegenheden van de Carmody's moet bemoeien.

Ik steek mijn hand uit en hij pakt die, waarna we de snelste weg naar de stad nemen.

We zijn Honeysuckle Hill aan onze kant voor ongeveer een kwart op gelopen als hij zegt: 'Dit is een goede avond om naar de bank te gaan, nietwaar?'

God zegene hem. Hij probeert me met dat mopje op te vrolijken zoals ik dat met hem probeer te doen wanneer hij zich ellendig voelt. 'Over welke bank hebben we het, E.J.?'

'De schommelbank, Shenny,' zegt hij, en hij kan zijn lach nauwelijks bedwingen.

Wat er dan over mijn lippen komt verbaast me hogelijk. Misschien komt het omdat ik me opgelucht voel omdat ik niet meer naar mama hoef te zoeken, of omdat ik een betrouwbare man uit de bergen bij me heb die me zal helpen uit te zoeken hoe ze is gestorven. Voor het eerst in lange tijd lach ik.

22

Als we boven op Honeysuckle Hill zijn, horen E.J. en ik boogiewoogiemuziek uit de luidsprekers komen. Het merendeel van Buffalo Park wordt verlicht door lampen die op volle manen lijken. Kermisattracties worden uitgeladen en mannen worstelen met een tent. 'Omhoog met dat ding!'

Colonel Button's Thrills and Chills is in de stad gearriveerd.

De half overeind staande tent is voor de 'Spelingen der Natuur Shows,' zoals de dikste dame ter wereld, Baby Doll Susan. Op de zijkant van haar trailer is een afbeelding van haar geschilderd. De kuiltjes in haar wangen hebben de afmetingen van vrachtwagenbanden. De fakir zit op zijn gemak op een klapstoel onder een boom een tijdschrift te lezen, en dat vind ik vreemd. Ik dacht dat hij zijn hele leven lang met een luier om op een spijkerbed lag. De andere spelingen van de natuur, zoals Milly en Tilly, de Siamese tweeling, Kleine Jumbo en die baby in een fles waarover Bootie me heeft verteld, kunnen niet ver weg zijn.

'Wat voor dag is het vandaag eigenlijk?' vraag ik aan E.J.

Hij kijkt naar een paar zwervers die een attractie proberen op te zetten. 'Wel verdomme!' brult hij, en hij smijt zijn pet op de grond.

'Ed James!' Ik ben geschokt. Hij vloekt zelden.

'Sorry, maar... Ik had hier eerder naartoe moeten gaan.' Hij strijkt met zijn handen door zijn vogelnestjeshaar. 'Mijn papa voelt zich... We zouden wat extra geld heel goed kunnen gebruiken.'

Ik kijk naar de zwervers die van en naar de trucks lopen en zeg: 'Maak je geen zorgen. Het merendeel zal morgenochtend niet terugkomen. Je weet hoe ze zijn.' Ze kunnen werk krijgen wanneer de kermis naar de stad komt omdat de meeste kermisgasten even smerig zijn als zij. Maar ze zijn niet gehard en ook niet betrouwbaar. Met het geld dat ze vanavond krijgen zullen ze Thunderbirdwijn kopen en morgenochtend zullen ze hun roes uitslapen.

Ik herken ook een paar jongens uit de buurt die zich in het zweet werken. John-John Ellis, en Bootie Young. Als Bootie me ziet, houdt hij op met het uitladen van kassa's en zwaait. Ik zwaai terug en bedenk weer hoe fantastisch die jongen is. Hij is super. En hij vindt mij ook aardig. Zoiets weet een meisje gewoon.

Helaas mag iedereen op de kermis komen, hoe afstotend iemand ook is. Dus is Remmy Hawkins er ook. Hij ligt op de motorkap van zijn dure auto en heeft dezelfde vettige broek aan als altijd, zonder een shirt eroverheen. Gezien de stapel lege bierblikjes is hij hier al een hele tijd.

Een andere groep fors gebouwde mannen laadt de draaimolen onderdeel voor onderdeel uit.

Mama.

Hier heb ik haar voor het laatst in leven gezien. Toen ze die avond in haar witte blouse met de rode biesjes langs de zakken samen met Sam Moody in de draaimolen zat. Wanneer ik die glimlachende zwaan zie, speelt mijn maag op. Dus richt ik mijn verrekijker op de bomen langs dat deel van het park.

'Is dat... Curry Weaver?' vraag ik aan E.J. Ik ben er absoluut niet zeker van dat hij het echt is. Hij staat in zijn eentje bij de bomen aan de noordelijke kant van het park.

'Curry?' E.J. draait zich snel om. 'Is hij al terug uit de Colony?'

'Was hij daar dan heen gestuurd?' vraag ik. De zwervers die daarheen moeten zijn gewoonlijk mensen die regelmatig een vergrijp plegen. Curry is pas een paar weken in de stad. Hoe ernstig had hij dan in de problemen kunnen komen? 'Hoe weet jij dat?'

'Toen Woody en jij dat fort een paar dagen niet uit kwamen, ging ik me een beetje eenzaam voelen,' zegt E.J. schaapachtig. 'Toen ben ik naar het kamp gegaan om te kijken wat Curry deed en om misschien een paar lessen van hem te krijgen.' E.J. leert vechtkunst van een zwerver, die misschien geen onderwijzer of schrijver is zoals ik aanvankelijk dacht, maar een soldaat zou kunnen zijn die zonder verlof op stap is gegaan. Sinds het begin van de oorlog in Vietnam verschenen er deserteurs in het kamp die probeerden op te gaan in de groep zwervers. Vroeger dacht ik dat dat lafaards waren, maar toen Ricky Oppermann uit de oorlog terugkwam met nog maar een halve schedel, ben ik van gedachten veranderd. Ik vond Ricky echt aardig, ook al was hij van plan net als zijn vader tandarts te worden. Nu zit hij elke dag op de veranda voor zijn huis op een slabbetje te kwijlen. Dus áls Curry een deserteur is, vind ik hem nog steeds aardig. 'Maar hij was er niet,' gaat E.J. door. 'Ik was bang dat hij op een trein was gesprongen en dus stelde ik vragen. Dagmar Epps heeft me verteld dat de sheriff hem had meegenomen naar de Colony.'

'Tja, als Dagmar je dat heeft verteld...' Mijn toon impliceert dat hij wel erg stom moet zijn als hij de stadsidioot op haar woord gelooft.

'Ze is niet zo achterlijk als jij denkt,' zegt E.J. nadrukkelijk.

'Dagmar heeft gewoon pech gehad, en ze kan een heerlijke ragout maken van konijnenvlees. Waar zie je Curry?'

'Daar.' Ik wijs naar een plek waar de lichten van de kermis nauwelijks kunnen komen en ik wenste dat mijn zus bij me was. Het zal haar verdriet doen dat ze Curry niet heeft gezien, zeker nu hij er zo netjes uitziet. In plaats van zijn normale zwerversklęren heeft hij een gestreken blauw shirt aan en een kaki broek. Hij dacht waarschijnlijk dat hij op die manier gemakkelijker een baantje bij de kermis kon krijgen. (Hij woont nog niet lang genoeg in het kamp om te weten dat kolonel Button van ingehuurde krachten alleen verwacht dat ze armen en minstens één been hebben.)

'Kijk nou eens. Daar is Sam.' Hij is achter een van de trucks vandaan gekomen en staat een paar meter van Curry vandaan. 'Laten we daarheen gaan,' zeg ik tegen E.J. 'Ik wil Curry vertellen hoe goed hij eruitziet en ik moet een hartig woordje wisselen met Sam.' In de eerste plaats moet ik hem ervan langs geven omdat hij me niet heeft verteld dat mama dood is en in de tweede plaats wil ik mijn armen om hem heen slaan. Hij moet hebben geweten dat mama dood is. Hij is rechercheur. Wat moet hij al die tijd hebben geleden.

Ik kijk nog steeds naar Sam als hij zich omdraait en Curry ziet. Ze geven elkaar een hand en beginnen dan te praten alsof ze vrienden zijn die elkaar lange tijd niet hebben gezien. Ik wist niet eens dat ze elkaar kenden. En zie ik daar sheriff Andy hun kant op lopen? Ik weet dat de sheriff en Sam op vriendschappelijke voet verkeren... maar Curry? Ik wist niet dat hij Sam of de sheriff kende. Als E.J. gelijk heeft en die zwerver was afgevoerd naar de Colony, kan hij de sheriff op die manier hebben leren kennen. Waarom lijkt hij dan goede maatjes met hem te zijn? Ik ben in het ziekenhuis geweest toen oma die zenuwinzinking had gekregen. Je bent niet direct geneigd iemand die je daarheen heeft gestuurd te bedanken. Waar hadden ze het over? Sam schudt vol ongeloof zijn hoofd om wat Curry tegen hem zegt, en dat doet de sheriff ook. Sam zwaait met zijn gespierde armen. Warmt hij zich op voor de kermisattractie die met honkbal te maken heeft? Nee, daar lijkt hij te opgewonden voor. Is hij weer gaan drinken?

'Kom mee.' Ik laat mijn verrekijker naar mijn borst zakken en we lopen in de richting van Sam, de sheriff en Curry. Dan staat Remmy Hawkins opeens op wankele benen voor ons en dat maakt doorlopen onmogelijk.

'Kijk nou eens wat de kat onder de veranda vandaan heeft gesleept.' Hij doelt op E.J. Remmy mag me graag, op een echt walgelijke manier. 'E.J. *Shittle* en mijn honingbijtje. Jij bent toch Shen?'

Het maakt me misselijk dat hij weet dat ik Woody niet ben. 'Noem me niet jouw honingbijtje, jij...' Ik wil tegen Remmy zeggen dat hij een imbeciel is, maar hij is stomdronken en hij is altijd in voor een gevecht. Mij zal hij niets aandoen, maar E.J.? Remmy vindt het heerlijk hem te stangen. Het is bijna een hobby van hem om de spot te drijven met hoe arm en klein E.J. is.

Hawkins kijkt naar de te grote schoenen van E.J. en zegt: 'Ben je hierheen gekomen om nog een paar schoenen van Jinx de Clown te krijgen?' Hij spuugt en dat spuug belandt op de koningsblauwe gympen van E.J. De enige schoenen die hij heeft. Remmy duwt E.J. opzij en loopt dichter naar mij toe. 'Misschien zou je eens wat minder hooghartig moeten worden. Binnenkort zul je me heel wat gastvrijer moeten bejegenen.'

'Waarom? Deel je gratis kaartjes uit voor de tent met de Dikke Dame of zo?' Het onweer kan het wat hebben afgekoeld, maar ik heb het nog heet als ik denk aan de manier waarop Remmy Sam bij de Triple S tartte en duivels lachend vanuit zijn dure auto riep: 'Hebben jullie de laatste tijd nog iets van je mama gehoord, meisjes?'

Hoewel ik heel goed weet dat ik hem met rust moet laten, kan ik me domweg niet beheersen. 'Voor het geval ik tijdens vorige ontmoetingen niet duidelijk genoeg ben geweest, kan ik je meedelen dat je me kotsmisselijk maakt, Remington Aloysius Hawkins, en... en je hebt net zulk haar als Clarabelle.' Dat heb ik al jaren dolgraag tegen hem willen zeggen.

Remmy pakt een van mijn vlechten en trekt me naar zich toe. 'Je zult een toontje lager zingen wanneer de Edelachtbare mijn tante Abigail eenmaal een aanzoek heeft gedaan,' fluistert hij in mijn oor, en ik voel spuugspetters.

Ik ruk me los, geef hem een trap tegen zijn scheenbeen en spring buiten zijn bereik. 'Met welk aanzoek zal mijn vader volgens jou dan wel komen?'

Remmy masseert zijn been, maar niet op de plek waar ik hem heb getrapt. Zo dronken is hij. 'Een huwelijksaanzoek,' mompelt hij.

'Wat zei je?'

'Je hebt me best gehoord. Aanstaande zaterdagavond gaat jouw vader mijn tante ten huwelijk vragen.'

Ik gooi mijn hoofd in mijn nek en lach zoals de dame dat doet die je op de kermis tart het spookhuis in te gaan. 'E.J., heb je dat gehoord? Remmy zegt dat papa erover denkt met Abigail Hawkins te trouwen,' zeg ik uit de hoogte. Maar dan herinner ik me dat ze papa in haar web probeerde te vangen toen ze die middag taarten naar ons huis had gebracht. Ik bedenk ook dat mijn grootvader en burgemeester Jeb Hawkins heel goede vrienden zijn. En de Edelachtbare had laatst in het bos tegen me gezegd dat alles hier anders zou worden. Doelde hij daar toen op? Wilde hij me duidelijk maken dat hij van plan was met Abigail te trouwen?

Die gedachte moet van mijn gezicht af te lezen zijn, want Remmy zegt: 'Nu begrijp je het. Je doet altijd alsof je moeilijk te krijgen bent, maar je kunt mij geen rad voor de ogen draaien, Shenny Carmody. Je bent net zo opgewonden als ik dat we familie van elkaar worden en we elkaar dan kunnen zoenen.'

Dat idee is voor mij onverdraaglijk. Ik bal mijn handen tot vuisten en zet een stap zijn kant op. Het kan me niet schelen hoe groot hij is. Ik zal hem tot moes slaan.

E.J. ziet hoe razend ik ben. Hij gaat snel voor me staan en zegt net zoals Sam dat zou doen wanneer hij naast me stond in plaats van druk met Curry Weaver en de sheriff te zijn: 'Tel tot tien.'

'Maar hij... Hoorde je wat hij zei?' reageer ik woest.

'Laat mij dit maar afhandelen,' zegt E.J. nadrukkelijk.

Ik neem aan dat je nooit kunt voorspellen wat er gaat gebeuren, maar een ding kan ik je wel vertellen. Ik had niet verwacht dat de kleine E.J. die opgeblazen kikker van een Remmy Hawkins zo'n harde dreun tegen zijn neus zou verkopen dat hij er bewusteloos door raakte. Die vechttraining van Curry werpt echt zijn vruchten af voor E.J.

'Hartelijk bedankt,' zeg ik, en ik kijk glimlachend naar Remmy. Grootvader Gus had het ten aanzien van de jonge Tittle helemaal mis. Hij is geen mijnslijk. Hij is dapperder dan Sir Lancelot.

'Graag gedaan.' E.J. neemt zwierig zijn pet van zijn hoofd en zijn maag knort hoorbaar. 'We kunnen nu beter naar Vera toe gaan, voordat ze haar winkel sluit.'

'Ik wil eerst nog even met Sam praten,' zeg ik. Maar als ik naar de plek kijk waar hij daarnet nog met Curry en de sheriff stond, zie ik niemand. 'Waar zijn ze naartoe gegaan?'

'Je kunt hem morgen spreken,' zegt E.J., die naar Remmy kijkt en aan mijn arm trekt. Remmy komt al bij zijn positieven.

'We moeten ervandoor als jij voor Woody iets te eten – en die sjaal – wilt halen.'

Ik stap over Hawkins heen en zet zogenaamd per ongeluk even mijn knie op zijn buik. Hij kreunt. Tegen E.J. zeg ik: 'Het zal allemaal wel onzin zijn, denk je ook niet? Papa gaat met Abigail om, maar hij kan niet echt van plan zijn met haar te trouwen.'

'Natuurlijk is hij dat niet van plan,' zegt E.J. Maar omdat hij me niet aankijkt terwijl we het kermisterrein af lopen, weet ik dat het niet waar is. Nee. E.J., mijn ridder te paard, liegt dwars door zijn glanzende wapenrusting heen.

23

Aan de ouderwetse straatlantaarns hangen banieren om toeschouwers te verwelkomen.

Het stadscentrum is klaar voor het feest. Morgen zal het hier wemelen van de mensen die komen om souvenirs te kopen. Vrijwel iedereen die daar zin in heeft, kan gaan venten met afbeeldingen van Robert E. op fluweel, houten beeldjes van Traveller of stenen replica's van Natural Bridge. In de kraampjes die tijdelijk in Main Street zijn opgezet, is elk snuisterijtje onder de zomerzon te koop. De normale winkels zijn versierd, de stoepen zijn geboend en de straten zijn aangeveegd. Het Founders Weekend is heel belangrijk, maar om je de waarheid te zeggen zie ik er erg tegenop. Ik heb het gevoel dat er weer noodweer onze kant op komt. Ik zou nu thuis moeten zijn om ons fort daarop voor te bereiden. Ik denk niet alleen aan mijn zus. Zoals je weet hebben we ruziegemaakt met Remmy Hawkins. Als die weer helemaal bij zijn positieven is gekomen, zal hij op zoek gaan naar E.J. en mij om de rekening te vereffenen. Had Remmy de waarheid gesproken, of had hij zoals gewoonlijk weer idioot gedaan? Het idee dat papa met Abigail Hawkins gaat trouwen... Haar gemeen rode haar dat op mama's katoenbatisten kussen ligt. Haar dunne lippen die 's morgens uit de theekop van onze moeder drinken. Haar naar gardenia's stinkende handen die aan mama's spullen zitten. Papa zou Woody en mij waarschijnlijk dwingen haar mama te noemen. Men zegt dat je overal aan kunt wennen, maar dat is niet waar.

E.J. en ik nemen de kortste weg, door Mudtown. Negers van verschillende leeftijden drinken op hun veranda bier uit flesjes en luisteren naar bluesachtige muziek. Veel mannen hebben een ontbloot bovenlijf. De vrouwen hebben waaiers in hun hand en ze hebben hun rok omhooggetrokken. Kinderen doen spelletjes. Bijna iedereen wenst ons een goede avond. Ze zijn eraan gewend ons door hun straat te zien lopen om een bezoekje te brengen aan Blinde Beezy. Zij zit niet op de veranda, maar in haar voorkamer brandt wel licht. Ze zal wel als een gek aan het breien zijn. Morgen zal men in de rij staan voor haar opzichtige sjaals, dassen en truien.

Wanneer we Monroe Street in lopen, krijgt E.J. een twinkeling in zijn ogen en zegt: 'Zullen we proberen Beezy ongemerkt te naderen? Ik kan die kwart dollar heel goed gebruiken.'

Hoewel we al jaren proberen haar te verrassen, is ons dat nog nooit gelukt. Ik zou haar graag even willen zien. Dat kan echter niet, want ik heb Woody beloofd snel weer terug te zijn. Maar E.J. heeft Remmy vanavond namens mij een dreun verkocht, en dus sta ik bij hem in het krijt.

We zakken zoals altijd door onze knieën en lopen de achtertuin van Beezy door. Als we haar garage zijn gepasseerd slaan we af bij de pioenen en lopen op onze tenen langs haar border. Ze kweekt okra en die staat fraai in bloei. E.J. gaat voorop en kruipt nu vrijwel op zijn buik over het gras. Als we bij het vogelbadje zijn gebaart E.J. dat ik muisstil moet zijn en wijst op het raam van haar zitkamer, dat natuurlijk openstaat. De hitte van de dag is blijven hangen.

Beezy praat met iemand. Een bezoeker. Zou het meneer Cole kunnen zijn? Ik vergeet even dat we proberen stiekem te doen en spring bijna op om 'Hallo!' te roepen omdat ik die avonden met hem en Beezy op de veranda echt mis. Ik zou hem op een paar sterrenbeelden willen wijzen, met hem praten over de mannen die naar de maan gaan. We zouden het ook over de dood van mama kunnen hebben. Dat zou prettig zijn. Misschien heeft Beezy nog wat kippenragout in de oven staan. Ik zou het restje mee kunnen nemen voor Woody.

'Moet je het echt op die manier doen?' De krakende stem van Beezy komt door het raam waar wij op onze hurken onder zitten. Ze klinkt... bang? Dat is heel ongebruikelijk, want ze is de dapperste vrouw die ik ken.

'Geloof me als ik je zeg dat het werkelijk niet anders kan. Sam heeft me gevraagd bij je langs te gaan. Hij wil niet dat jij je zorgen maakt.'

Ik kijk naar E.J. en hij is even stomverbaasd als ik. We herkennen die noordelijke stem. Die is van Curry Weaver.

'Het is godvergeten afgrijselijk,' zegt Beezy. 'Ik had nooit verwacht dat hij in staat zou zijn...' Ze zwijgt. Ik hoor alleen haar radio, waarop iemand een bepaalde tandpasta aanprijst, en de kinderen die verderop spelen. Dan roept ze met haar normale stem: 'Hoor ik daar vogeltjes?'

Dat was echt zó griezelig.

Hoewel ik heel nieuwsgierig ben naar wat die twee bespreken, wil ik geen lang bezoek aan Beezy brengen. Dus houd ik mijn mond. Dat doet E.J. ook.

We draaien ons zo snel mogelijk om. Even stiekem als twee op hol geslagen olifanten.

Het leek niet alsof Curry om een aalmoes vroeg, zoals veel van de zwervers dat doen wanneer ze van deur tot deur gaan.

Beezy had dodelijk geschrokken geklonken. Terwijl we Montgomery Street op lopen vraag ik aan E.J.: 'Wat denk je dat Curry bij Beezy deed? Wat waren ze aan het bespreken?'

'Zie ik eruit als een krant?' zegt hij, een van mijn gevatte opmerkingen herhalend. Hij stopt zijn handen in de zakken van zijn spijkerbroek, die zo groot is dat hij bijna van zijn kont zakt. Hij is ongebruikelijk chagrijnig omdat hij zijn kwart dollar niet heeft gekregen. 'Kunnen we teruggaan om het nog een keer te proberen?'

'Absoluut niet. Ik heb Woody beloofd... Wauw!' zeg ik wanneer we het grote stadsplein op lopen.

De feestcommissie heeft de muziektent met vlaggen versierd. De tuinen zijn van onkruid ontdaan en er zijn rode geraniums geplant. Het levensgrote standbeeld van de Vader van Ons Land is glanzend gepoetst. De boomstammen zijn omwikkeld met grijs crêpepapier – de kleur van de Confederatie. Op dit plein zal zaterdagmorgen de Optocht van Eeuwige Prinsessen van start gaan.

'Kijken wie er het eerste is.' E.J. vrolijkt op en wijst naar Slidell's, aan de overkant van het plein direct naast het gerechtsgebouw.

'Ik heb geen zin om te racen,' zeg ik zoals altijd tegen E.J. Maar daarna zet ik het ook zoals altijd op een rennen. Omdat ik sneller ben dan Mercurius, de gevleugelde boodschapper, win ik meestal met lengten. Ik heb echter besloten hem deze keer te laten winnen. Mijn handlanger ziet er deze avond echt uitgehongerd uit.

We rennen Jefferson Street over, duwen elkaar, botsen tegen elkaar op. We gebruiken de voordeur van de winkel om te remmen. 'Ik heb je nipt verslagen,' zegt E.J., die dubbelslaat van het lachen.

'Wachten jullie eens even,' roept iemand achter ons. Omdat

ik er nog niet aan ben gewend te kunnen gaan en staan waar ik wil, bevries ik ter plekke.

In de etalageruit van Slidell's zie ik de auto van de sheriff langs de stoeprand staan. Sam Moody zit op de achterbank. Hij buigt zich naar voren en zegt: 'Een goede avond, Shen. E.J.'

Ik loop naar de auto toe en ga op mijn hurken zitten om zijn gezicht onder de honkbalpet beter te kunnen zien.

'Wat is er aan de hand, Sam? Zijn de sheriff en jij ter ere van het Founders Weekend aan het joyriden?'

Hij haalt glimlachend zijn schouders op. Hij heeft heel mooie tanden. Keurig op een rij, als de grafstenen van veteranen. Die moet hij wel van zijn vader hebben geërfd, want die van Beezy zijn bruin en uitneembaar. Net als ik Sam wil vragen of hij weet waarom Curry Weaver bij zijn mama was, zegt hij: 'Toen ik jou en E.J. over het plein zag rennen, heb ik de sheriff gevraagd te stoppen om het te vertellen voordat jullie het van iemand anders horen.'

'Wat zouden we dan moeten horen?' vraagt E.J.

'De sheriff gaat me opsluiten,' zegt Sam.

'Verdorie!' Ik heb meer met mezelf te doen dan met hem. Ik was van plan Woody straks in het fort iets te eten te brengen en dan samen met haar naar de Triple S te gaan om op het trapje van Sams hut over mama's dood te praten. Hij moet weten dat ze is overleden en heeft dat niet tegen ons willen zeggen omdat hij ons onze hoop niet wilde ontnemen. Onze *Speranza*. Nu kunnen we niet meer met hem gaan praten.

'Wat heb je gedaan?' vraag ik. 'Ben je weer gaan drinken?' Ik zie hem en Curry weer voor me, op het kermisterrein. Had die zwerver iets gezegd wat hem razend maakte? Had Sam hem toen een dreun tegen zijn kin gegeven en was de sheriff erbij gehaald? Ja. Zo moest het zijn gebeurd. Daarom was Curry bij Beezy. Maar ze deden allemaal zo vriendelijk tegen elkaar toen ik door mijn verrekijker naar hen keek. Ik begrijp het niet. 'Heb je met Curry Weaver gevochten?'

Sam kijkt me vol ongeloof aan. 'Waarom denk je... Nee, dat niet.'

'Wat is er dan wel aan de hand?' Ik kan bijna stoom uit mijn oren voelen komen.

'Shen, iemand heeft de sheriff verteld dat ik iets te maken heb gehad met de verdwijning van je moeder,' zegt hij.

'Wat zeg je? Dat is...' Ik pak het half geopende portierraampje vast om niet achterover te vallen. 'Dat is...'

'Onzin,' zegt E.J., die naar de kant van de chauffeur rent. 'Sheriff Nash, sorry dat ik het moet zeggen, maar daar klopt niets van. Sam en mevrouw Evelyn waren heel goede vrienden. Ze waren elke dinsdag bij elkaar, na...'

'E.J.!' brul ik, en over het dak van de auto heen maak ik een gebaar alsof ik hem de keel doorsnijd.

Hij kijkt me geschrokken aan. 'Ik bedoel te zeggen dat ze elkaar een beetje kenden, maar niet zo goed dat...'

'Jongen, kom tot bedaren,' zegt Sam met een heel klein glimlachje. 'Straks ontplof je nog.'

Hoe hard we ons best ook hebben gedaan de vriendschap tussen mama en Sam stil te houden... iemand lijkt het toch te hebben ontdekt. En zonder opzet heeft E.J. dat nu bevestigd.

'Sheriff, ik weet niet wie u heeft verteld dat Sam iets met de verdwijning van mijn moeder te maken had, maar die persoon vergist zich,' zeg ik met mijn krachtigste Carmody-glimlach.

Andy Nash reageert daar niet op. Hij kijkt strak door de voorruit en zegt: 'Juffrouw Shen, ik denk dat je nu beter naar huis kunt gaan.'

Vera moet haast wel achter de etalageruit van Slidell's hebben toegekeken, want ze steekt haar hoofd door de deur en vraagt: 'Is alles in orde?'

Ik kijk Sam in zijn lichte ogen en zeg: 'Is alles in orde, Sam?'

'Ik zou het bijzonder waarderen als je naar het tankstation wilt gaan om Wrigley eten te geven, en maak je over mij geen zorgen.' Dan zegt hij tegen de sheriff: 'Laten we maar doorrijden, Andy.'

Wanneer de auto wegrijdt, sta ik te trillen in mijn gympen. Niet omdat ik denk dat Sam iets met de dood van mijn moeder te maken heeft gehad. Ik weet dat dat niet zo is. Die avond was er iemand bij papa op die open plek in het bos, maar dat was Sam niet. Hij had nooit in zijn hut terug kunnen zijn toen ik tegen Woody had gezegd dat ik mama zou gaan zoeken nadat zij jammerend had gezegd: 'Mama... weg.' En het kan me niks schelen dat hij toen zwetend en met een geweer in zijn hand opendeed.

E.J. kijkt de politiewagen na die achter het gerechtsgebouw verdwijnt. Daar is de gevangenis, in de kelder. Hij kijkt alsof hij hoopt dat die wagen door een grote vrachtwagen wordt aangereden.

Woody en ik hebben niets gezegd over die dinsdagmiddagen waarop Sam en mama boeken bespraken. Beezy en Vera – de verboden vriendinnen van onze moeder – waren de enige anderen die dat wisten, en zij zouden er hun mond nooit over opendoen. Net als ik vinden zij de sheriff niet aardig. Dan moet E.J. het zich hebben laten ontvallen.

'Ik zie die beschuldigende uitdrukking op je gezicht.' Hij loopt snel naar me toe en zwaait met zijn handen alsof daar iets afschuwelijks aan vast zit geplakt. 'Dat geheim zou ik nooit met iemand delen.'

'Praat niet zo hard en kom naar binnen.' Ik was Vera vergeten. Ze staat nog in de deuropening van Slidell's, in haar perzikkleurige uniform en witte schoenen. 'Ik heb al twee milkshakes klaarstaan,' zegt ze, en dan loopt ze gekweld ogend de winkel weer in.

Normaal gesproken zou E.J. meteen naar binnen zijn gelopen, maar nu maakt hij pas op de plaats.

Het had geen zin het hem in te peperen. 'Je hebt Sam gehoord,' zeg ik. 'Iemand heeft de sheriff verteld over de vriendschap tussen mama en hem. Wat jij hebt gezegd maakt geen enkel verschil. Je hebt in elk geval niet gezegd dat ze dood is.' Ik heb E.J. nóóit zien huilen. Zelfs niet toen hij was gebeten door die zieke hond en injecties in zijn maag moest krijgen. Hij bedenkt vast net als ik hoe beroerd dit zou kunnen aflopen. Ik kan je garanderen dat de halve stad al weet dat de halfbloed Sam Moody is meegenomen om te worden ondervraagd over de verdwijning van de blanke echtgenote van Walter T. Carmody.

'Geloof je me?' vraagt E.J. heel triest. 'Ik heb het echt aan niemand verteld. Om dat te laten gebeuren, zou iemand me moeten martelen.'

'Breng me niet op een idee.' Natuurlijk ben ik heel boos omdat hij zijn mond voorbij heeft gepraat, maar ik voel ook dat hij van streek is. E.J. raakte in paniek toen hij Sam op die achterbank zag zitten. Dat is alles. Normaal gesproken houdt hij zijn lippen stijf op elkaar. Ik duw zijn pet van zijn hoofd, zodat hij zich moet bukken en zijn betraande ogen kan afvegen zonder dat ik dat zie. Dan maak ik de winkeldeur open en zeg: 'Hoor je dat?'

E.J. schudt heftig zijn hoofd.

'Wil je me vertellen dat je de koeien die die melk hebben geleverd niet luid hoort loeien?'

'Shen…'

'Hou je mond en kom naar binnen, idioot.' Ik geef hem een trap tegen zijn achterste. 'Natuurlijk geloof ik je.'

24

Slidell's had al tien minuten dicht moeten zijn.

De bruine bar met krukken van rood vinyl loopt langs de rechtermuur van de winkel. Alleen boven de grill brandt nog een lamp, maar ik kan de paden tjokvol zeep en kruiken en kleurboeken en pennen en alles wat je verder nodig zou kunnen hebben, nog zien. Achter in de winkel zit meneer Slidell altijd op een kruk om zijn pillen te verstrekken. Hij is een mopperpot. Volgens Vera komt dat doordat hij te lang met zijn echtgenote is getrouwd. Dát kan ik begrijpen. Sara Jane Slidell is de penningmeester van de Ladies Auxiliary. Ze deed altijd haar uiterste best mama laatdunkend te bejegenen en refereerde aan haar als 'het grietje uit het noorden'. Mama leek het niet zo erg te vinden wanneer mevrouw Slidell onbeschoft tegen haar deed, maar mij stak dat wel. (Het kan zijn dat ik op een avond een doos met onkruidverdelger in haar rozentuin heb leeggestrooid. Ik zeg niet dat ik dat echt heb gedaan, maar het zou kunnen. Twee keer.)

E.J. en ik aarzelen bij de voordeur, niet precies wetend wat we moeten doen. We zijn hier nooit eerder geweest wanneer de winkel verder leeg was. Gewoonlijk is het er druk, zeker bij de balie waar je een lunch kunt bestellen. Toen papa nog als rechter werkte, kwam hij wanneer de klok van Saint Pat twaalf had geslagen bijna altijd naar huis om te controleren waar mama was. Daarna ging hij hier weer heen om zich te voegen bij de andere leden van de Herenclub die traditiegetrouw in Ginny's Diner ontbijten en elkaar om twaalf uur bij Slidell's weer treffen voor de lunch. Daardoor kent Vera de Edelachtbare persoonlijk. Ze serveert hem zijn tonijn op toast, zonder augurken, zonder chips.

Vera maakt de balie schoon met een geruite blauwe theedoek en roept: 'Waar wachten jullie op? Een gegraveerde uitnodiging?'

Vera is achtentwintig jaar oud, maar ze ziet er jonger uit door de rozige huid die roodblonde vrouwen vaak hebben, de sproetjes op haar neus en haar felblauwe ogen. Tegenwoordig kan ze heel goed koken, maar Beezy heeft me verteld dat ze vroeger de matrozen aangenaam bezighield in Norfolk, waar zich de grootste marinebasis ter wereld bevindt. Uiterlijk lijkt Vera hard, maar vanbinnen is ze heel teerhartig. Net als Woody en mama houdt ze van dieren. Thuis heeft ze een papegaai die Sunny Boy heet en in een smeedijzeren kooi woont. Hij kan 'Ahoi, matroos. Spring aan boord' roepen, en nog een paar andere dingen die ik niet mag herhalen. Vera heeft Woody en mij verteld dat ze van Norfolk naar Lexington is verhuisd om 'een frisse start te maken'. Nu werkt ze in Slidell's en zingt ze in het kerkkoor. Daar zijn mama en zij bevriend geraakt. Ze hebben elkaar leren kennen toen ze *Amazing Grace* zongen. De dames van de Auxiliary Ladies vinden Vera ook niet aardig, maar hun echtgenoten denken daar heel anders over. Die laten hun sleutels aan de verkeerde kant van de balie vallen en kijken naar haar benen wanneer ze zich bukt om ze op te rapen. Grootvader zegt dat Vera is gebouwd als 'een bakstenen schijthuis'.

Er zijn enkele krullen uit haar haarnetje ontsnapt en haar rode nagellak schilfert. 'Waarover ging dat gedoe met de sheriff en Sam?' vraagt ze terwijl ze de twee milkshakes neerzet.

Ik kan E.J. niet aankijken terwijl ik zeg: 'Iemand heeft de sheriff verteld over de vriendschap tussen mama en Sam.' (Ik ben er niet zeker van of Vera weet dat haar goede vriendin dood is. Waarschijnlijk wel, omdat ze ook heel goed bevriend is met Beezy, maar tenzij zij er iets over zegt zal ik haar niet vertellen dat mama is overleden. Dat zou gemeen zijn.) 'Hij heeft Sam meegenomen om hem te ondervragen over haar verdwijning.'

'O, mijn hemel!' reageert Vera heel geschrokken. De lijntjes tussen haar ogen lijken haar eerste initiaal: een V. 'Dat verandert de zaak.'

Ik zuig aan het rietje en zeg dan: 'Niet echt. Het zal wel gewoon een routinekwestie zijn.' Dan krijg ik opeens een echt beroerde gedachte. Stel dat de sheriff ook weet dat mama dood is? Omdat ik vele uren in de rechtszaal van mijn vader heb doorgebracht, weet ik dat hij in eerste instantie aan een misdaad zal denken. Daar kunnen wetshandhavers niets aan doen. Die zijn achterdochtig geboren. Daarom gaan ze bij de politie en worden ze geen dichter. Ja, de sheriff zal beslist aan moord denken. Voordat papa ons televisietoestel het raam uit smeet, was *Mannix* mijn favoriete programma. Als er in die serie mensen vermist raakten, kwamen ze nóóit meer levend thuis. Joe Mannix zocht en zocht, maar die vermiste dierbaren werden altijd doodgeschoten in een steeg gevonden, of ze waren op een bank in een park doodgestoken of ze waren in hun slaap de verstikkingsdood gestorven – de manier waarop Yolanda Merriweather door haar echtgenoot Jimmy naar de andere wereld was geholpen.

Als een echtgenote wordt vermoord lijkt dat bijna altijd door haar echtgenoot te zijn gebeurd, maar dat heeft papa mama niet aangedaan. Mijn vader heeft bij zijn installatie op de Bijbel gezworen de wet te handhaven en die niet te overtreden, hoe boos hij ook kon worden op zijn eigenzinnige vrouw. De Edelachtbare kon naar haar uithalen en haar zelfs een trap geven, maar hij zou haar nooit van het leven beroven.

Maar als ík dacht dat mama niet kon zijn vermoord, dacht de sheriff daar misschien ook zo over. Niet ten aanzien van papa, maar ten aanzien van Sam. Andy Nash of wie dan ook in deze stad zou nóóit aan de mogelijkheid denken dat mijn vader in staat was mijn moeder naar de andere wereld te helpen.

Vera zoekt in de zak van haar schort en haalt er een pakje Pall Mall uit. Ze schudt er een sigaret uit, tikt ermee op haar duim en krijgt een lucifer niet meteen aan. Ze plukt een stukje tabak van haar tong en zegt: 'Shenny, ga nu maar snel naar huis, zoals de sheriff je heeft opgedragen. Waar is Jane Woodrow eigenlijk? Ik geloof niet dat ik jullie ooit zonder elkaar heb gezien.'

'Zij is in het fort. Door de honger was ze te zwak om met me mee te gaan.' De rode Coca-Cola-klok laat me weten dat het kwart over negen is. Ik heb mijn zus al anderhalf uur alleen gelaten en Vera heeft gelijk. Ik ga vrijwel nooit zonder haar ergens heen. Het voelt eigenaardig maar niet heel beroerd aan. Ik hou met heel mijn hart van haar, maar in haar gezelschap heb ik elke minuut van de dag het idee in een Mixmaster te zitten. 'Zou je twee van je beroemde sandwiches met ei en sla voor me willen klaarmaken?' E.J. geeft me een harde por in mijn ribbenkast. 'Maak er daar maar drie van. Een met extra mayonaise. Om mee te nemen.'

Vera legt haar sigaret op de asbak van goudkleurig metaal en zegt: 'Drie sandwiches, een met extra mayonaise. Ze komen eraan.' Ze bukt zich om het beleg uit de koelkast te pakken en ik zie haar schouders trillen. Zoiets heeft Woody soms ook. Ik heb altijd het idee gehad dat ze dan haar uiterste best doet iets binnen te houden dat per se naar buiten wil komen. Zoiets als een krachtmeting met jezelf.

'Vera?' Ze kijkt naar me via de spiegel achter die balie, die ze gebruikt om de klanten in de gaten te houden. Het kost haar moeite naar mij te blijven kijken. Ik wil haar een klopje op haar rug geven. Het maakt je zenuwachtig een vrouw die een tatoeage van Anchors Away op haar biceps heeft laten aanbrengen in tranen te zien uitbarsten. 'Wil je ons soms iets vertellen?'

Ze haalt haar neus op, doet de sandwiches in een zak en legt die voor me neer. 'Het gaat om je mama, Shen,' zegt ze met dat stevige accent van haar. 'Ik was al een tijd van plan...' Ze weet niet wat ze met haar handen moet doen. Ze houdt ze bij haar hals en bij haar haren, en dan slaat ze ze ineen. 'Heeft je moeder je ooit verteld dat ze... van plan was om... O, verdorie.'

Misschien had Vera de sheriff over Sam en mama verteld en wil ze nu schoon schip maken.

'Er is iets wat je moet weten,' zegt ze. 'Evie... je moeder... was van plan je vader te verlaten.'

Dat weet ik al. 'Toen mama... Weet je of ze van plan was Woody en mij te vragen met haar mee te gaan?' vraag ik met een heel klein stemmetje. Hoewel mijn moeder dood is, is het voor mij erg belangrijk te weten dat ze niet van plan was te vertrekken zonder haar tweeling te vragen met haar mee te gaan.

'Je moeder had haar vertrek al maanden voorbereid,' zegt Vera, alsof ze mijn vraag niet eens had gehoord. 'Tot in de kleinste details. Ze zou via de steppingstones de kreek oversteken, en jouw mama, E.J., zou de auto van de Calhouns lenen om Evie naar het busstation te brengen.' Ze probeert een papieren servetje uit de houder te pakken om dat als zakdoek te gebruiken, maar dat kost haar moeite. Ze geeft het uiteindelijk op en gebruikt haar mouw om haar drupneus af te vegen. 'Ik heb er heel vaak over nagedacht, en ik weet werkelijk niet wat er is misgegaan.'

Ik weet hoe zij zich voelt.

'We bleven allemaal hopen dat we iets van haar zouden horen,' zegt Vera.

Net zoals ik. Totdat mijn vader me die avond in het bos meedeelde dat het hem speet dat het zo was gelopen.

Hoewel ik in die tijd tegen mijn moeder zou hebben gezegd dat ik papa niet alleen kon laten omdat ik zijn meisje was, zou het veel verschil hebben gemaakt als ze het me had gevraagd. Ik vraag Vera nogmaals, luider nu: 'Was mama van plan Woody en mij te vragen met haar mee te gaan?'

'Natuurlijk, snoes.' Vera drukt haar sigaret uit en geeft mij een klopje op mijn hand. 'Heb je haar briefje dan niet gekregen?'

'Welk briefje?'

'Je mama zou een briefje voor jullie achterlaten. Een heel mooi briefje. Evie wist hoeveel jullie van je vader hielden – en met name jij, Shenny – maar ze was er zeker van dat je, als je haar briefje eenmaal had gelezen...' Ze zwijgt en glimlacht vaag, zoals je dat bij een leuke herinnering kunt doen. 'Ik had aangeboden jullie meisjes naar haar toe te brengen zodra dat kon, maar je moeder wilde dat Sam dat zou doen. Zij vond het beter wanneer een familielid dat deed.'

Onze monden vallen open. Sam? Een familielid? Waarom zei ze dat? Wat was er mis met... O, die arme schat. Lange dagen maken om de lunch te serveren. Die frituurpannen kunnen heel heet worden. Vera is door alle hitte ernstig uitgeput geraakt. Bootie Young heeft me verteld dat zijn vader een keer te lang onder een brandende zon had gewerkt en dat zijn mama toen had gezien dat hij probeerde een van de stieren te melken.

'Vera, wat jij nodig hebt is rust en ontspanning,' zeg ik met de stem die je gebruikt als je met zieke of verminkte mensen te maken hebt. Ik laat me voorzichtig van mijn kruk glijden. Ik zal naar de telefoon lopen, dokter Keller bellen en hem vragen zo snel mogelijk hierheen te komen. 'Je weet toch dat Sam onze vriend is en geen familielid? Je bent een beetje in de war.'

Ze heft haar handen ten hemel. 'Zoals ze bij de marine zeggen, is de torpedo nu afgeschoten en heeft het geen zin te doen alsof dat niet zo is.' Vera loopt achter de toonbank vandaan en duwt me terug naar mijn kruk. 'Je zult willen zitten bij wat ik je nu ga vertellen, en dat wil ik ook. E.J., schuif een kruk op.' Ze gaat tussen ons in zitten. 'Lang geleden, toen Beezy nog een meisje was, heeft ze bij je grootvader gewerkt om zijn huis schoon te maken, Shenny.'

Wat heeft Beezy nou te maken met de opmerking dat Sam familie van ons was? Vera wordt met de seconde verwarder. Ze heeft echt hulp nodig. Is het telefoonnummer van de dokter 4563 of 4653?

'Ze was toen nog niet met Carl getrouwd, en dus werd ze ook nog niet Beezy Bell genoemd,' gaat Vera door. 'Ze was de arme en aantrekkelijke juffrouw Elizabeth Hortense Moody, en Gus Carmody was een rijke en heel knappe jongeman.'

Ik weet ook niet wat dit ermee te maken heeft, maar wat ze zegt is waar. Die oude mafkees is niet altijd zo lelijk geweest. Oma Ruth Love heeft veel foto's van hem in een fotoalbum met op de kaft DE GOEDE OUWE TIJD. Hoe erg ik het ook vind het te moeten toegeven, Vera heeft gelijk. Grootvader wás knap om te zien.

'Ik heb de klanten vaak horen opmerken dat Gus een echte charmeur was,' zegt ze.

'Dat heb je dan verkeerd gehoord,' zeg ik nijdig. 'Mijn grootvader is ongeveer even charmant als een begrafenis.'

'Dat kan dan nú misschien zo zijn schatje. Maar toen? Ze zeiden dat je grootvader iedereen met zoete woordjes kon inpakken.'

Ik probeer E.J. te wijzen op de snel verslechterende geestelijke gesteldheid van Vera door me naar achteren te buigen en krachtig tegen mijn slaap te tikken. Hij hangt echter zo aan haar lippen dat hij dat niet ziet. Omdat hij een man uit de bergen is, is hij dol op sterke verhalen.

'Wat is er toen gebeurd?' vraagt E.J., die op het puntje van zijn kruk zit.

'Hmm.' Vera kijkt naar E.J. en naar mij, haar krullen dansen. 'Ik weet niet veel van kinderen af. Zijn jullie oud genoeg om te weten hoe baby's worden geboren?'

'Ja,' zeggen E.J. en ik. Hij heeft een geit geholpen bij het krijgen van lammetjes, en toen heb ik toegekeken.

Vera zwijgt nog even nadenkend en zegt dan: 'Toen Beezy jong was, was ze ontzettend verliefd op Gus Carmody.'

'Wat zeg je?' reageer ik hevig geschrokken. Dit bewijst dat ze gek is geworden. In mijn hele leven heb ik nog nooit zoiets idioots gehoord.

Vera negeert me. 'En als twee mensen het heet krijgen en zo... dan doen ze het.'

'Wat doen ze dan?' vraagt E.J.

'Dan maken ze de oester open,' zegt Vera.

E.J. kijkt even stomverbaasd als ik.

'Dan spelen ze het spelletje van de twintig tenen.' Vera krijgt duidelijk niet de reactie die ze van ons had verwacht. Dan zegt ze met een stem die in de lange paden weergalmt: 'Beezy en Gus hebben ontucht gepleegd.'

Uit E.J.'s neus spuit limonade en ik spring van mijn kruk af. 'Dat is walgelijk en... en onsmakelijk en... Vera! Wat is er met jou aan de hand? Beezy zou nooit met grootvader dollen. Jij bent haar vriendin. Je weet hoe erg ze hem haat. Jij hebt het duidelijk heet. Ik ga nu meteen dokter Keller bellen.'

'Nadat Gus van haar had gekregen wat hij wilde hebben,' gaat Vera door, 'heeft hij haar de rug toegekeerd. Hij heeft haar, ondanks haar toestand, het huis uit gesmeten.'

Met 'toestand' bedoelt Vera natuurlijk dat Beezy zich verdrietig en stom voelde vanwege iets wat hij haar had aangedaan. Grootvader kan mij ook in die toestand brengen. Maar dat verklaart nog altijd niet haar eerdere geschifte opmerking over Sam. 'Zelfs als dat alles waar is, wat heeft dat dan te maken met die opmerking van jou dat Sam een familielid van me is?'

Vera draait haar kruk mijn kant op, buigt zich dicht naar me toe en zegt: 'Shenny, jij hebt aardig wat in je mars. De gelijkenis tussen je vader en Sam moet je zijn opgevallen. Hun haakneuzen, dezelfde karamelkleurige ogen. Hun belangstelling voor het handhaven van de wet?'

Ik ben bang dat ze te veel waarde hecht aan mijn observatievermogen.

'Ik probeer je te vertellen… wat ik bedoel te zeggen is…' Ze zwijgt, alsof ze zich heeft bedacht.

'Wat, Vera?' Ik wil dolgraag weten wat haar oververhitte geest duidelijk wil maken. 'Zég het.'

'Even wachten.' Vera haalt drie rollen Rennies uit de zak van haar schort en legt die op de toonbank. Dan zegt ze: 'Sam Moody is het buitenechtelijke kind van Beezy en jouw grootvader. Sam is… jouw oom, Shenny.'

25

Vera had gezegd dat ze ons een lift naar huis zou geven als we wachtten tot ze de winkel had gesloten. Ik had haar voor dat aanbod bedankt en gezegd dat we nog even ergens een stop moesten maken. Daarna waren E.J. en ik Slidell's uit gerend voordat ze kon beginnen aan een gedetailleerd verslag over hoe Sam mijn oom was geworden.

Mijn halfoom, in feite.

Nu weet ik waarom Beezy mijn grootvader net zo haat als ik. Zij is degene over wie ze het hebben als ze zeggen dat geen woede groter is dan die van een afgewezen vrouw.

Waarom ben ik daar niet eerder achter gekomen? Aanwijzingen waren er genoeg. Toen we een keer via Mudtown vanuit de kerk naar huis reden, minderden we vaart voor het huis van Beezy. Woody en ik staken een arm uit het raampje en brulden: 'Een goede morgen.' Mijn grootvader draaide zich naar oom Blackie toe, die bijna nooit naar de kerk gaat omdat hij geen geweten heeft dat een poetsbeurt behoeft. Daarom herinner ik me die rit. 'Zie je dat, zoon?' zei hij. 'Er is nu niet veel meer van haar over, maar vroeger was er niks mis met haar. Benen als een notenkraker.' (Dat grootvader iets aardigs zei over een kleurling was zo ongewoon dat Woody en ik het er later over hadden. Zij kwam tot de conclusie dat hij Beezy een compliment moest hebben gemaakt omdat hij net een mis had bijgewoond, en dat leek er een redelijke verklaring voor.)

Verder voelen Woody en ik ons op een natuurlijke manier verbonden met Sam. Dat was een andere aanwijzing. Net als het feit dat Beezy ons behandelt alsof we familie zijn. Ik dacht dat ze zo vriendelijk tegen ons deed omdat ze op Lilyfield voor ons had gezorgd toen we nog heel klein waren, maar er komt veel meer bij kijken. Woody en ik zijn een soort kleinkinderen voor haar.

Ik ben niet boos op Beezy omdat ze mij en mijn zus niets heeft verteld over dat uitwisselen van spuug met grootvader Gus. Ik weet waarom ze het ons nooit op een van die zwoele avonden op haar veranda heeft verteld wanneer er allerlei geheimen boven tafel kwamen. Ze was bang dat Woody en ik dan slecht over haar zouden denken. Ik moet toegeven dat ik dat nu een beetje doe. Oesters met onze grootvader openen, toont gebrek aan smaak van haar kant. Bovendien heeft hij haar er waarschijnlijk ingeluisd. Hij heeft met Beezy precies hetzelfde gedaan als Blackie met Louise Jackson. Die mannen lijken gewoon te weten wat ze tegen een meisje moeten zeggen om haar te laten doen wat ze willen. Zeker grootvader, die veel meer ervaring heeft. Oma vergelijkt onze stad met Sodom en Gomorra, en ik begin te begrijpen waarom. Is ze op de hoogte van die stoeipartij in het verleden van grootvader en Beezy? Of is het mijn grootvader gelukt dat geheim te houden, net als alle andere rotstreken van de Carmody-mannen?

Terwijl E.J. en ik snel langs Elmo's Bar lopen, horen we mannen lachen. We horen ook muziek uit de jukebox komen, en het geluid van tegen elkaar tikkende biljartballen. En we ruiken de verlokkelijke geur van hamburgers.

Ik heb zo'n honger dat mijn maag denkt dat mijn keel is doorgesneden, en voor Woody moet hetzelfde gelden.

Ik zou het niet oké vinden zonder haar te eten, dus geef ik E.J. zijn sandwich en laat de andere twee in de zak zitten. 'We moeten haast maken,' zeg ik als we Main Street in lopen.

'Is alles in orde met jou?' vraagt E.J. 'Ik doel op wat Vera ons net heeft verteld over jouw grootvader, Beezy en Sam.'

'Dat denk ik wel.' Het stoort me dat Sam ons geen deelgenoot heeft gemaakt van het geheim en ik ben geschokt, maar echt erg vind ik het niet. Als ik het Woody vertel, zal haar dat een grote grijns kunnen ontlokken. Misschien gaat ze dan zelfs wel weer praten. Zo opgetogen zal ze zijn. Ik neem aan dat E.J. eveneens enthousiast is over ons zojuist gevonden familielid. Als hij met Woody trouwt, zal Sam ook zijn oom worden. Maar hij kijkt op dit moment niet zo gelukkig en dus zeg ik: 'Een dubbeltje voor je gedachten.'

'Ik heb geen dubbeltje.'

Als ik niet zo uitgeput was geweest, had ik hem uitgelegd wat ik daarmee bedoelde. Nu vraag ik: 'Waar denk je aan?'

'Aan jouw moeder.'

'Ik ook.' Ik wou dat ik het briefje had kunnen lezen dat ze voor Woody en mij had achtergelaten. Vera had gezegd dat het mooi was. Zodra alles weer wat rustiger is geworden, zal ik er nog harder naar op zoek gaan. Sam heeft me steeds naar dát briefje gevraagd.

'Stel dat de sheriff denkt dat Sam iets te maken had met de… de je weet wel van je moeder?' vraagt E.J. wanneer we het smalle steegje achter de winkels aan Main Street in lopen.

Het verbaast me meer dan sneeuw in augustus dat hij dat heeft bedacht. Misschien onderschat ik mijn handlanger soms wel. 'Ongeacht wie de sheriff verteld heeft dat Sam iets te maken had met de dood van mama… In juridische termen heet dat informatie uit de tweede hand,' leg ik uit. 'Nash kan iemand niet arresteren op grond van geruchten. Dan zou de hele stad in de gevangenis zitten. Hij heeft een onomstotelijk bewijs nodig.'

'Zoals?' vraagt E.J.

Ik denk terug aan de zaken die ik in de rechtszaal van mijn vader en in afleveringen van *Mannix* heb gezien. 'Zoals wanneer er iets van mama bij de Triple S was gevonden. Iets wat op een misdaad zou wijzen.' Dat maakt me aan het rillen. Stel dat mama een van haar bezittingen bij Sam had achtergelaten? Misschien zouden E.J. en ik daar snel naartoe moeten gaan om er een kijkje te nemen. Nee, dat is dwaas. Mama was niet zo stom als papa zei. Voordat we teruggingen naar de roeiboot controleerde ze altijd twee keer of ze alles wat ze mee had genomen weer bij zich had.

Ik blijf staan en zeg tegen E.J.: 'We zijn er.'

De onderste helft van de maan glimlacht heel lief, maar geeft niet voldoende licht om ons te helpen ons een weg te banen door de troep in de achtertuin van What Goes Around Comes Around. Ik moet mijn zaklantaarn aandoen. Een schurftige kat zit zich op een bank zonder kussens te wassen. Er staan stoelen op elkaar gestapeld en daartegenaan staan roestende borden die mensen op de snelweg vinden en naar de eigenaresse van de winkel – Artesia Johnson – brengen. Door de knipoog die ze me tijdens de mis geeft, weet ik dat ze het achterraam van de winkel niet op slot doet, zodat ik mama's spullen af en toe op kan zoeken. Onder het vet van juffrouw Artesia klopt een groot hart. (Ze is zwaar gebouwd. Zij zal je zeggen dat dat door haar klieren komt, maar je hoeft tijdens een door de kerk georganiseerde picknick alleen maar een plaid met haar te delen om te weten dat elk pondje door het mondje gaat.)

'Geef me een zetje,' zeg ik tegen E.J. Ik doe mijn gympen uit en zet mijn voet op zijn handen.

Met een flinke zet ben ik al half door het achterraam en wurm me er dan helemaal doorheen.

De winkel is 's avonds veel griezeliger dan overdag, en zelfs dan krijg ik er al de kriebels van. Het komt door de etalagepoppen. Die hebben geen gezicht. Een ervan draagt een mooi rood, wit en blauw jack. Ik denk dat ik dat ook zal meenemen voor Woody. Ze zal zo opgewonden zijn als ik haar vertel dat we er een nieuw familielid bij hebben. Ik moet waarschijnlijk wel een stom musicalliedje zingen om dat te vieren. Of een patriottisch deuntje, omdat we nu onze eigen Uncle Sam hebben.

Overal in de winkel staan eettafels en kaarttafels vol afgedankte spullen. Eierklutsers naast mohair truien. Portemonnees met kraaltjes op typemachines waaraan toetsen ontbreken. De antieke sieraden en andere kostbare voorwerpen zijn opgeborgen in een vitrine. Ik zie een van de knopen van een soldaat van de Zuidelijken die Clive Minnow met zijn metaaldetector had gevonden. Ik heb zijn begrafenis gemist omdat Woody en ik toen in het fort zaten en om mama rouwden. Ik zal die knoop ook lenen. Zoiets kleins zal juffrouw Artesia niet missen. Wanneer alles hier weer tot rust is gekomen, zal ik hem meenemen en in de aarde op het graf van Clive stoppen. Dat zou hij fijn vinden.

Aan een hangertje recht boven de vitrinekast hangen sjaals. De derde van links is een van mama's sjaals. Ik heb ze nooit allemaal tegelijk naar het fort meegenomen omdat dat me te definitief leek. Door ze hier te laten kon ik doen alsof mama, Woody en ik op een dag de rest zouden gaan halen. Ik schuif de sjaal van het hangertje en druk hem tegen mijn neus, maar mama's geur is allang verdwenen. De roze chiffon ruikt nu naar spaghetti en gehaktballen: de favoriete gerechten van juffrouw Artesia. Dat zal Woody niets kunnen schelen. Ze zal gewoon blij zijn iets van mama te hebben, en het is bovendien een Italiaanse sjaal.

'Shen!' roept E.J. door het achterraam. Het klinkt als 'Then!' Hij is waarschijnlijk aan zijn sandwich begonnen. 'Maak dat je wegkomt. Er komt iemand aan.'

Waarschijnlijk juffrouw Johnson, die zich had herinnerd dat ze was vergeten de lamp boven de kassa uit te doen. Dat is niet erg. Het kan me niets schelen dat ze me tussen haar spullen ziet snuffelen. Het geeft me de gelegenheid haar te bedanken voor haar geduld en haar begrip. Bij de achterdeur hoor ik gerinkel en dan geratel. Alsof het haar moeite kost de sleutel in het slot te krijgen. Dan gaat de deur open en wordt vervolgens met een klap weer gesloten.

'Hallo juffrouw Artesia,' roep ik haar kant op, om haar niet te laten schrikken. 'Niet bang zijn. Ik ben het, Shenny Carmody. Ik ben alleen iets komen ophalen voor mijn zus. Ik zal u er later voor betalen.'

Het is echter niet Artesia Johnson die uit de donkere hal achter de winkel tevoorschijn komt en heel vergevingsgezind kijkt. Er staat iemand anders in het licht van mijn zaklantaarn.

Het is Curry Weaver.

26

Curry heeft nog het gesteven blauwe shirt en de kakibroek aan die hij droeg op het kermisterrein toen ik hem heel verhit iets met Sam en de sheriff zag bespreken. Hij ziet er keurig uit voor iemand die net uit de Colony is ontslagen. Gewoonlijk zien de zwervers die uit dat ziekenhuis komen eruit als 'Het wrak van de Hesperus'. In zijn donkere haar zit links een scheiding en het glanst door het vet. Zijn kleine bovenlip is nu voorzien van een snorretje en op zijn kin prijkt een sikje.

'Hallo!' zeg ik, alsof ik hem tegen het lijf ben gelopen bij het doen van onze dagelijkse boodschappen. 'Wat zie jij er mooi uit.'

'Hallo Shenny,' zegt Curry.

E.J. komt achter hem tevoorschijn. Er kleeft salade aan zijn mondhoeken.

Mijn hersenen, die het even lieten afweten toen ik Curry zag, beginnen weer op volle toeren te draaien. Eerst is hij in Buffalo Park, dan is hij bij Beezy en nu is hij hier. Wat heeft dat te betekenen? O, ik begrijp het al. Hij heeft waarschijnlijk E.J. en mij bij het huis van Beezy gezien. Hij is vast achter ons aan gegaan om ons een standje te geven omdat we hem en haar bespioneren. 'Luister,' zeg ik. 'Het spijt ons echt dat we probeerden stiekem bij het huis van Beezy te komen. Het was niet onze bedoeling jou te storen tijdens je bezoek aan haar. Morgen zal ik haar vertellen hoe...'

'Dat is niet de reden waarom ik hier ben,' zegt hij.

'Oké.' Ik kijk naar E.J. en hij lijkt even perplex te zijn als ik. 'Waarom ben je hier dan wel?'

'Ik dacht dat jullie wel graag zouden willen weten dat de sheriff klaar is met het ondervragen van Sam over de verdwijning van je moeder,' zegt hij. Ik zet een stap dichter naar hem toe. E.J. lijkt kleiner dan normaal naast Curry, die zijn nieuwe kleren op de Extra Large-afdeling van de een of andere winkel moet hebben gekocht. Dat is eigenaardig. Ik geloof niet dat zwervers gewoonlijk winkelen. Ik dacht dat ze het merendeel van hun spullen uit vuilnisbakken halen, maar de kleren die Curry draagt zijn echt fraai.

'Hoewel ik het waardeer dat je ons dat bent komen vertellen, begrijp ik het niet. Wat kan het jou nou schelen wat mijn mama en hij... Ik wil niet onbeschoft zijn of zo, maar wat heeft iets wat zich in deze stad afspeelt met jou te maken? Je verblijft hier tijdelijk. Je bent een... een zwérver.' Zodra ik dat heb gezegd besef ik dat ik hem eigenlijk nog nooit onduidelijk heb horen praten en dat zijn tanden niet wegrotten. 'Dat is toch zeker zo?'

'Niet helemaal.' Curry steekt een hand in de achterzak van zijn broek en haalt er een portefeuille van zwart leer uit. Die klapt hij open en hij laat een badge zien. In zilverreliëf staat daar RECHERCHE op.

O, mijn hemel. Hij is geen schrijver. Hij is ook geen soldaat die deserteert. Hij leeft niet bij spoorbanen. Hij heet niet eens Curry Weaver. Hij heet Anthony Joseph Sardino en hij is politieman. Rechercheur. Net als zijn broer Johnny: de overleden partner van Sam.

'Sorry dat ik het jullie niet eerder kon vertellen, maar ik werk undercover,' zegt Curry.

'Underwát?' zegt E.J.

'Dat betekent dat Curry alleen doet alsof hij een zwerver is, terwijl hij belangrijke feiten verzamelt,' zeg ik. Ik had dat in *Mannix* zien gebeuren, en in dat andere programma met Peggy Lipton dat *The Mod Squad* heette. Die werkten voortdurend undercover.

'Waarom werk je undercover?' vraag ik aan rechercheur Sardino.

'Sam is gearresteerd.'

'Waarvoor?' Ik slik.

'Moord met voorbedachten rade.'

E.J. en ik pakken elkaar vast.

Het zaad waarover ik me zorgen heb gemaakt is ontkiemd. De politie van Decatur moet eindelijk een bewijs hebben gevonden dat Sam Stompie of De Made had gedood: de man die zijn partner bij de politie had vermoord. Curry is gekomen om Sam te arresteren voor de moord op die gemene boef.

Ik weet zeker dat deze agent het niet erg vindt dat Sam de crimineel die zijn broer heeft vermoord heeft doodgeslagen. Nee. Dat moet hij toch prima vinden. Inspecteur Sardino neemt het Sam waarschijnlijk kwalijk dat hij niet voor de veiligheid van zijn broer had gezorgd, wat een partner wordt geacht te doen. Hij is gekomen om de rekening te vereffenen. Curry zal Sam in de boeien slaan en hem meeslepen naar Decatur, waar hij terecht moet staan. Het kan zijn dat Sam schuldig wordt bevonden en de gevangenis in moet, net zoals zijn moeder nadat ze haar echtgenoot naar de andere wereld had geholpen. Dat denk ik wanneer ik op de etalageruit WHAT GOES AROUND COMES AROUND zie staan.

Snel zeg ik tegen Curry: 'Voor het geval je het niet weet...

Sam is nog heel verdrietig omdat hij je broer niet in bescherming heeft kunnen nemen tegen die slechte man die hem heeft doodgeschoten. Als ik "Johnny" of "*arrividerci*" zeg, gaat zijn adamsappel als een gek op en neer.' Ik vind het verschrikkelijk dat ik zo stom ben geweest om in het kamp te praten met Curry of Anthony of hoe hij dan ook mag heten. Ik weet dat ik zulke mensen niet moet vertrouwen. Hij stelde me te veel vragen en die heb ik, idioot die ik ben, beantwoord. Ik dacht dat hij eenzaam was of probeerde een beetje contact te krijgen met een meisje wier vader de belangrijkste rechter in Rockbridge County is. Ik had zelfs een tijdje gedacht dat hij het over mij zou hebben in het boek *Een zwerver zoals ik,* dat hij aan het schrijven was. Maar hij wilde me alleen informatie over Sam ontlokken, zoals hij dat ook bij anderen had geprobeerd. Vera had me verteld dat hij in de telefooncel bij het gerechtsgebouw had staan bellen. Ik durf erom te wedden dat Dagmar Epps hem ook het een en ander heeft verteld. Bij het kampvuur deden ze heel kameraadschappelijk tegen elkaar.

En hoe zit het met Woody? Ik moet teruggaan naar het fort en haar vertellen dat deze man, die zij zo aardig vindt, geen mondharmonica spelende zwerver is maar een politieman met een badge. En dat hij op het punt staat haar nieuwe oom Sam Moody van haar af te pakken. Dat kan ik niet laten gebeuren. Ze zou het niet kunnen verdragen nog iemand te verliezen van wie ze houdt.

'Neem Sam alsjeblieft niet mee,' zeg ik smekend tegen Curry. 'Zoals je weet hebben we onze moeder al verloren.' Ik heb hem niet verteld dat ze dood is. Dat zal ik doen als dit niet werkt. 'Kun je het verleden niet laten rusten?' Ik denk dat hij katholiek is. Hij is een Italiaan, net als de paus. 'Weet je nog wat Jezus heeft gezegd over je vijanden vergeven?'

Als ik begin te snuffen pakt rechercheur Sardino een theedoek van de tafel naast hem en drukt die zacht in mijn smekende handen. Hij heeft haren op zijn knokkels. 'Shenny, je hebt het helemaal mis,' zegt hij. Zijn persoonlijkheid lijkt nu ook anders dan toen hij nog gewoon een zwerver was. Hij is nog steeds aardig, maar wel zakelijker. 'Ik ben hier niet om Sam te arresteren voor de moord op Buddy DeGrassi.'

'O nee?' Ik snuit mijn neus. *Buddy*? Die naam lijkt niet gevaarlijk genoeg voor een man die Sams partner zo koelbloedig heeft vermoord. 'Weet je dat zeker?'

De ogen van Curry glinsteren nu. 'Ja.'

Is dit nog een van zijn undercoverleugens? 'Dan...'

'Wacht even.' E.J. toont zijn moed als man uit de bergen. 'Als jij hier niet bent om Sam te arresteren, waarom is hij dan toch gearresteerd? Wie wordt hij geacht met voorbedachten rade te hebben vermoord?'

Ik weet het. Ik heb het uitgedokterd. Omdat Curry heel meelevend naar me kijkt, weet ik dat hij weet dat ik het weet. Zacht zegt hij: 'De moeder van Shenny.'

E.J. draait zich snel naar me toe en schreeuwt: 'Je hebt tegen me gezegd dat de sheriff een onomstotelijk bewijs nodig had.'

'Is dat dan niet zo?' vraag ik met trillende stem aan Curry.

'Er is bij Sam iets belastends gevonden,' zegt Curry. 'Iets van jouw moeder.'

'Het kan mij niets schelen wat de sheriff heeft gevonden. Dat... dat betekent alleen dat Sam en mama op vriendschappelijke voet met elkaar omgingen. Niet dat hij haar heeft vermoord. E.J., we moeten Sam meteen uit die gevangenis gaan halen.' Snel loop ik naar de achterdeur.

'Shenny, kom terug. Sheriff Nash heeft het bewijsmateriaal niet zelf ontdekt. Een jongen heeft het gevonden, het was begraven onder een grote steen in de tuin van Sam. Hij was op zoek naar wormen, om te vissen, en toen vond hij iets anders.'

'Wat dan?' vragen E.J. en ik tegelijkertijd.

'De blouse van een vrouw.'

Zonder erbij na te denken, vraag ik op dezelfde manier als een strafpleiter dat in de rechtszaal van mijn vader zou doen: 'Welke jongen heeft die blouse gevonden?'

'De jongen met wie ik jou eerder op het kermisterrein heb zien praten,' zegt Curry, die heel rustig blijft onder mijn kruisverhoor. 'Remington Hawkins.'

'Dat is geen echt bewijsmateriaal.' Ik stamp met mijn voet. 'Je hebt het over Remmy, hij haat Sam. Dat klopt toch. E.J.?'

'Voor de volle honderd procent!'

Curry zegt nog zachter: 'Shenny, er zit bloed op die blouse, en de jongen is de kleinzoon van de burgemeester. Daardoor is hij enigermate geloofwaardig.'

Ik moet nodig even gaan zitten. Dus hijs ik me op een van de kaarttafels en pak een door motten aangevreten trui vast als troost. 'Maar wat heeft dat met mama te maken? Kinderen hangen graag bij dat deel van de kreek rond. Een van die meisjes heeft waarschijnlijk te veel bier gedronken en… en is toen gevallen en heeft zich bezeerd. Dus heeft ze die blouse met bloedvlekken uitgetrokken en achtergelaten,' zeg ik, en ik ben tevreden over mijn logica. De blouse is wat mijn vader indirect bewijs zou noemen.

Curry kijkt even naar zijn voeten en dan weer naar ons. Het is me duidelijk dat hij tegen de volgende mededeling opziet en die zo lang mogelijk wil uitstellen. 'Shen, ik… je grootvader en je vader hebben verklaard dat die blouse van je moeder is.'

Ik kijk naar de plaats waar juffrouw Artesia topjes heeft hangen. Ik heb in deze winkel gezocht en nog eens gezocht naar de blouse die ze die avond op de kermis aanhad. 'Is… is hij wit en zitten er rode biesjes op de zakken?'

Dat hoeft Curry niet te bevestigen. De blik in zijn ogen vertelt me genoeg. 'Verder staan er in het dagboek van je moeder nogal sterke gevoelens verwoord.'

'Haar dagboek?' Ik herinner me hoe mijn hand in het lege bolwerk zocht. Ik dacht dat mama het dagboek ergens anders had opgeborgen, of het aan Woody had gegeven. Kon Remmy bij ons thuis hebben ingebroken toen wij sliepen? Had hij de vloerplanken losgehaald en het gestolen? 'Heeft Remmy ook het dagboek van mama gevonden?'

'Nee,' zegt Curry na een korte aarzeling.

'Wie dan wel?'

Hij wil tijd winnen. Hij kijkt in de winkel om zich heen alsof hij daar iets zoekt.

'Curry, wie heeft het dagboek van mama gevonden?'

Hij kijkt me bezorgd aan en zegt, bijna fluisterend: 'Je vader.'

'Papa heeft het dagboek van mama gevonden en dat meegenomen naar de sheriff?' vraag ik vol ongeloof. 'Weet je dat zeker?'

Was dit kortgeleden gebeurd, of heeft mijn vader het dagboek al sinds de verdwijning van mama in handen gehad? Heeft hij er 's nachts in bed in liggen lezen? Jammert hij daarom in de kleine uurtjes? Ik heb geen idee wat mama haar dagboek kan hebben toevertrouwd over Sam, maar ik weet wel dat ze heel dankbaar moet hebben vermeld dat ze een vriend had gevonden die zo aardig voor haar was. Een man die haar belangstelling voor vreemde talen en gedichten met haar deelde. Iemand die enige tijd in het noorden had doorgebracht.

'Sommige bladzijden waren eruit gescheurd, maar er waren er nog voldoende over om iedereen tot de conclusie te laten komen dat Sam en je moeder een relatie hadden die door sommige mensen ongepast zou worden gevonden,' zegt Curry.

De diploma's aan de muur van de werkkamer van mijn vader laten je weten dat hij als de beste van zijn jaar in de rechten is afgestudeerd. Hij is de slimste van alle slimme mensen. Hij zou de sheriff het dagboek van mama alleen hebben gegeven wanneer dat hem in een goed en Sam in een kwaad daglicht plaatste.

Veel erger kon dit niet meer worden.

'Je vader heeft ook een horloge als bewijsmateriaal ingeleverd,' zegt Curry. 'Het horloge dat Sam aan je moeder had gegeven.'

'Maar hoe heeft hij dat...' Blackie. Nadat hij het die avond van Lou had afgepakt, zal hij naar ons huis zijn gegaan en het aan papa hebben laten zien en toen heeft papa tegen hem gezegd dat hij het niet aan mama had gegeven. Daarna zijn ze naar de juwelierszaak van Elmer Haskall gegaan om te achterhalen wie het had gekocht. Meneer Haskall heeft zijn leesbril opgezet en zal hebben gezegd: 'Dit klokje lijkt erg veel op het exemplaar dat Sam Moody een tijd geleden heeft gekocht. Ik zal het omdraaien om daar zeker van te kunnen zijn.' Daarna heeft hij het woord *Speranza* gezien dat hij op de achterkant had gegraveerd. 'Ja, dit klokje heb ik aan Sam verkocht,' zal hij toen hebben gezegd. 'Hij zei dat hij het een dierbare vriendin cadeau wilde doen.'

Ik voel me afschuwelijk. Ik had Sam het horloge moeten teruggeven toen hij me daar om vroeg. Hoe had ik zo egoïstisch kunnen zijn? Zelfs ík moet toegeven dat het overweldigende bewijsmateriaal hem schuldig doet lijken. Maar ik heb gezien hoe teder hij naar mama keek. Zo kijkt een man niet naar een vrouw die hij wil vermoorden. Die blik ken ik ook. Ik heb hem op papa's gezicht gezien. 'Wat is volgens de sheriff Sams motief geweest om mijn moeder te vermoorden? Ik bedoel... waarom zou hij denken dat Sam haar kwaad wilde berokkenen?'

'Je vader heeft tegen sheriff Nash gezegd dat hij gelooft dat de moord op je moeder een crime passionnel was. Hij wist dat

Evie... je moeder... tijd bij Sam doorbracht om een aan alcohol verslaafde neger weer op de been te krijgen. Hij houdt vol dat Sam de vriendelijkheid van je moeder verkeerd heeft geïnterpreteerd. Toen ze zijn gevoelens niet beantwoordde, heeft hij haar in een vlaag van dronkenmanswoede vermoord.'

'Dat is niet waar!' schreeuwt E.J. 'Sam heeft meer dan twee jaar geen sterke drank meer gedronken!'

Ik ben nu ook erg van streek en ik zeg: 'En papa wist níét dat zij samen tijd doorbrachten. Hij... hij laat het klinken alsof hij er trots op was dat mama de christelijke naastenliefde beoefende, maar hij zou het haar nóóit hebben toegestaan naar de Triple S te gaan. Mijn vader... Ik weet dat ik je in het zwerverskamp heb verteld dat hij zo geweldig was en de allerbeste vader. Maar... Hij is anders dan jij denkt. Hij is anders dan iedereen denkt... Je begrijpt het niet.'

'Ik begrijp meer dan jij beseft,' zegt Curry met een merkwaardig glimlachje. Drijft hij de spot met me?

'Ik ben er zeker van dat ik niet weet wat jij begrijpt en wat je niet begrijpt. Ik kan je wel vertellen dat Sam van mama hield, maar niet op een manier die een crime passionnel tot gevolg kan hebben,' zeg ik, hoewel ik weer begin te twijfelen. Het kan zijn begonnen met vriendschap, waarna ze op een van die dinsdagmiddagen beseften dat ze meer voor elkaar waren gaan voelen. Ik kijk naar de zo gewone E.J. Zou ik op een morgen bij het wakker worden hetzelfde voor hem kunnen voelen als voor Bootie Young? Zou Cupido zo zorgeloos kunnen zijn? Schiet hij doelloos pijlen op mensen af, zonder zich af te vragen wie daardoor gewond kan raken? Misschien is dat tussen mama en Sam gebeurd. Hun liefde voor het geschreven woord is veranderd in liefde voor elkaar. Ik heb nooit een blanke vrouw en een neger – hoe licht van huid dan ook – verliefd op elkaar zien zijn. Het was al heel ongewoon dat ze vrienden waren. Nee, het klopt niet. Mama moet hebben geweten wat ik net had gehoord. Dat Sam de halfbroer van mijn vader is. Familie. Ze zou het zichzelf nooit hebben toegestaan verliefd op hem te worden, hoeveel pijlen er ook in haar hart staken.

'Sam en mama zijn familie van elkaar, Curry. Wist je dat?' vraag ik, pogend iets van zijn respect terug te krijgen. Misschien kan ik hém tijdens dit gesprek een keer iets nieuws vertellen.

'Ik weet dat Sam een halfoom van je is, Shen.'

'Dat weet je niet.' Ik wou dat ik nooit in deze stomme winkel was gekropen. Ik had meteen naar huis moeten gaan om Woody haar sandwich te geven.

'Hoe zit het met de sheriff?' vraagt E.J. Ik had gedacht dat dit alles hem boven zijn pet ging, maar hij heeft ons keurig bijgehouden. 'Gelóóft hij wat de Edelachtbare hem vertelt?'

'Natuurlijk gelooft hij dat. Ik weet dat Sam hem aardig vindt. En jij lijkt het ook goed met hem te kunnen vinden,' zeg ik tegen een verbaasd kijkende Curry. 'Maar wat jullie niet weten, is dat de sheriff niet zuiver op de graad is. Mijn vader heeft hem een vette cheque gegeven voor zijn Wees-handig-stem-op-Andy-campagne.'

Als ik dat heb gezegd, staren we elkaar aan. Uiteindelijk is Curry degene die het ijs breekt. 'Shen, we weten dat Sam je moeder niets heeft aangedaan, maar je zult moeten toegeven dat het daar wel alle schijn van heeft.'

Opeens krijg ik een geweldig gevoel. Zo'n gevoel dat ook bezit van me neemt als ik na een hele middag zoeken mijn zus weer heb gevonden. Het doet er niet toe wat mijn vader en de sheriff te zeggen hebben. Woody wéét wat er met onze moeder is gebeurd. Dat heeft papa me verteld. Ik weet niet of ze weet of iemand mama heeft gedood of dat ze alleen een ernstig ongeluk heeft gehad, maar Woody weet beslist wel dat

Sam Moody daar niets mee te maken heeft gehad. Hoewel ik mensen misschien niet al te best kan beoordelen, kan mijn zus dat wel. Als Sam onze moeder iets had aangedaan, zou Woody me duidelijk hebben gemaakt dat we uit zijn buurt moesten blijven. Dan zou ze een tekening hebben gemaakt met een schedel en gekruiste botten, of een groot rood STOP-teken boven de Triple S hebben gezet. Het kan zijn dat ik minder aandacht aan haar tekeningen heb besteed dan had gemoeten, maar zo'n tekening zou me beslist zijn opgevallen.

'Woody heeft op de avond dat mama is verdwenen iets gezien,' zeg ik tegen Curry. 'Volgens mij kan ze hebben gezien wat er is gebeurd. En is zij ooggetuige.'

Curry knikt. 'Dat vermoedde ik al.'

'Werkelijk?' Ik begin weer aan hem te twijfelen. Misschien heeft hij dit allemaal wel verzonnen. Ik weet niet waarom hij dat zou doen, maar het is mogelijk. Volwassenen halen altijd trucjes uit met onschuldige kinderen. 'Waarom heb je ons niet meteen verteld dat je politieman bent?' vraag ik.

'Zo werkt het niet, Shen. Als ik je had verteld dat ik hier was om een onderzoek in te stellen naar je... Stel dat jij of E.J. je dat per ongeluk had laten ontvallen?'

Ik voel E.J. verstijven. Hij herinnert zich wat hij bij Slidell's naar de sheriff heeft geroepen. Ik kan Curry wel begrijpen. Als ik een geheim kende, zou ik het waarschijnlijk ook niet aan ons vertellen.

Ik heb nog veel meer vragen voor Curry, maar als een van de schoorsteenklokken in What Goes Around Comes Around slaat, zegt hij: 'Het wordt al laat en morgen is voor alle betrokkenen een belangrijke dag. Ik zal jullie een lift geven naar Lilyfield.'

27

Curry zit achter het stuur van de oude bruine Pontiac van Beezy. De auto waarmee ik naar Hull's drive-in ga. De auto heeft geen airco, daarom zijn de raampjes opengedraaid. Ik herinner me de laatste keer dat ik in deze auto zat, met de stoel helemaal naar voren om bij de pedalen te kunnen. Beezy is dol op musicals, maar ook op films met vreemde wezens. De laatste waar we heen waren geweest was *Invasion of the Body Snatchers*, maar daar had ik nauwelijks naar gekeken. Ik keek het merendeel van de avond naar Woody en dacht dat dát haar misschien was overkomen. Dat ze nu een van die peulenmensen was. Dat kon ik niet uitstaan. Ik boog me dicht naar Beezy toe en fluisterde: 'Misschien is dat met Woody aan de hand. Misschien zijn er op een avond buitenaardse wezens naar het fort gekomen om haar hersenen te veranderen.'

In het donker pakte Blinde Beezy mijn hand. 'Doe niet zo raar. Woody is nog altijd Woody. Ze functioneert op dit moment alleen niet zo goed. Ruimteschepen... buitenaardse wezens... dergelijke dingen gebeuren alleen in films.'

Daar zou Clive Minnow het niet mee eens zijn geweest.

Wanneer we langs de Stonewall Jackson Begraafplaats rijden, spijt het me dat ik zijn begrafenis heb gemist. Natuurlijk mis ik mama erger, maar ik voel wroeging wanneer ik aan Clive's dwaze angsten voor het krijgen van melaatsheid of malaria denk, of als ik me herinner hoe opgewonden hij raakte als hij met zijn metaaldetector iets vond, en hij als Repelsteeltje door het bos danste. Of wanneer ik denk aan de vele foto's die hij nam als hij op zoek was naar vliegende schotels, of aan de keren dat hij het schaakbord omgooide wanneer hij dreigde te verliezen. Ja, zelfs dat zal ik missen. Die man was misschien eigenaardig geweest, maar ik kon erop rekenen dat hij was waar hij werd geacht te zijn, doende wat hij altijd deed. Dat is tegenwoordig iets zeldzaams.

E.J. en ik zitten op de voorbank. E.J. zit niet vaak in een auto en hij blijft als een hond zijn hoofd door het raampje steken. Ik heb de naar spaghetti en gehaktballen ruikende sjaal van mama om mijn hals gedaan, en ik wens dat we eindeloos konden blijven rijden. Ik wil niet meer aan Sam of mama hoeven te denken, of aan mijn vader en alle afschuwelijke dingen die hij doet en zegt. Ik wil weer klein zijn. Een jong meisje zijn dat na een lange dag op het strand naar huis gaat. Ik wil naar de zon ruiken, me zonder morren door mama uit de auto naar ons bed laten dragen terwijl ze *Tomorrow* zingt.

'Hoe ben je op de naam Curry gekomen?' vraagt E.J.

Rechercheur Sardino glimlacht, zet zijn richtingaanwijzer uit en draait Kilmer Street op. 'Curry is het lievelingseten van mijn vrouw. Ze komt uit India.'

E.J. fleurt meteen op. 'Je meent het?' Hij is dol op alles wat met indianen te maken heeft. Als Clive Minnow in het bos pijlpunten had gevonden, gaf hij ze altijd aan mij omdat hij alleen in metalen voorwerpen was geïnteresseerd. Ik gaf ze dan weer aan E.J., die er inmiddels een behoorlijk grote verzameling van heeft. Hij zal wel denken dat curry net zo'n soort gerecht is als pemmikan.

We rijden langs Washington & Lee College, waar papa heeft gestudeerd, en ik vraag: 'Hoe denk je Sam in je eentje uit deze ellende te halen?' Het kan me niets schelen dat Curry Weaver een politieman is. Hij komt niet uit deze streek. Als de familie Carmody betrokken is bij het beschuldigen van Sam vanwege de moord op mama, heeft Curry geen idee waartegen hij het moet opnemen – ook al denkt hij dat hij dat wel weet.

'Ik heb een plan,' zegt Curry. Hij plaagt me. Dat had ik in het kamp van de zwervers tegen hem gezegd toen ik het had over het vinden van mama. 'Het kan zijn dat ik op een gegeven moment hulp van jou en je zus nodig heb om het voor Sam op te nemen. Denk je dat je me kunt helpen, ook als je vader heel andere dingen over hem zegt?'

Ik antwoord hem zo waarheidsgetrouw mogelijk. 'Dat weet ik niet.' Mama zou van ons verwachten dat we Sam helpen. Dat we de waarheid spreken. 'Eerlijk duurt het langst,' zou ze zeggen. Ik ril echter wel bij de gedachte aan hoe boos papa zou zijn als ik tegen hem in ging. Dan zouden Woody en ik op zoek moeten gaan naar een andere plek om te wonen, of voor altijd in de kelder moeten bivakkeren. Misschien zouden we naar de Triple S kunnen verhuizen. We zouden op het tankstation kunnen passen tot Sam wegens goed gedrag voorwaardelijk in vrijheid wordt gesteld. We kunnen voorruiten schoonmaken en tanks volgooien, en E.J. weet hoe je een V-snaar moet vervangen en de kassa moet bedienen. Dan zouden we af en toe bij papa op Lilyfield kunnen gaan eten, mits hij zichzelf weer tot rust kan brengen. Maar niet op de zondagen, want dan komt grootvader Gus gewoonlijk.

Hoe veel ik er ook over nadenk… het helpen van Sam blijft een lastige kwestie, zelfs als ik hem echt te hulp zou willen schieten. Hoe ik het ook voor hem opneem… mijn getuigenverklaring zou hem niet veel helpen. Als de Edelachtbare gelooft dat Sam mama heeft vermoord en de sheriff hem daarin steunt, zal onze nieuwe oom voor heel lange tijd achter de tralies verdwijnen. Wat ik of iemand anders ook te zeggen heeft. Toch is het belangrijk het juiste te doen, ook al denk je dat het resultaat beroerd zal zijn. Dat heeft mama me geleerd.

Ik neem een besluit en zeg tegen Curry: 'Ik zal het onder één voorwaarde voor Sam opnemen.'

'Zeg het maar.'

'Dat ik de enige ben die voor hem getuigt. Ik wil niet dat Woody bij dit alles betrokken raakt. Ze is heel kwetsbaar en ik ben bang dat ze haar mond nooit meer open zal doen als er nog iets ergs gebeurt.'

Ik heb haar al driehonderddrieënzestig dagen niet meer horen zeggen: 'Goedemorgen. Ruik ik spekpannenkoeken?' Driehonderddrieënzestig dagen geen 'Laat de bedwantsen je niet bijten', terwijl ze geeuwde en aan haar arm krabde.

'Shen, ik weet niet zeker of dat mogelijk is,' zegt Curry. 'Ik denk dat Woody iets belangrijks weet waardoor ze Sam zou kunnen helpen.'

Ik weet dat zij heeft gezien wat er met mama is gebeurd, maar ik kan niet bedenken hoe hij dat weet. 'Waarom vermoed je dat? Is er iets wat je ons niet hebt verteld?'

Curry rijdt door, met zijn elleboog door het geopende raampje gestoken, alsof ik niets heb gezegd. Ik begrijp nu waarom Sam en hij vrienden zijn. Ze zijn allebei handig in het ontwijken van vragen.

Terwijl we langs de Triple S rijden, denk ik aan Sam en beginnen mijn ogen te branden. De lamp boven het kantoortje flikkert. Het peertje moet worden vervangen. Alleen Sam is daar lang genoeg voor. Wrigley zit op de veranda alsof hij op zijn baas wacht. Morgenochtend zal ik direct hierheen gaan om hem eten te geven, zoals Sam me heeft gevraagd. Dat is het minste wat ik kan doen voor een familielid die naar de gevangenis zal worden gestuurd en misschien zelfs wel naar de elektrische stoel.

Curry draait vanaf de tweebaansweg Lee Road op. Wanneer we bij het begin van Lilyfield zijn, doet hij de koplampen uit en rijdt naar de berm. Het gele licht van de radio die zachtjes aanstaat, schijnt over zijn gezicht. Ik heb nog nooit iemand ontmoet die zo'n donkere huid heeft en geen neger is. Ik heb ook nog nooit eerder een Italiaan ontmoet. Zijn huid is donkerder dan die van Sam. Hoe ongeduldig ik me ook voel, ik wil mijn hand op zijn snor leggen, zoals ik dat vroeger bij papa deed. Ik wil met mijn handpalm over zijn kin strijken en hem Capricorn noemen: het sterrenbeeld van de Steenbok.

'Denk je dat mijn vader en mijn grootvader echt geloven dat Sam mama heeft vermoord, of is er nog iets anders gaande?' vraag ik. Curry zendt me een bewonderende blik toe en trekt dan zijn gezicht weer in de plooi. Eindelijk heb ik bedacht waarom ik zo kriegelig ben. Mijn moeder zei altijd tegen me dat tijd heel belangrijk is en toeval niet bestaat. Dat alles om een bepaalde reden gebeurt. 'Weet je dat ik denk?'

Curry legt zijn arm over de rugleuning van de voorbank en ik kan zijn mannelijke aftershave ruiken. Geen English Leather. Iets kruidigs. 'Ik heb het gevoel dat je me dat zo gaat vertellen.'

'Ik denk dat het mogelijk is dat Sam er in wordt geluisd door mijn familie.' Dat heb ik ooit in een ander televisieprogramma gezien. Die man had zijn vrouw vermoord om al haar geld te kunnen krijgen. Hij maakte de remmen van haar auto onklaar en liet het op een ongeluk lijken, en hij probeerde die arme automonteur er de schuld van te geven. Zoals dat onze Sam nu overkomt. Maar papa en grootvader hebben geen geld nodig.

De familie Carmody is schatrijk, dus dát past niet binnen dit geheel.

'Er ingeluisd? Hoe bedoel je dat?' vraagt E.J.

'Shenny denkt dat het mogelijk is dat haar vader en haar grootvader de verdenking op Sam proberen te laden in plaats van op henzelf,' zegt Curry. 'Dat klopt toch, Shenny?'

'Ik...' Zo ver had ik nog niet doorgedacht. Maar nu Curry het onder woorden heeft gebracht, begint het duivels zinnig te lijken. 'Denk jij dat papa en grootvader Sam er in willen luizen?'

'Waarom denk je dat ze dat willen?' vraagt Curry op een toon van ik-weet-iets-wat-jij-niet-weet. Hij kan heel mysterieus doen, net als Sam. Dat hebben ze vast op de politieacademie in Decatur geleerd.

'Dat weet ik niet. Ik weet alleen dat het een beetje toevallig is dat mama zal worden doodverklaard op het moment dat mijn vader erover denkt Abigail Hawkins ten huwelijk te vragen. Wist je dat laatste?'

'Volgens Remmy Hawkins gaat de Edelachtbare haar zaterdagavond een huwelijksaanzoek doen,' zegt E.J.

'Dat klopt.' Ik probeer diep na te denken. 'Dus misschien geeft papa Sam er de schuld van, om met die vrouw met het paardengezicht te kunnen trouwen zonder dat iedereen zich tijdens de trouwerij afvraagt wat er zou gebeuren als zijn ware echtgenote zich op een dag weer zou laten zien. De Edelachtbare zou mama dood kunnen laten verklaren – ze is al bijna een jaar verdwenen – maar als Sam wegens moord wordt veroordeeld, is het boek daarmee definitief gesloten.'

Dat klinkt te sinister, zelfs voor mijn grootvader, maar ik weet dat die oude duivel zoiets gemeens zou kunnen verzinnen en mijn vader ertoe zou kunnen overhalen met hem mee te doen. Ik wrijf in mijn jeukende ogen en zeg: 'Ik weet werkelijk niet meer wat ik nog kan geloven. Het is allemaal zo afschuwelijk en verwarrend en... kun je me alsjeblieft vertellen wat jij weet?'

'Ik wou dat ik dat kon doen, maar...' Curry strijkt met zijn hand over mijn haren. Hij lijkt nu eerder een vader dan een smeris. Ik vraag me af of hij kinderen heeft. 'Zorg ervoor dat je morgenochtend om negen uur op deze plek bent. Dan zullen al je vragen worden beantwoord,' zegt hij.

'Maar...'

'Luister goed naar me.' Curry legt zijn hand nu op mijn schouder. 'Ik wil dat je me belooft dat je Woody haalt en meteen met haar naar een veilige plek vertrekt. Ga naar Beezy of...'

'Jullie kunnen ook bij ons komen logeren,' biedt E.J. enthousiast aan. Hij knuffelt graag met Woody. 'Dat is dichterbij.'

'Maar... waarom kunnen we niet gewoon in het fort slapen?' vraag ik. Daar voelt mijn tweelingzus zich het beste, en ik ook.

'Shenny, je moet doen wat ik je vraag,' zegt Curry heel ernstig. 'Het is belangrijk. Vertrouw je me?'

Hij lijkt zich zorgen te maken over Woody en mij en dat geeft me een prettig gevoel. Dus zeg ik: 'Ja. Oké.'

'Beloof je me dat?' vraagt Curry.

Ik teken een kruisje over mijn hart en geef E.J. een duwtje met mijn heup. Hij stapt uit, maar ik blijf nog zitten. Ik heb besloten alles op Curry in te zetten. Ik buig me naar hem toe en zeg: 'Ik weet niet of ik hier juist aan doen, maar het is me duidelijk dat jij het goed bedoelt.'

Curry geeft me een klopje op mijn hoofd. 'Doe Woody de groeten van me en zorg dat jullie niets overkomt.' Dan voegt hij er heel zacht aan toe: 'Omwille van ons allemaal.'

Wanneer hij Lee Road weer af rijdt, hoor ik de echo van de motor van Beezy's rammelende oude Pontiac.

E.J. en ik staan langs de weg en zien het ene brandende achterlicht in de diepe duisternis verdwijnen. 'Denk je dat hij de waarheid heeft gesproken?' vraagt E.J.

'Hoe kan ik dat nou weten?' Ik ben extra geïrriteerd omdat ik honger heb. Ik haal ons avondeten uit de zak. Ik denk dat ik er in de auto op heb gezeten. De sandwiches die Vera heeft gemaakt, zien eruit zoals ik me voel. Verpletterd.

'Ik twijfel een beetje aan hem,' zegt E.J. 'Jij zult er al wel aan hebben gedacht omdat je zo slim bent, maar hoe wist Curry twee weken geleden dat hij hierheen moest komen om Sam uit de problemen te helpen als Sam pas een paar uur geleden is gearresteerd?'

Ik heb onze handlanger écht onderschat. Ik wil niet dat hij weet dat die vraag nooit bij mij is opgekomen, dus zeg ik het eerste wat in me opkomt. 'Misschien is hij helderziend, net als de swami op de kermis.' Nu vertrouw ik Curry weer niet meer. Er klopt iets niet.

E.J. hijst zijn te grote spijkerbroek op. 'Ik moet ervandoor. Je weet hoe moeders kunnen zijn als je niet thuiskomt op de afgesproken tijd.'

Een van de jachthonden van de Calhouns begint aan de andere kant van de kreek te blaffen, alsof hij E.J. heeft gehoord en precies weet hoe ik me voel.

'Sorry, Shen,' zegt E.J. verontschuldigend.

'Het is niet erg.' Ik kijk naar de grote eik die vanaf de weg heel gemakkelijk te zien is, en dat doet hij ook. Tussen de brede planken van het fort door schijnt kaarslicht. Dat betekent dat Woody voor haar altaartje van Judas Thaddeüs zit te bidden. Ik ben zoveel later terug dan ik had beloofd. Ze zal wel Weesgegroetjes bidden, in de hoop dat ik dan meteen terug zal komen.

'Je weet toch dat ik met hart en ziel van haar hou?' zegt E.J. hartstochtelijk.

Hoewel ik van plan ben in de getuigenbank de waarheid over Sam te spreken, zal hij toch in de gevangenis belanden omdat de Carmody's altijd krijgen wat ze willen hebben. Na het proces zal mijn familie me verstoten. En Beezy zal waarschijnlijk zo woedend op papa en grootvader worden omdat ze zo gemeen tegen haar zoon zijn geweest, dat ze niets meer met ons te maken wil hebben. Dan zal Woody de enige familie zijn die ik nog heb. Ik sta er niet om te springen haar met E.J. te delen. 'Als je gaat zeggen dat zij de zon is en dat de maan jaloers op haar is, zal ik je met deze zaklantaarn een klap op je hoofd geven, je het bos in slepen en je door de wolven laten opeten.'

Hij loopt achteruit naar het pad naar zijn huis en zegt: 'Ga haar nu maar snel halen, zoals Curry je heeft opgedragen. Ik wacht op jullie op de veranda, en ik zal zorgen voor een kom bessen.' Hij verdwijnt tussen de bomen en zegt: 'Hoe vaak moet ik nog tegen je zeggen dat hier geen wolven zijn?'

'Daar zou ik maar niet zo zeker van zijn,' roep ik het duister in. Ik ken op zijn minst één grote boze wolf.

Tussen de bomen door zie ik in het licht van de lamp op de veranda voor ons huis de zwarte truck van mijn grootvader staan.

28

Ik overdrijf niet als ik zeg dat Woody kwijlt van vreugde wanneer ze me ziet.

Ivory doet dat ook. Ik geef mijn zus, als excuus omdat ik te laat ben, beide sandwiches en zij voert de korsten aan de hond.

Ik ga naast haar op de vloer van het fort zitten en scheur een van de pakken met crackers open die ik uit de voorraadkast heb gestolen. Dan zeg ik: 'Je zult niet geloven wat ik heb ontdekt.' Ik heb nagedacht over wat ik tegen haar zal zeggen. Niet alles tegelijk. Ik zal beginnen met het goede nieuws. Mijn zus is niet afgeleefd, maar soms heb ik de indruk dat ze dat wel is. Als een ouderwetse japon die te lang in een kist op de zolder van oma heeft gelegen. Als ik haar niet voorzichtig behandel, kan ze in mijn handen scheuren.

Ik verstrengel mijn vingers met de hare. 'Blijf rustig, oké? Ik zeg je dat dit groot en gelukkig nieuws is.' Ik wou dat ik haar gedetailleerd kon vertellen wat er was gebeurd sinds ik haar alleen had gelaten, maar ik moet het kort houden. De details komen later wel. We hebben niet veel tijd meer. 'Ga niet gillen of zo.' Ik knik in de richting van het huis. 'Zij mogen niets horen.' Woody houdt haar hoofd scheef, net als Ivory. Ik haal zo diep mogelijk adem. 'Vera heeft me vanavond in de winkel verteld dat Sam... onze Sam... niet alleen een uitstekende vriend is. Hij is ook... Ben je er klaar voor?'

Ze knikt met veel enthousiasme.

'Sam is... onze oom.'

Het duurt even voordat dat tot haar doordringt en dan doet ze alsof ze bij een Bingo heeft gewonnen. Ik wist dat ze geen moment aan mijn woorden zou twijfelen. Woody springt op en draait verheugd rond in het fort.

'Is dat niet geweldig? Oké, nu moet je weer tot bedaren komen. Ik heb ook slecht nieuws. Ben je er klaar voor?' Ze knikt niet. 'Curry Weaver heeft me verteld dat papa naar het kantoor van de sheriff is gegaan, met het dagboek van mama en het horloge dat Sam haar had gegeven. Hij heeft sheriff Nash opdracht gegeven Sam ervan te beschuldigen dat hij mama heeft vermoord.'

Ook nu duurt het even voordat het tot haar doordringt, en dan begint ze tegen de muren van het fort te slaan. Ze trekt aan haar haren. Ze knarst met haar tanden. Ik probeer haar bij haar middel vast te pakken, maar dat is net zoiets als een bliksemschicht proberen te vangen. 'Ik weet het. Ik weet dat dat heel slecht nieuws is, maar maak je geen zorgen. We gaan Sam helpen.' Ik wist dat ze van streek zou raken, maar niet in die mate. Als ze zo is, valt er niet met haar te praten. Ze duwt me op de vloer van het fort en pakt haar schetsboek uit een van de hoeken. Haar gezicht lijkt in brand te staan.

Papa, grootvader en Blackie zijn in het huis. Ik moet Woody kalmeren voordat ze gaat brullen. Ik herinner me wat ik uit What Goes Around Comes Around heb meegenomen, haal de sjaal uit mijn zak en doe die om haar hals. Ze houdt even op met het schetsboek als een gek door te bladeren om aan de chiffon te ruiken. Ze is op zoek naar de geur van mama. 'Sorry,' zeg ik. 'Je weet hoe dol juffrouw Artesia is op spaghetti en gehaktballen.'

Woody laat het schetsboek op mijn schoot vallen. Ze heeft gevonden wat ze zocht, maar we hebben nu echt geen tijd voor een kunstevaluatie. Ik had Curry beloofd naar het fort te gaan, mijn zus te halen en dan over de steppingstones in de kreek naar het huis van de Tittles te gaan, maar ze zal nooit doen wat ik van haar vraag tot ik haar tekeningen heb bekeken. Als ze zich iets heeft voorgenomen, is ze daar niet van af te brengen. Ze kan tegelijkertijd een vlinder en een bulldozer zijn.

Ik doe mijn zaklantaarn aan om beter te kunnen zien wat haar zo opwindt, en ik zie de tekening die me aldoor al heeft dwarsgezeten. De tekening van mama met die vage figuur erachter. Woody zal er wel mee bezig zijn geweest toen E.J. en ik in de stad waren. De kleuren zijn fel en de tekening ruikt naar was. De tot dan toe onbekende figuur wordt omgeven door golvende lijnen, als rook. Het is me nu duidelijk dat het een dame is. Ze heeft grijs haar en haar handen zijn voor een gebed gevouwen.

Ik fluit. Van waardering en van verbazing. Ze maakt nooit tekeningen van haar. 'Dat is heel bijzonder. Mama zal het, als ze uit de hemel naar ons kijkt vast prachtig vinden dat je oma zo mooi hebt getekend.' Ik veeg de kruimels van de crackers van mijn benen, ga staan en steek mijn hand uit naar Woody. 'Later kunnen we nog meer tekeningen bekijken. Oké? Nu moeten we weg. Ik heb Curry beloofd...'

Woody begint weer als een gek op de vloer te slaan.

'Wat is er, Woody?' Ze wijst boos op de tekening en slaat haar handen om haar hals alsof ze zichzelf wil wurgen. Op dat moment krijg ik het idee dat Woody oma niet alleen heeft gemeden omdat ze vies ruikt of ons Heilige Communie met haar laat spelen.

O, hoe had ik zo stom kunnen zijn? Zo zorgeloos?

Oma moet, toen ik er niet was, een van haar episodes hebben gehad. Soms kan ze alle controle over zichzelf verliezen, zeker wanneer ze door grootvader wordt uitgedaagd. Toen hij een keer lag te slapen, had ze geprobeerd hem aan de plank bij het hoofdeinde van hun bed te nagelen. Ze had spijkers, een hamer en de rest gepakt. Ik weet dat sommige mensen dat krankzinnig zullen vinden, maar volgens mij is het dat niet echt. Ze heeft veel zinnige redenen om woedend op hem te zijn. Nee. Ik vind haar pas echt krankzinnig wanneer ze rode lippenstift op haar handpalmen smeert en doet alsof ze bloedt, net als Jezus aan het kruis.

'Heeft oma een van haar toevallen gehad en je toen iets aangedaan? Probeer je me dat te vertellen?'

Mijn zus schudt zo hard met haar hoofd dat haar vlechten op en neer wippen.

'Shenny? Woody?' roept Louise onder aan de boom. Ik heb haar niet over het pad van haar huisje naar het fort horen aankomen. 'Ik weet dat jullie daar zijn, want ik kan het licht zien.'

'Alleen domme meisjes die in hutten in de bayou wonen, lopen stiekem naar mensen toe en beginnen dan te schreeuwen. Wat wil je?' zeg ik, en ik blijf op mijn tweelingzus letten. Ze is weer met de tekening bezig en maakt steeds sneller cirkels om de mama- en de oma-figuur heen.

'Oom Cole wil dat Woody en jij naar zijn huis komen,' zegt Lou. 'Beezy is daar al. De sheriff… heeft Sam gearresteerd.'

'Dat weten we.' Ik twijfel er niet aan dat de hele stad dat nu weet. Die arme Beezy.

Woody legt haar handen tegen mijn achterhoofd en duwt mijn hoofd omlaag tot het vlak bij de tekening is. 'Sorry. Ik begrijp nog steeds niet wat je me probeert te vertellen,' zeg ik op mijn meest rustgevende toon.

Geïrriteerd gooit mijn zus het schetsboek weg en slaat haar handen nu om mijn hals. Ze knijpt met alle kracht die ze in zich heeft. Dat had ze die middag in onze slaapkamer ook gedaan, toen we precies zo naar de tekening hadden gekeken. 'Hou daarmee op,' zeg ik, en ik wring haar vingers los. 'Ik doe mijn uiterste best het te begrijpen.'

Lou roept, maar niet op gemene toon: 'We hebben eten in het huisje. Ik heb toffees gemaakt, naar het recept van jullie mama.'

Ik weet dat ik zou moeten doen wat ik Curry heb beloofd, maar mijn maag schreeuwt om eten. De Tittles hebben niets te eten en zelfs als ze dat wel zouden hebben, zou het niet juist zijn dat van hen af te pakken. Woody en ik zouden even naar de Jacksons kunnen gaan om te eten, tegen Beezy te zeggen dat met Sam uiteindelijk alles in orde zal komen en dan via de steppingstones naar E.J. gaan. Daar zullen we dan tot morgenochtend blijven, tot Curry zijn belofte zal nakomen al mijn vragen te beantwoorden.

'Laat die tekening alsjeblieft voor wat die is. Laten we naar de Jacksons gaan,' zeg ik smekend tegen Woody. 'Is het je opgevallen hoe vriendelijk Lou klinkt? Ik denk dat ze weer haar oude zelf is geworden nu Blackie het met haar heeft uitgemaakt. We kunnen haar er vast wel toe overhalen dat verhaal over Rex, de kinderen verslindende kaaiman, nog eens te vertellen terwijl wij iets eten. Klinkt dat niet geweldig?'

Nu kijkt ze me met gefronste wenkbrauwen aan en ik begin aan *I'll Never Say No to You* uit de musical *The Unsinkable Molly Brown*. Als ik echt probeer haar ergens van te overtuigen werkt het soms als ik haar een schuldig gevoel geef.

'Oom Cole zegt dat jullie grootvader straalbezopen is, en jullie oom...' De stem van Lou klinkt verstikt. 'De Edelachtbare en zijn broer zijn ook begonnen het Founders Weekend te vieren.'

Het is goed dat ze daar al zo vroeg mee bezig zijn. Misschien vergeten ze Woody en mij dan wel helemaal.

'Ik heb voor jullie meisjes een fetisj gemaakt,' zegt Lou een beetje verlegen. Dat is het mooiste cadeau dat je van iemand die aan voodoo doet kunt krijgen: een zakje met afgeknipte vingernagels, as, veren en delen van een pad. Die zakjes worden geacht boze geesten te verdrijven. 'Ik moet nu terug naar het huisje. Ik weet dat Beezy het fijn zou vinden jullie te zien, en dat geldt ook voor mij.'

Ik zou het liefst: 'We komen eraan!' roepen naar Lou, maar Woody ligt als een hoopje op de vloer van het fort. Haar gezicht gloeit. Er heerst griep. De griep die Clive Minnow te grazen had genomen. 'Voel je je ziek?' Ik ga op mijn knieën naast haar zitten en druk mijn lippen op haar voorhoofd, maar dat is niet warmer dan het zou moeten zijn.

'Meisjes, zijn jullie daar?'

Woody is meteen alert, zoals altijd wanneer ze die stem hoort. Ik kruip naar het kijkgaatje van het fort. Oma Ruth Love staat op de veranda aan de achterkant van het huis, onder de lamp die insecten moet verdrijven. Ze heeft een crèmekleurige nachtjapon aan en haar haren, die ze nooit knipt, reiken tot haar middel.

'Ik heb een citroenmerengue voor jullie gebakken,' roept ze. Daar zijn we dol op, en dat weet ze. Ze houdt van ons en ze wil ons lekkere dingen te eten geven en tijd met ons doorbrengen.

Of grootvader heeft haar eropuit gestuurd om ons over te halen naar binnen te komen.

Daar is hij toe in staat. Hij weet dat we meestal bijzonder op onze grootmoeder zijn gesteld. Ik begin te watertanden wanneer ik aan een stuk van haar prijzen winnende taart denk. Woody likt als een gek met haar tong over haar lippen, dus denkt zij er misschien net zo over. Of misschien ook niet. Want nu doet ze iets eigenaardigs met haar mond, vertrekt die, doet hem open en weer dicht. Misschien is ze echt misselijk.

'Moet je overgeven?' vraag ik. 'Laten we dan maar opschuiven naar de zijkant van het fort.'

Ze maakt echter geen kokhalzend geluid. Over haar lippen komt een woord dat klinkt als *Cantaboo*. Dat zweer ik je.

Ik weet niet zeker of ze dat echt hardop heeft gezegd, of dat de wens in mijn geval de vader van de gedachte is.

'Meisjes?' roept oma vanaf de veranda. 'Ik heb mijn beste poppen allemaal meegenomen.'

Woody doet haar mond open en probeert het nogmaals. Ja. Nu weet ik zeker dat ze Cantaboo zegt.

Op elk ander moment zou ik zijn gaan huilen van vreugde en zou ik haar bedanken omdat ze weer terug is en tegen me praat. Maar het is in dit geval nu of nooit. Ik hoor de hordeur open en weer dicht gaan.

'Cantaboo!' Mijn zus zegt dat we het op een rénnen moeten zetten, maar we kunnen het fort slechts op één manier uit komen en grootvader is al onderweg.

'Sorry, Gus,' roept oma vanaf de veranda. 'Ik heb geprobeerd hen hierheen te halen, zoals jij me had opgedragen.'

'Kom tevoorschijn!' schreeuwt grootvader. Wanneer we dat niet meteen doen, verandert zijn stem. Die lijkt nu op de stem van iemand van de kermis die je probeert over te halen mee te doen aan een van hun gokspelletjes. 'In de salon is er een leuke verrassing voor jullie.'

Nee, dat is niet waar. Wat er zal gebeuren zal niet leuk zijn. En al helemaal geen verrassing.

Dit is allemaal mijn schuld. Ik had moeten doen wat Curry me had opgedragen. Ik had de trap naar het fort op moeten klauteren en Woody meteen moeten meenemen naar het huis van E.J.

Ik moet dit goedmaken. Ik zal mijn zus niet het slachtoffer laten worden van mijn stommiteit.

Ik geef haar de zaklantaarn en fluister: 'Ik ga naar beneden. Wacht vijf minuten en dan moeten jij en Ivory naar de Tittles *cantabooën*. Neem de steppingstones en niet de weg, zodat grootvader jullie niet kan volgen.' Niemand kan sneller via die stenen aan de overkant komen dan zij. Ik wou dat ik tegen haar kon zeggen dat ze naar de Jacksons moet gaan, maar die zijn niet sterk genoeg om grootvader af te weren als die naar hun huisje komt om haar te zoeken. Dat kan ik die mensen niet aandoen. Zij zijn overgeleverd aan de genade van de grote en onoverwinnelijke Guster Carmody. De Tittles zijn arm, maar ze zijn wel blank. Grootvader zal waarschijnlijk niet midden in de nacht naar hen toe stormen zonder zich eerst nog eens achter zijn oren te krabben. Maar zelfs als hij dat wel doet, zal E.J. met zijn jagersoren hem horen aankomen. Hij zal zijn ware liefde beschermen. 'Heb je me begrepen, snoes?'

Woody schudt haar hoofd, maar ze heeft me wel begrepen.

Ik neem haar handen in de mijne en zeg: 'Ik heb Curry Weaver vanavond gesproken en weet je wat hij zei? Dat jij de enige op deze aarde bent die Sam kan helpen omdat jij hebt gezien wat er met mama is gebeurd. Dat betekent dat je een heel belangrijk iemand bent. We moeten jou in veiligheid brengen. Je wilt Sam toch niet in de steek laten? Je wilt toch niet dat je nieuwe oom als dwangarbeider moet werken?'

'Kom meteen naar beneden!' Grootvader kan niet meer dan tien stappen van onze boom vandaan zijn.

Woody drukt haar hoofd tegen mijn borst. Ivory zet een poot hoog op mijn dijbeen.

'Nog één ding,' zeg ik terwijl ik ze allebei klopjes geef. 'Morgenochtend moet je naar Curry gaan, hij zal om negen uur op de weg aan de voorkant van het huis staan te wachten. Hij heeft dan nieuws voor ons.' Ik voel de snelle, warme ademhaling van mijn zus in mijn hals. Ze weet wat er met mij zal gebeuren als ik het fort uit ben.'Kom op. Dit is niet het eind van de wereld. Ik kan die kelder aan met een hand op mijn rug gebonden. Daar staat die heerlijke aardbeienjam. Ik zou alle potten kunnen leeg eten en dan zou jij natuurlijk vreselijk jaloers zijn.'

Het lukt me haar een heel klein glimlachje te ontlokken.

'Als jullie me dwingen Ruth Love naar boven te sturen, zal ik daar niet blij mee zijn,' zegt grootvader, die nu recht onder ons staat.

'Ik zie je gauw weer,' zeg ik tegen Woody. 'Ga regelrecht door naar E.J. en hou je ogen open.' Dan roep ik met mijn vriendelijkste stem: 'Ik kom naar beneden, grootvader. Het spijt me heel erg. Ik moet weg zijn gedoezeld. Ik had u niet eens gehoord.'

Als ik het luik openmaak, fluistert Woody trillend: 'Stilmaar.'

'Amen,' zeg ik, ook al geloof ik geen seconde dat alles in orde zal komen, omdat het er op dit moment zo beroerd uitziet. Judas Thaddeüs gelooft dat ook niet. Over de schouder van mijn zus zie ik het plastic beeldje van de heilige die de hopelozen hoop geeft. Hij ligt op zijn buik op het altaartje van de roestende koffiekan. Zelfs hij heeft het opgegeven.

29

Misschien is mijn arm wel gebroken.
Grootvader heeft hem vrijwel uit de kom getrokken toen ik uit het fort kwam. 'Glimlachen!' brulde hij, zodat hij kon zien wie van de tweeling ik was.

In de keuken branden alleen de lamp boven het fornuis en de koperen lamp op het aanrecht. Midden op de ronde keukentafel staat een halflege fles Maker's. De Carmody-mannen ondervragen me. Oma is ergens anders naartoe gegaan.

De dappere Beezy kwam daarnet op de deur bonzen. 'Gus, ik weet wat je mijn jongen probeert aan te doen, maar daar zul je niet mee kunnen wegkomen. Stuur de meisjes naar mij. Ik wil mijn kleintjes zien.' Haar geroep was voor hen even onbelangrijk als de uil die riep vanuit de boom in de achtertuin.

Grootvader heeft een donkerbruine broek en een lichtbruin sporthemd aan, dat strak om zijn buik spant. Onder het borstzakje zit een vlek van barbecuesaus, maar het zou ook mijn bloed kunnen zijn. Zijn haar is gemillimeterd, de huid van zijn schedel is verbrand, zijn handen zijn rood en zijn dubbelloops jachtgeweer ligt binnen handbereik. De gebruikelijke Lucky

Strike hangt in zijn mondhoek, en dus worden we omgeven door rookslierten.

Papa buigt zich naar voren in zijn stoel en zegt: 'Ik vraag het je nog maar één keer, Shenandoah. Waar is Jane Woodrow?'

Ik kan nauwelijks praten omdat mijn lip heel dik is. 'Ik heb u al verteld dat ik dat niet weet. Ik wou dat ik het wel wist.'

Blackie, wiens bovenlijf is ontbloot, heft zijn hand weer op. Maar grootvader zegt: 'Laat haar gezicht verder met rust. We moeten aan de festiviteiten denken.' Hij pakt de fles en schenkt voor zichzelf in. 'Wat doet het er eigenlijk toe waar Janie is? Ze heeft toegegeven dat wij haar die avond in het fort hebben gezien, en zelfs als ze zou kunnen praten, zou niemand haar geloven. Al dat gezwaai met haar armen en dat geknipper met haar ogen. Iedereen kan zien dat ze niet goed snik is.' Hij drinkt zijn whisky en veegt met de rug van zijn hand zijn lippen af. 'We kunnen later naar haar op zoek gaan. Als we haar hebben gevonden, zal Shenny ons helpen haar tweelingzus ervan te overtuigen dat het belangrijk is dat ze haar kaken op elkaar houdt. Dat zul je toch doen, schatje?'

'Natuurlijk, grootvader,' zeg ik. Als ze wisten dat ík mijn vader had beloofd mijn mond te houden, en niet Woody... Ik heb geen idee wat ze dan met me zouden doen.

'Gus heeft gelijk,' zegt oom Blackie. De zonen van Gus hebben hun vader altijd met Gus aangesproken, omdat hij niet pap of papa wil worden genoemd. Dat vindt hij verwijfd. 'We zullen Janie later wel gaan zoeken. Ik wil dolgraag verstoppertje spelen,' zegt hij, en hij geeft me een schalkse glimlach.

'Over gekken gesproken... Waar is dat mens naartoe gegaan? Ruth Love, kom hierheen.' Grootvader leunt achterover en brult: 'En neem een stuk van die taart voor me mee.'

De citroenmerengue staat op het aanrecht, vlak bij hem, recht onder de radio die bluesachtige muziek laat horen. Ze zijn allemaal zo dronken dat ze op het ritme van de drums wiegen en dat niet eens beseffen.

Grootvader boert en zegt: 'Tijd om ter zake te komen. Ga je gang, Wally.' Ondanks dat hij mijn als beste van zijn jaar afgestudeerde vader niet respecteert, weet hij wel dat die veel beter indringende vragen kan stellen dan een hoefsmid of een grootgrondbezitter.

Papa rolt de mouwen van zijn gekreukte witte overhemd op en zegt tegen mij: 'Remmy Hawkins heeft me verteld dat hij jou en je zus laatst bij de Triple S heeft gezien, waar jullie bij Sam Moody op bezoek waren. Is dat waar?'

'Ik... ik was van plan u dat te vertellen. Woody... ik bedoel Jane Woodrow... was daarheen gerend en toen ben ik haar gaan halen. Ik weet dat u Sam Moody helemaal niet aardig vindt, Edelachtbare, en ik denk daar net zo over. Ik veracht die man.'

'Je liegt,' zegt papa. 'Ik weet dat je moeder op de dinsdagen naar Moody toe ging en dat jullie dan in de roeiboot met haar meegingen. Misschien was je zus daarom naar de Triple S gerend. Denk jij ook dat dat er de reden van kan zijn geweest, Shenandoah?' Hij vraagt het alsof hij zich echt afvraagt waarom zijn vrouw troost zocht bij een andere man en waarom zijn kinderen ook graag tijd met hem doorbrachten.

'Dat is niet waar,' zeg ik. 'Volgens mij hebt u verkeerde informatie gekregen, Edelachtbare.'

'Nee, jammer voor je.' Grootvader en oom Blackie grijnzen vanaf de andere kant van de tafel naar me. 'Ik had een manchetknoop laten vallen en daardoor heb ik het dagboek van je moeder onder de slaapkamervloer gevonden. Wist jij dat ze een dagboek bijhield?' vraagt papa.

Ik kijk omlaag omdat ik het verdriet in zijn ogen niet kan verdragen.

'Natuurlijk wist je dat,' zegt papa heel teleurgesteld. 'Toen je laatst in mijn kamer was, zocht je dat dagboek, nietwaar?'

'Nee... ik...' De Edelachtbare steekt zijn handen omhoog, om me duidelijk te maken dat hij geen enkele leugen meer van mij kan velen. Verdriet trekt aan de huid rond zijn ogen en aan zijn mond. Hij begrijpt het echt niet. Hij had zoveel kleren voor mama gekocht. Hij had haar nooit uit het oog verloren. Had haar altijd strak gehouden. Hij denkt dat dát houden van is. Het is de enige vorm van liefde die hij kent. Het Carmody-soort.

Nu ik hem zo verdrietig zie, wil ik de lok haar die op zijn voorhoofd is gevallen terugduwen naar de plek waar hij hoort. Ik wil zijn tranen wegkussen. Wat zal hij van streek zijn wanneer ik tijdens zijn proces getuig. 'Sam Moody heeft mijn moeder niet vermoord,' zal ik zeggen. 'Dat is onmogelijk. Ik was die avond bij zijn hut en hij was daar ook. Niet op de open plek in het bos achter ons huis waar mijn moeder voor het laatst levend is gezien. Ik weet niet waarom mijn vader liegt, maar dat doet hij wel. Hij wil de indruk wekken dat Sam schuldig is, terwijl hij dat niet is.' De jurist van onze familie, Bobby Rudd, zal opspringen en protesteren, maar dan zal het al te laat zijn. Dan zal ik mijn vader onherstelbare schade hebben toegebracht. Wat Curry eerder ook heeft gezegd... ik word toch bang. Ik geloof niet dat ik dit kan doorzetten. Ik kan mijn vader niet verraden, hoe verkeerd het ook zou zijn Sam de schuld te laten krijgen van iets wat hij niet heeft gedaan. Wat voor verschrikkelijks deze kleine man ook heeft gedaan, hij is mijn vader.

'Let op.' Grootvader tikt hard tegen mijn achterhoofd. 'Sam Moody is gearresteerd voor moord met voorbedachten rade op je moeder.'

Hij probeerde me te verrassen, maar ik heb te veel ervaring om daar in te trappen. Ik doe alsof ik geschokt ben en dwing mezelf te zeggen wat hij verwacht te horen. 'Hij... hij... heeft die nikker mama vermoord?'

Grootvader glimlacht en laat een stel tanden zien die net zo mooi en wit zijn als die van Sam. Heel even kan ik me indenken dat Beezy het zichzelf al die jaren geleden had toegestaan verliefd te worden op de rijkste man in deze omgeving.

'Shenandoah.' Papa klinkt niet triest meer. Hij praat tegen me alsof ik een gevangene in zijn rechtszaal ben die net schuldig is bevonden. 'Je hebt iets slechts gedaan. Begrijp je dat?'

'Ja, Edelachtbare, en ik smeek u om genade. Ik had u moeten vertellen dat mama op bezoek ging bij Sam Moody. Dat begrijp ik nu.'

'Je moet alles rechtzetten.'

'Ik zal doen wat ik kan.'

'Wanneer... wanneer de sheriff je hierover ondervraagt, wil ik dat je hem vertelt hoe vriendelijk je moeder was.' Papa kijkt naar grootvader, diens goedkeuring zoekend. 'Je moet ook vertellen dat ze uit goedheid naar het tankstation is gegaan om Moody te helpen. En... dat jij hebt gehoord dat hij dreigde haar te vermoorden als ze niet op zijn avances inging en...'

'Jij kon je eigen vrouw niet eens vasthouden,' blaft grootvader.

Blackie zegt snierend: 'Jouw vrouw ging aan de zwier met de bastaard van je eigen vader. Je bent een rund.'

Ze zullen elkaar de hele avond blijven uitschelden. Grootvader en Blackie hebben de gelederen gesloten. Tegen papa.

Wanneer mijn vader zijn gezicht in zijn handen verbergt en begint te janken, zegt grootvader Gus vol walging: 'Hou toch op. Het is geen wonder dat je vrouw op zoek is gegaan naar een échte man.'

'Vertel Shenny nu het goede nieuws maar,' zegt Blackie sluw tegen zijn kleine broer. 'Kom op, Wally.'

'Ik moet hertrouwen,' zegt papa. 'Met... Abigail Hawkins.'

Hoewel ik niet word geacht vragen te stellen tijdens zo'n ondervraging, kan ik me niet inhouden. 'U móét met haar trouwen?'

'Inderdaad,' zegt grootvader snuivend. 'Het wordt tijd dat hij alle problemen goedmaakt die hij jarenlang voor ons heeft veroorzaakt door met die teef uit het noorden te trouwen.'

Als hij dat zegt, huil ik met mijn vader mee en daardoor gaat mijn lip nog harder bloeden.

'Laat me je helpen.' Mijn oom loopt naar de vrieskist en haalt daar een zak doperwten uit. Ik kan alleen maar aan Woody denken. Ik hoop dat ze de overkant van de kreek en de liefhebbende armen van E.J. heeft bereikt en dat ze niet door het bos zwerft zonder te weten wat ze moet doen. 'Ziezo.' Blackie drukt de koude zak tegen mijn mond. Te hard.

'Morgenavond gaan we naar de kermis,' zegt grootvader, die diep inhaleert en een perfect kringetje rook uitblaast. 'Dat zal jou wel opwinden, Shenny. Je bent altijd al dol geweest op die tent met al die eigenaardige wezens.'

Ik geef het van mij verwachte antwoord. 'Ik ben even opgewonden als een geile haan in een kippenhok, grootvader.'

'Prima. Ga nu uit de kast in de eetkamer een nieuwe fles whisky voor me halen en vergeet niet een glas voor jezelf mee te nemen.'

Grootvader en Blackie vinden het leuk Woody en mij dronken te voeren. Dat vinden ze verschrikkelijk geestig.

'Je hebt je grootvader gehoord,' zegt Blackie, die mijn stoel op zijn voorpoten laat balanceren tot ik wel moet doen wat hij vraagt.

In de eetkamer branden alleen de lampen boven de Carmody's uit het verleden. Hiram Carmody. Elsie Carmody. Het hele stel. Die zwart-witte mensen aan onze muren zijn degenen die helaas hebben gezorgd voor een nageslacht van mannen die zo gemeen zijn dat ze er niet voor terugdeinzen een onschuldige man voor moord te laten opdraaien. Een kind dronken te voeren met whisky en vrouwen te behandelen als... Ik zal door de voordeur naar buiten rennen. Ik zal naar de Tittles gaan, naar E.J. en Woody. Ik zet een stap in de richting van de hal.

'Hebbes! Hebbes! Hebbes!' zegt mijn oom, die opeens achter me is verschenen.

Wanneer ik me omdraai om me te verweren, trekt iets in de hoek van de kamer mijn aandacht. Achter de potplant zie ik mijn oma in haar crèmekleurige nachtjapon tussen de bladeren door kijken. Ze heeft hun mannengesprek afgeluisterd. Ik ga voor de hoge ladekast staan, om te voorkomen dat Blackie zijn moeder ziet. Want als oma wordt ontdekt, zal ze even erg in de problemen zitten als ik.

'Vergeet je eigen glas niet,' zegt Blackie. Hij ruikt muskusachtig: een geur die ik niet herken. 'Ik heb de indruk dat je onderweg was naar de voordeur. Je dacht er toch zeker niet over een wandelingetje te gaan maken? De pret is nog maar net begonnen.' Hij knijpt in mijn arm en neemt me mee terug naar de anderen.

Papa en grootvader hebben hun shirt uitgetrokken. Ze vergelijken spieren. Mijn vader heeft die totaal niet.

'Ga weer zitten, Shenandoah,' zegt grootvader. Als ik dat doe, hoor ik veel gesis. Hij heeft zijn scheetkussen onder het kussen op de keukenstoel gelegd. Blackie en hij beginnen kakelend te lachen.

'Zo te horen heb je een van je geliefde Rennies nodig,' zegt mijn oom nog altijd lachend. 'Shen, je moet "sorry" zeggen.'

'Sorry.'

Hij schuift het lege glas mijn kant op en schenkt het tot de rand vol. 'Laten we toosten op het Founders Weekend. En op het huwelijk.'

Ik wil net doen alsof ik een slokje neem, maar Blackie pakt de bodem van het glas vast en houdt het schuin tot ik de whisky in mijn mond en in mijn keel voel branden. Ik kijk naar papa en smeek hem met mijn ogen me te hulp te komen, me op te tillen en mee te nemen naar een veilige plek.

Blackie schenkt mijn glas weer vol. 'Opdrinken. Je loopt ver achter,' zegt hij, en hij geeft me een por in mijn ribben.

Een tree van het trapje naar de veranda achter het huis kraakt. Grootvader Gus pakt zijn jachtgeweer en brult: 'Wie is daar?'

Het zou Woody kunnen zijn, die niet in staat was mij hier achter te laten. Ik doe mijn mond open om 'Cantaboo! Cantaboo! Rennen! Rennen!' te schreeuwen. Het kan me niets schelen hoe hard ze me slaan.

'Ik ben het maar,' zegt Lou Jackson, die door de piepende hordeur naar binnen komt. 'Ik kon jullie in het huisje horen, en ik wilde even vragen of ik iets te eten klaar moest maken of zo.'

Achter me komt mijn oma lichtvoetig de keuken in en zegt: 'Dat hoeft niet, Louise. Ik heb taart meegenomen.'

Grootvader en Blackie kijken elkaar aan en lachen bulderend. Mijn grootvader zegt: 'Toch niet een van jouw speciale taarten, Ruth Love? Die oude Clive heeft dat nooit zien aankomen.' Dan slaat hij zo hard met zijn hand op de tafel dat het zoutvaatje omvalt. Dat brengt ongeluk. De bijgelovige Lou pakt het en dan grijpt Blackie haar vast. Hij zoent de binnenkant van haar pols en laat zijn tong met een absoluut misselijkmakende uitdrukking op zijn gezicht over de binnenkant van haar arm glijden.

Grootvader bromt en zegt dan: 'Van zwart vlees houden lijkt een familietrekje te zijn. Ha-ha-ha!'

Mijn oma glimlacht en zegt: 'Als jullie met Shenandoah klaar zijn, neem ik haar graag mee naar boven. Is dat oké, Gus?'

Grootvader reageert daar niet op. Hij kijkt strak naar Lou, die er in een roze jurk aantrekkelijk uitziet. Haar toffeekleurige huid glinstert van het zweet.

Lou kijkt om zich heen en vraagt: 'Waar is Woody?'

Ik kan nu niet veel meer hebben. Ik kan me niet in de kelder laten gooien. Mijn tweelingzus heeft me nodig. Ik zeg zo nonchalant mogelijk: 'Die komt vast zo weer naar huis. Ze heeft haar schoonheidsslaapje nodig, want morgenochtend is de Optocht van Eeuwige Prinsessen. Ik weet dat *Woody* zich daar echt op verheugt, net als *E.J. Tittle*. Hij zal *thuis* waarschijnlijk niet eens kunnen slapen omdat hij zich zo opgewonden voelt.' Door de nadruk op bepaalde woorden te leggen, probeer ik Lou duidelijk te maken waar Woody is en dat ik wil dat ze meteen gaat kijken of alles met haar in orde is.

'De Tittles? Mijnslijk,' mompelt grootvader Gus. Hij loert nog steeds heel hongerig naar Lou, en oom Blackie kijkt ook al als een uitgehongerde hond naar haar.

Lou knikt en zegt: 'Als jullie me hier niet nodig hebben kan ik maar beter teruggaan naar het huisje.' Ze rukt haar arm los uit Blackies greep en loopt naar de hordeur. Die maakt ze open en zegt dan stoutmoedig tegen mij, en alleen tegen mij: 'Ik wilde even zeker weten dat alles in orde was.'

Mijn grootmoeder reageert met haar beste belle-stem. 'Hartelijk bedankt voor je bezorgdheid, Louise, maar zoals je ziet gaat het prima met ons.' Dan slaat ze een arm om mij heen. Ze ruikt naar Bengay en wierook. 'Dat is toch zeker zo, Shenny?'

'Ja, oma. Het zou niet beter kunnen.'

Lou haalt haar schouders op en zendt me haar meest hulpeloze blik toe. Dan loopt ze achterwaarts de veranda op, om Blackie en grootvader in de gaten te kunnen houden.

'Dat is een verdomd aantrekkelijk grietje,' zegt grootvader tegen Blackie. 'Weet je zeker dat je haar niet meer wilt hebben?'

Blackie zegt iets walgelijks over de borsten van Lou en grootvader gaat nog begeriger kijken. 'Tepels met de afmetingen van zilveren dollars?' Hij schuift zijn stoel naar achteren en zegt: 'Ik wil armpjes met je drukken om haar.'

'Kom mee, schatje,' zegt oma. 'Laten we naar jouw kamer gaan en het feesten aan deze mannen overlaten.'

Ze probeert me in bescherming te nemen tegen grootvader en Blackie. Tegen hun gelach en hun opschepperige, stoere mannentaal.

Ik wou dat ik hetzelfde voor mijn vader kon doen. Hij ziet er verslagen en hulpeloos uit. Ik zeg wat ik zei toen ik klein was en hij me in bed stopte: 'Tot ziens in mijn dromen.' Maar papa hoort me niet. Zijn hoofd ligt op de eikenhouten tafel en er hangt een sliert spuug aan zijn lippen.

30

We zitten op onze knieën naast het bed van Woody en mij. Mijn oma heeft alle lampen uitgedaan en het beeldje van Jezus Christus dat ze altijd bij zich heeft, midden tussen de andere beeldjes in gezet. Die beeldjes staan gegroepeerd rond een witte kaars op onze toilettafel. Zij had het beeldje van Judas Thaddeüs aan onze moeder gegeven, die het op haar beurt aan Woody had gegeven. Oma heeft genoeg beeldjes om die met anderen te kunnen delen. De Heilige Christoffel, de Heilige Teresa en ga zo nog maar even door. Ze noemt die beeldjes haar poppen en ze kan Woody en mij een hele middag lang verhalen vertellen over het lijden van elke heilige, waarbij ze ook een soort toneelstukjes opvoert. In dat van de Heilige Franciscus van Assisi spelen kleine dieren een rol, en oma gebruikt hazelnoten om te doen alsof haar ogen uit zijn gestoken zoals dat bij Heilige Lucia was gedaan. Bij het verhaal over de Heilige Jeanne d'Arc komt er zelfs een brandstapel aan te pas.

Oma heeft haar favoriete rozenkrans door haar vingers gevlochten. Ze heeft voor mij een soortgelijk exemplaar meegenomen, en ook haar fotoalbum uit de goede oude tijd, dat al op mijn kussen ligt. Als we klaar zijn met bidden, zal ze een toneelstukje opvoeren en me dan samen met haar naar de foto's laten kijken. Ze zal doorgaan en doorgaan. 'Daar is je grootvader. Deze foto is genomen tijdens een van de wedstrijden op onze middelbare school,' zal ze tegen me zeggen. 'Zie je al die meisjes om hem heen zwermen? Ik heb erg geboft dat ik met hem ben getrouwd.' Ik heb altijd precies het tegenovergestelde gedacht. Ik begrijp absoluut niet hoe grootvader een vrouw met zo'n verfijnde smaak aan de haak heeft kunnen slaan. Als ze klaar is met het liefkozen van de foto's van de man met wie ze al veertig jaar is getrouwd, zal ze me een paar foto's van papa en Blackie laten zien, die zulke schatten van jongens waren, en huilerig worden. Oma heeft mama na haar verdwijning uit alle foto's geknipt met de woorden: 'Zo'n vervelende kwestie. Uit het oog, uit het hart.' Dus is mijn moeder niet in dat album te vinden.

'Is het niet fijn om als vrouwen onder elkaar wat tijd door te brengen?' vraagt ze. Ze is ongeveer even lang als ik nu ben. Vroeger was ze een lange brunette. Gewoonlijk heel keurig gekleed in een mooie jurk, met petticoats en parels en haar haren in een knot. Maar vanavond ziet ze er met haar grijze haren die alle kanten op staan eerder uit als een heks uit een sprookje. Verder is haar huid angstaanjagend wit. Toen we boven kwamen, had ze de Chantilly-poeder van mama opgedaan, de rode lippenstift uit haar tas gehaald en die op haar handpalmen gesmeerd. Dit is erg. Dit is heel erg. Het is een veelzeggend teken dat ze een zware toeval zal krijgen. Grootvader heeft haar van streek gemaakt.

'Ik voel me niet zo lekker,' zeg ik. Door de whisky ben ik licht in mijn hoofd en heb ik het warm. Door de allesoverheersende stank van Bengay verandert mijn maag in een harde bal. Daar kan ik beter maar geen aandacht aan schenken. Ik moet naar de Tittles toe om zeker te weten dat Woody daar is aangekomen.

Maar aan de andere kant... Welk meisje zou haar grootmoeder alleen laten als die haar nodig heeft? Het is niet te voorspellen wat ze zal doen wanneer ik haar in deze toestand alleen laat. Als ik eenmaal veilig beneden ben, zou ik bij de voordeur naar grootvader kunnen roepen dat zijn echtgenote weer een toeval heeft, en dan zo snel mogelijk wegrennen. Dat is een goed plan. 'Ik ben zo weer terug, oma.' Ik probeer te gaan staan. 'Ik heb wat frisse lucht nodig.'

'Nog niet,' zegt ze. Ze pakt mijn shirt en trekt me weer op mijn knieën. Ze is veel sterker dan je zou denken. Zij zou tegen je zeggen dat dat komt door de kracht van de Heilige Geest die bezit van haar heeft genomen.

'Alstublieft... ik...'

'Als we hier klaar zijn, kun je alle frisse lucht happen die je nodig hebt, schatje. Nu moet je een beetje lijden. Dat vindt Jezus prettig. Hij heeft zelf gezegd dat kinderen moeten lijden, weet je nog wel?'

'Ja,' zeg ik. Ik heb mijn oma wel eerder gekalmeerd wanneer ze zo werd, en ik kan het opnieuw doen. Ik moet een tijdje met haar meedoen, tot ik een uitweg heb gevonden.

'Wil jij beginnen aan het rozenhoedje?' vraagt ze. Ze geeft mij mijn rozenkrans en drukt de hare tegen haar borst.

Ik buig mijn hoofd. 'Vergeef het me Vader, want ik heb gezondigd...'

'Dat is het verkeerde gebed. Dat is voor de biecht,' zegt ze. 'Wat is er vanavond met jou aan de hand, Shenny?'

Ik weet dat het niet het juiste gebed is. 'Het spijt me. Ik wilde alleen...' Ik probeerde haar zich te laten ontspannen. Biechten is een van haar favoriete bezigheden in dit leven. Ze kan in de kathedraal van Saint Patrick de hele middag in de rij staan wachten tot ze haar favoriete biechtstoel kan betreden. 'Zou u het erg vinden als we dit later doen?'

'Later? Waar zijn je manieren gebleven, kind? We kunnen Jezus niet laten wachten.'

Ik laat mijn kin weer zakken, maar ik blijf alert zoeken naar een uitweg. De witte vitrage wappert door een heel licht briesje de kamer in en de geur van roze rozen hangt na deze hete dag nog in de lucht. Het latwerk, dat is een goed idee. Als ik haar eenmaal tot bedaren heb gebracht, zal ik daarheen lopen en naar beneden klauteren zoals Woody dat altijd doet, in plaats van te proberen door de voordeur te glippen, waar ze me te grazen kunnen nemen.

'Ik kan je niet verstaan,' zegt oma. 'Spreek wat luider.'

'Ik... ik geloof in God...'

'Luider, en kus het kruis,' beveelt ze.

Als ik het zilveren kruisje van de rozenkrans naar mijn mond breng, voelt Zijn lijdende lichaam koud aan tegen mijn nog bloedende lip. 'Ik geloof in God, de almachtige Vader, Schepper van hemel en aarde. En in Jezus Christus, Zijn enige zoon...'

Haar hoofd schiet omhoog. 'Waarom stop je?'

'Ik... ik... Mijn hemel. Er gebeurt iets echt geweldigs. Het is een wonder... Ik denk dat de Heer mijn gebeden verhoort,' zeg ik met een stem vol ontzag. 'Hij... Ja, ik kan Hem luid en duidelijk horen.'

'Wat zegt Hij?' vraagt ze eerst opgetogen en vervolgt daarna meteen achterdochtig: 'Shenny, dit kan een truc zijn. Communiceert de Heer echt met je? Het zou Lucifer kunnen zijn. Is het een hoge stem of een diepe, zoals die van je grootvader?'

Ik doe alsof ik weer luister. 'Het is inderdaad de Heer. Hij klinkt precies als grootvader. Hij zegt tegen me dat Hij van u houdt. Hij aanbidt u. Hij wil dat u weet dat u tot in de eeuwigheid zult worden bemind.'

Er verschijnen verrukte blossen op haar wangen. Als we hier aangekomen zijn, zeg ik gewoonlijk tegen haar dat Jezus wil dat ze haar speciale medicijn inneemt en dat ze op bed moet gaan liggen, maar ik moet er de tijd voor nemen. Dit kan ik beter niet overhaasten. Als ik dat doe, zal ze nog opgewondener worden. Misschien moet ik iets over haar taarten zeggen. Dat geeft haar altijd een prettig gevoel. Ik herinner me wat grootvader beneden had gezegd over de 'speciale' taarten die ze voor Clive had gemaakt, en dat hij daaraan had toegevoegd dat Clive het nooit had zien aankomen. Oma moest een nieuw recept hebben bedacht om onze buurman op de donderdagmiddagen te verrassen. Ze experimenteerde altijd met diverse combinaties van vruchten. Ja, dat zou succes moeten hebben. 'Over uw taarten...'

'Zegt Jezus dat Hij honger heeft?' vraagt ze als een bezorgde gastvrouw.

'Nee, op dit moment is zijn maag gevuld, maar Hij wil dat ik tegen u zeg dat Hij heel trots op u is dat u die taarten naar meneer Minnow hebt gebracht.'

'Shenny, hou toch op! Jezus haalt een grap met je uit. Hij is degene die me heeft gezegd dat ik ze daarheen moest brengen.' Ze giechelt te luid en te lang. 'Meneer Clive is nu dood, weet je.' Meteen wordt ze somber.

Ze zal die middagen met hem wel missen. Door de jaren heen was er een warme vriendschap tussen hen ontstaan. Oma had geduld met Clive. Ze kwam een taart brengen en bleef dan bij hem staan tot hij alles op had. Soms speelden ze ook whist.

'Wat was er zo speciaal aan de taarten die u naar meneer Minnow bracht?' vraag ik.

Ze glimlacht ondeugend. 'Die bevatten een geheim ingrediënt.'

'Wat dan wel?'

'Beloof je me dat je het aan niemand zult vertellen?' Ze kijkt om zich heen of iemand ons afluistert en laat haar stem dalen. 'Het is een familiegeheim.'

'Dat beloof ik.' Het zal wel nootmuskaat zijn. Af en toe doet ze er graag een snufje nootmuskaat bij.

Ze klapt in haar met lippenstift ingesmeerde handen. 'Ik heb geprobeerd er een paar dingen uit het gootsteenkastje aan toe te voegen, maar dat leek niet te werken. Dus ben ik zoals altijd blijven bidden. En toen heeft de Heer mijn gebeden verhoord. Hij zei dat ik rattengif in het deeg moest doen en het dan goed moest kneden. Dat werkte perfect.'

Die arme stakker is er nog erger aan toe dan ik had gedacht. Ze heeft weer problemen met verzonnen verhalen – iets wat de dokters in de Colony waanvoorstellingen noemden.

Ik kan de mannen beneden horen. Ze maken ruzie en iemand smijt een stoel omver.

Ik probeer een andere tactiek en zeg: 'We kunnen het bidden nu beter afronden en teruggaan naar de keuken. Hoorde u dat? Riep grootvader u niet?'

Gewoonlijk wordt ze lijkbleek wanneer ik zijn naam noem, maar nu hoort ze me niet eens. Ze is een heel eigen wereld in gegaan. Haar ogen glanzen en haar lippen zijn vochtig.

Ik klop op het bed en zeg: 'Wilt u soms even gaan liggen om uit te rusten? Zou dat niet prettig zijn?'

'Jouw buurman had zijn neus en zijn camera niet in een familiekwestie moeten steken. Daarna had hij het lef tegen mijn Gus te zeggen dat hij de sheriff zou bellen als Gus hem niet heel veel geld gaf voor de foto's die hij die avond van ons had genomen. En toen Gus hem geld had gegeven, bleef hij om meer vragen. Hebzucht is een zonde, weet je.'

'Foto's?' Waarover heeft ze het? 'Welke foto's?'

'Jezus houdt niet van dat soort dingen, Shenny. In het boek Deuteronomium staat: "Ge moet het kwaad onder u uitroeien".'

'Hoe... hoe bedoelt u dat?' Ik begrijp er helemaal niets van. Haar waanvoorstellingen zijn gewoonlijk niet zo gecompliceerd. Ze gaan er voornamelijk om dat de Heer iets van haar eist, of een van de heiligen haar opdraagt dit of dat te doen. Bid de kruisweg nog een paar keer. Hak de piano met een bijl aan mootjes.

'Je hebt er geen idee van hoe lastig dat was. Ik moest zoeken, heel goed zoeken, maar ik vond die foto's op de bodem van een scheepskist. Gus dacht dat het me niet zou lukken, maar hij was trots op me toen ik er wel in was geslaagd. Dat was wel duidelijk.' Er parelen zweetdruppeltjes op haar bovenlip. Ze glimlacht, maar het is geen aangename glimlach. 'Ik heb het huis van Clive goed overhoopgehaald.'

De dag dat ik naar het huis van Clive Minnow was gegaan om Ivory te halen, had ik over een berg foto's op de vloer van de huiskamer heen moeten stappen. De kussens waren kapotgescheurd. De schoorsteenmantel was leeg geveegd. En de badkamer... die afschuwelijke stank. Kon zij...

'Wil je die foto's zien?' Ze pakt het fotoalbum van mijn kussen.

Ik herinner me de middag waarop ik bezorgd tegen Clive had gezegd dat hij te veel geld uitgaf. Hij had toen gezegd dat ik me geen zorgen hoefde te maken omdat hij een permanente bron van inkomsten had. Hij had die nieuwe metaaldetector gekocht, die grote kleurentelevisie, de mooie camera met de lange lens en nieuwe bakken om foto's te ontwikkelen. Hij had geklaagd over buikpijn. Ik had gedacht dat de hypochonder in hem weer aan het woord was. Of dat hij griep had. Maar er hadden dode muizen op de keukenvloer gelegen, en volgens mij kunnen muizen geen griep krijgen. Was het mogelijk dat Clive geld van grootvader had gekregen? Veel geld om zijn mond te houden over foto's die hij had genomen? Was hij kortgeleden om meer geld gaan vragen?

'O, Jezus,' zeg ik.

'Dat is goed, schatje. Loof de Heer.'

'Wat... wat heeft Clive jullie zien doen? Waarvan had hij geen foto's moeten nemen?'

'Je moeder en mij.' Ze bladert het album nonchalant door. 'Ik weet niet wat er misging met dat meisje,' zegt ze alsof ze het over een recept heeft dat anders was uitgevallen dan ze had verwacht. 'Hoe vaak ik haar ook de les heb gelezen over haar plichten als echtgenote... ze wilde nooit naar me luisteren. Shenny, jij weet hoe ze kon zijn. Je hebt genoeg over haar geklaagd. Zo onafhankelijk, en zo duidelijk afkomstig uit het noorden. Ze boog haar hoofd niet voor de wil van Walter, al werd ze wel geacht dat te doen. Kijk.' Ze tikt met een nagel op een foto van mama die op de grond ligt, met haar hoofd op het gras. Op de open plek in het bos. De volle maan beschijnt haar witte blouse met de rode biesjes. Haar honingblonde haar is zwart door het bloed. Oma staat naast haar. Triomfantelijk.

De kaars op de toilettafel sputtert, de kamer draait en de uitdrukking op het gezicht van mijn grootmoeder... Ik heb het gevoel dat ik in de lucht zweef en van bovenaf naar haar kijk. 'Wat... wat hebt u gedaan?'

Vol trots en vroomheid zegt ze: 'Wat de Bijbel van me eiste. In de eerste brief aan Timoteüs staat: "Ik sta niet toe dat de vrouw onderricht geeft aan of heerst over de man. Want Adam werd het eerst geschapen, daarna Eva." Begrijp je wel? Eve. Zo heette je moeder. En als je daar een "l" aan toevoegt krijg je het woord "evel" en dat lijkt op "evil". Het kwaad. Dus zal het je we duidelijk zijn wat Jezus wilde dat ik deed.' Als ik niet reageer, verheft ze haar stem. 'Geef antwoord!'

'Ik...'

'Wist je dat je moeder van plan was mijn Walter te verlaten? Ze had me een briefje overhandigd. Dat moest ik aan jou en Janie geven, maar dat heb ik natuurlijk niet gedaan.'

Mama hield van oma. Ze vertrouwde haar. Daarom wilde ze afscheid nemen.

Die avond.

Woody had me wakker gemaakt en gezegd: 'Mama... mama... weg.'

Ik had geprobeerd haar te negeren, maar toen ze dat niet toestond had ik mopperend gezegd: 'Heb je te veel pepertjes gegeten? Je hebt een nare droom gehad. Ga weer liggen en slaap door.' Ik draaide me op mijn andere zij, maar ook dat hielp niet. 'Papa... papa...' zei ze kreunend.

Toen hoorde ik hem ook. Hij rende door het bos en brulde: 'Nee, moeder, nee. Hoe hebt u dat kunnen doen?' Ik dacht toen dat hij het tegen onze moeder had. Dat hij dronken was en daarom zo woedend was. Er was nog iemand bij hem, maar ik kon niet zien wie en toen ik mijn verrekijker had gevonden, hoorde ik dat mijn vader grommend probeerde zijn voeten op de ladder naar het fort te zetten. Woody hoorde dat ook en ze sloeg haar armen om mijn hals toen hij brulde: 'Ze is... ze is... weg. Kom naar beneden.'

Die andere persoon die ik tussen de bomen door had zien rennen, was oma Ruth Love geweest. Ze had mijn moeder vermoord en Clive had daar een foto van gemaakt, dus had ze hem ook vermoord.

'Evie was een verdorven vrouw. Dat was ze. En ze ging ook met Sam Moody om. Wist je dat hij een buitenechtelijk kind van Gus is? Toen ze jong waren, heeft Elizabeth Moody mijn Gus met haar jonge vlees verleid. Ze rende halfnaakt door het huis. Hoe had de man daar weerstand aan kunnen bieden?'

Blinde Beezy zit in het huisje van de Jacksons en heeft verdriet vanwege haar zoon die zal worden berecht voor een misdaad die hij niet heeft begaan. Grootvader weet wat zijn vrouw heeft gedaan. Blackie en papa weten dat ook. Ze proberen Sam er in te luizen. Hem de schuld te geven van wat mijn grootmoeder heeft gedaan.

'Elizabeth Bell is de volgende met wie ik van de Heer moet afrekenen, nietwaar?' vraagt ze beleefd aan het Jezusbeeldje op de toilettafel.

'Mama,' fluister ik telkens weer. 'Mama.'

'Ik heb haar brief hier. Wil je hem zien?' Ze zoekt in een envelop met papieren en kaarten, die ze op de achterkant van het album heeft vastgeplakt. 'Ik twijfel er niet aan dat dit als een soort schok voor je komt, schatje, maar als je de brief eenmaal hebt gelezen, zul je weten dat je zonder haar beter af bent.' Oma haalt de brief uit de envelop en zet de bril die aan een gouden kettinkje om haar hals hangt op haar neus. 'Ja, dit is hem. Lees hem alsjeblieft hardop voor.' Ze geeft hem aan mij.

Mama's mooie handschrift. Met verstikte stem lees ik voor.

Lieve schatten,
Wanneer jullie deze brief van jullie grootmoeder krijgen, ben ik weg. Ik weet hoeveel jullie van je vader houden, dus kan ik alleen maar hopen dat jullie zullen begrijpen waarom ik weg moet. Ik zelf kan een klap of een duw wel verdragen, maar ik ben bang dat hij de haat die hij voor mij voelt binnenkort ook op jullie gaat botvieren. Weggaan is het enige wat ik kan bedenken om hem dat te beletten. We zullen opnieuw beginnen. Probeer het alsjeblieft, alsjeblieft, te begrijpen. Ik laat jullie niet in de steek. Ik zal dicht in de buurt zijn. Sam zal jullie naar me toe brengen als jullie daar klaar voor zijn. Ik wacht op jullie. Ik hou van jullie.
Veel liefs,
Mama

Ik druk de brief tegen mijn neus, adem haar hoop in.

'Dat is echt triest,' zegt oma, die haar ogen dept met de zoom van haar crèmekleurige nachtjapon. 'Ondanks al haar tekortkomingen mis ik Evie soms, weet je. Ze kon echt...'

'Waar haalt u het lef vandaan!' Ik haal uit en geef haar een klap tegen haar mond voordat ze de naam van mijn moeder nog een keer kan noemen. Ze valt opzij, raakt met haar hoofd de scherpe rand van het nachtkastje en zakt op de grond. Haar hoofd bloedt, net zoals het hoofd van mama op de foto die Clive die nacht op de open plek in het bos van haar had genomen. Ze beweegt zich niet en haar borstkas gaat nauwelijks op en neer.

Ik buig me naar haar toe en zeg huilend: 'Jezus heeft ook oog om oog, tand om tand gezegd.' Ik kan er niets aan doen. Het komt door mijn temperament. Ik aarzel niet. Ik pak het kussen van mijn bed en druk dat op haar gezicht. Ik druk en druk tot mijn knokkels er wit van worden. Omdat mijn grootmoeder een echte zuidelijke dame is, verzet ze zich niet.

31

Ik dacht dat ik in de armen van mijn grootvader lag, tot mijn wang langs een koele badge streek en Andy Nash op bevelende toon zei: 'Je gaat met mij mee, juffrouw Shen.'

De sheriff neemt me mee, maar niet omdat ik oma Ruth Love heb vermoord. Dat wilde ik bijna doen, maar terwijl ik uit alle macht op dat kussen drukte, moest ik aan mijn tweelingzus denken. Woody zou het niet redden wanneer ik wegens moord werd opgesloten. Ik moest er omwille van haar mee ophouden. Niet omdat ik oma niet wilde doden. Ik wilde haar vermoorden, net zoals zij mijn moeder naar de andere wereld had geholpen.

Toen ik dat kussen weer had losgelaten, kroop ik naar het raam. Ik moest naar Woody toe. Dat was het enige waar ik aan kon denken. Oma kwam weer bij toen ik over de vensterbank klom. 'Je bent net als je moeder. Ga maar... Probeer maar weg te rennen,' raasde ze terwijl ze met rode handpalmen van de lippenstift door de lucht maaide. 'Jij zult niet verder kunnen komen dan zij.'

Het bloed op haar voorhoofd zorgde voor een soort doornenkroon. Al dat afschuwelijks overweldigde me. Ik verloor mijn greep op het latwerk en landde hard op het gras beneden. Daar bleef ik liggen – hoelang weet ik niet precies – tot de sheriff me optilde. Ik nam niet eens de moeite me daartegen te verzetten.

Wat zou dat voor zin hebben? Toen ik een black-out had, moest mijn grootmoeder naar beneden zijn gerend om mijn grootvader te melden dat ik was ontsnapt. Die zal de sheriff hebben gebeld, die meteen hierheen was gekomen. Daarom zit ik nu in zijn patrouillewagen.

De oudste vriend en studiegenoot van mijn vader, dokter Keller, rijdt met ons mee. Hij zit naast sheriff Nash op de voorbank, met zijn zwarte tas op schoot. Het is na middernacht. De dokter is uit zijn bed gehaald. Daarom stonk zijn adem als een oude schoen toen hij bezig was met mijn door mijn grootvader bezeerde arm. 'Hij is niet gebroken, alleen verstuikt,' zei hij tegen me toen hij, van mijn pols tot mijn elleboog, een verband om mijn arm deed. 'Over een paar dagen heb je nergens meer last van.'

Ik zit achterin en de raampjes staan open. De portieren zijn op slot. De berglucht speelt door mijn haren. Het opgedroogde bloed van mijn grootmoeder zit op mijn handen en onder mijn nagels. Ik heb de sheriff niet verteld dat ze me had bekend mama en Clive te hebben vermoord. Ik ben er zeker van dat hij dat al weet, want hij staat op de loonlijst van mijn vader.

'Waar neemt u me mee naartoe?' vraag ik opnieuw aan de sheriff.

'We zijn er zo,' zegt hij, en hij kijkt naar me via de achteruitkijkspiegel. 'Ontspan je nu maar. Dit alles zal nu snel achter de rug zijn, nietwaar, Chester?'

Dokter Keller reageert daar niet op. Hij staart naar buiten. We zijn bijna op de top van de berg. Achter ons wordt de hemel verlicht door de lampjes van de kermis en voor me zie ik de lichten van Lynchburg. Ik weet nu waar de sheriff me naartoe brengt. En waarom de dokter met ons mee gaat. Ze hebben zijn handtekening nodig onder de opnameformulieren, die waarschijnlijk al door mijn vader zijn getekend. Hij zal wel opdracht hebben gegeven me naar de Colony te brengen omdat ik niet meer zijn mooie dochter van de sterren ben. Ik ben de dochter die weet dat zijn moeder mijn moeder heeft gedood. En dat mijn familie Sam Moody daarvan de schuld in de schoenen wil schuiven. Wat zal papa tegen andere mensen zeggen? Dat ik ben weggelopen? Ja. Hij zal zeggen dat ik altijd al lastig ben geweest, en dan zal iedereen in de stad hem geloven. Hij is Walter T. Carmody, de belangrijkste rechter in Rockbridge County.

Dat is niet erg. Ik krijg precies wat ik heb verdiend. Deze hele ellende is veroorzaakt door mijn zoektocht naar mijn moeder. Mijn trots had me ervan overtuigd dat ons leven weer fantastisch zou worden als ik mama vond en haar mee naar huis nam. Had ik de verdwijning van mama maar nederig kunnen accepteren. Dan zou al dit verschrikkelijks niet zijn gebeurd. Dan zat Sam nu niet in de gevangenis te wachten op zijn proces, waarbij ik nu niet meer als getuige zal mogen optreden. Dan zat Beezy nu niet bij meneer Cole met haar blinde ogen tranen met tuiten te huilen om haar zoon. Dan zou Woody veilig in het fort zijn in plaats van zich – hopelijk – onder de dekens bij de Tittles te verstoppen. En dan zou ik niet onderweg zijn naar de Virginia State Colony for Epileptics and Feebleminded.

Ik begrijp waarom hij het moet doen. Mijn papa weet wat ik weet en hij heeft geen keus. Hij moet me wel laten opsluiten. Hij kan zijn moeder niet de gevangenis in laten gaan voor de moord op mama en op Clive Minnow. Grootvader Gus zou het nóóit toestaan dat de naam Carmody wordt bezoedeld, en papa kan niet tegen hem in gaan. De Edelachtbare heeft jarenlang zijn best gedaan op eigen benen te staan, maar uiteindelijk is hij het sprekende evenbeeld van zijn vader geworden.

Hij had me gewaarschuwd. Toen hij me die avond in het bos dicht tegen zich aan hield, denkend dat ik Woody was, had hij gezegd: 'Als jij kon praten... Als je kon vertellen wat je hebt gezien... zou dat de ondergang betekenen van alles waarvoor we hebben gewerkt. Begrijp je dat, snoesje?'

Nu begrijp ik het.

Het ziekenhuis staat dreigend aan het eind van een lange door heggen omzoomde oprijlaan. Een smeedijzeren hek met punten erop omgeeft het terrein.

Wanneer we het hek door rijden beveelt de sheriff dokter Keller 'de papieren te pakken'.

Hij maakt zijn tas open en de luide klik waarmee dat gebeurt doet pijn aan mijn oren.

Wanneer de patrouillewagen tot stilstand komt, kijk ik naar mijn nieuwe thuis. Naar de drie met klimop begroeide verdiepingen, opgetrokken uit rode baksteen. Naar de twee torens. Aan de buitenkant ziet het ziekenhuis eruit als een sprookjeskasteel, maar ik weet dat het aan de binnenkant eerder een kerker is die ruikt naar mensen die op geen enkele manier kunnen ontsnappen.

De sheriff maakt zijn portier open en het gele lampje in de auto gaat branden. Ik kan de nek van dokter Keller boven de gekreukte kraag van zijn shirt zien. 'Wilt u alstublieft voor mijn zus blijven zorgen?' vraag ik terwijl ik me naar hem toe buig. Wat zal er gebeuren met mijn dierbare, verwarde tweelingzus? Ik zal haar haren niet meer kunnen invlechten of haar rug met amandelcrème insmeren wanneer ze niet kan slapen. Wie zal musicalliedjes voor haar zingen?

Sheriff Nash biedt als een ware heer aan me de auto uit te helpen. Ik pak zijn hand niet vast. Hoe kan hij 's nachts nog slapen? Mijn vader en mijn grootvader betalen hem om te doen wat zij willen. Als hij probeert een arm om mijn schouders te slaan, schud ik me los en zeg: 'U zou zich moeten schamen.'

Hij glimlacht licht en wijst op de fraaie ingang. 'Deze kant op.'

Ik kijk nog een keer naar de sterrenhemel. Het is passend dat ik vanavond Cassiopeia heel duidelijk kan zien. Vanwege haar hooghartigheid is ze aan haar troon geketend.

De receptie is beige en goed gemeubileerd. Tijdschriften liggen in nette stapels op de tafels. De naar bloemen ruikende spray die is gebruikt om de ziekenhuisgeur te camoufleren hangt nog vaag in de lucht. Er is niets veranderd sinds we van papa mee moesten om oma Ruth Love te bezoeken toen die hier werd behandeld.

We worden hartelijk begroet door een dame die Cindy heet, ze heeft haar haren in een wrong vastgezet en haar lippen felroze gestift. Het is dezelfde vrouw die elke zaterdagmiddag onze namen opschreef voordat we naar de kamer van oma mochten gaan. Cindy knipoogt naar me, en terwijl de dokter haar de papieren overhandigt, zegt ze tegen me: 'Leuk je weer te zien, schatje.'

'Shenny, kom met me mee.' De sheriff wijst op de lift en kijkt alsof hij tevreden is met wat hij heeft gedaan. Net als mijn familie moet hij wel opgelucht zijn nu ik zal worden opgesloten. Dat kan ik hem eigenlijk niet kwalijk nemen, want ik heb nooit aardig tegen hem gedaan. 'Ga jij maar naar boven,' zegt sheriff Nash tegen mij. 'Daar zal een verpleegkundige je naar de plek brengen waar je moet zijn. De dokter en ik moeten nog iets afhandelen.' Ik stap de lift in. Hij steekt zijn in een bruin uniform gestoken arm naar binnen en drukt op de knop van de derde verdieping: de bovenste. Dan heeft hij het lef 'Succes' tegen me te zeggen terwijl de deur dichtgaat.

Iemand heeft op de doffe wand van de lift een hart getekend. Ik zie ook een telefoonnummer. En een rozen-zijn-rood-en-viooltjes-zijn-blauw-gedicht, geschreven met een balpen. De laatste twee regels zijn half uitgeveegd. Wanneer de liftdeur weer opengaat, staat er een meisje dat er niet veel ouder uitziet dan ik me op te wachten. Ze heeft een gesteven wit uniform aan. Haar haren zijn in een pagekopje geknipt en ze is aan de magere kant. Volgens haar naamplaatje heet ze Alice.

'Hallo, Shenandoah,' zegt ze. Ze pakt mijn arm stevig vast en neemt me mee, de lange gang door. 'We hebben op je gewacht.'

Op de vloer ligt bruin, gespikkeld zeil. De kale muren zijn groen – bijna dezelfde kleur als de ogen van Woody. De schoenzolen van Alice piepen, maar daarbovenuit hoor ik triest gehuil en soms wanhopig gelach.

'We zijn er.' Alice blijft opeens staan voor een van de deuren. Ze zal me uitkleden en me een heel grove jurk aantrekken. Ik herinner me hoe het met mijn grootmoeder ging. Medicijnen die druppelsgewijs de purperen ader van haar arm in gingen. Haar smeekbeden haar los te maken. Zonder me aan te kijken zegt Alice: 'De verpleegkundigen wilden dat ik tegen je zei dat het ons allemaal erg spijt. We konden op geen enkele manier...'

Ik denk aan de sheriff beneden, die zo voldaan had gekeken. 'Jullie doen alleen wat jullie is opgedragen. Net als alle anderen.' Ik weet hoe mijn kamer eruit zal zien. Een metalen bed en een metalen tafel. Eén houten stoel. Een ladekast vol krassen. Geen boeken. Geen spiegel die ik kan breken om mijn polsen door te snijden. Geen Woody tegen wie ik 's avonds aan kan kruipen om haar hart regelmatig tussen mijn schouderbladen te voelen kloppen.

Alice draait aan de deurknop en ik wacht tot de deur helemaal open is voordat ik mijn sombere toekomst in ogenschouw neem. De verpleegkundige heeft zich vergist. Er is al iemand in die kamer. 'Hier is al iemand,' zeg ik tegen haar. In het vage licht kan ik het voeteneinde van een bed zien, en de vorm van benen en voeten onder het beddengoed. Ik probeer weg te rennen, omdat ik het gevoel heb dat we de privacy schenden van iemand die er beroerd aan toe is, maar Alice zegt heel emotioneel: 'Loop maar door.'

'Ik wil niet...' begin ik. Ik ben echter te lusteloos om me echt te verzetten.

Ik steek mijn hoofd om de hoek van de deur en dan kan ik de vrouw zien die op het bed ligt. Haar honingblonde haar omgeeft als een krans haar hoofd op het kussen. Ze steekt haar magere armen verwelkomend naar me uit en ik ruik de geur van pioenen.

'Hallo, schatje,' zegt ze zacht. 'Ik heb begrepen dat je naar mij op zoek was.'

32

Mama?

Ik zal de krankzinnigheid van oma Ruth Love wel hebben geërfd. Ik heb waanvoorstellingen, net als zij. De artsen van dit ziekenhuis zullen mijn hersenen elektrocuteren, net zoals ze dat met de hare hebben gedaan. Als ik aan die behandelingen denk, wil ik me omdraaien en het op een rennen zetten. Alice houdt me met een kleine maar ferme hand tegen.

Ik zet een stap naar voren.

Ik meen niet alleen mama te zien, maar ook Sam. Volgens mijn verwarde geest zit Sam niet in de gevangenis, en is hij dus niet door de sheriff gearresteerd. Hij zit op een houten stoel naast het bed en hij heeft zijn lange benen gestrekt. Hij heeft zijn honkbalpet in zijn hand, en op zijn schoot ligt een geopend, in leer gebonden boek. We zouden op de Triple S kunnen zijn, maar Ivory en niet Wrigley zit aan zijn voeten.

Woody is ook niet bij E.J., zoals zou moeten. Ze zit naast onze moeder en ze glimlacht zoals ze dat maandenlang niet heeft gedaan. Breeduit, stoutmoedig en vol vreugde.

'Is het echt mama?' vraag ik aan mijn tweelingzus, wier aanwezigheid ik me ook moet verbeelden.

Woody knikt.

'Ik... ik...' Ik wil overgeven.

'Waar wacht je nog op?' vraagt Sam.

'Kom hier schatje. Niet bang zijn,' zegt mama.

Het kan me niets schelen als ze niet echt is. Ik loop naar haar toe, pak haar hand en kus haar arm die als een sprietig lentetakje uit de mouw van haar ziekenhuiskleding steekt. Ik begraaf mijn gezicht in haar haren. Die ruiken als een tuin: heel aards en weelderig. Ze voelt ongelooflijk warm aan voor iemand die dood is.

'Ik... u bent niet... uw leven is niet voorbij?' Ik herhaal de woorden van papa. 'U bent niet overleden?' Ik ben er nog altijd niet zeker van. Ik kan zelf dood zijn en naar de hemel zijn gegaan.

Mama klopt op het bed en ik ga voorzichtig naast haar liggen. Zij is het, maar tegelijkertijd is ze het ook niet. In elk geval niet zoals ik me haar herinner. Ze ziet er heel breekbaar uit. Ze streelt mijn wang en zegt: 'Je bent zo dapper geweest. En zo onafhankelijk.'

De verpleegkundige die nog steeds bij de deur staat, zegt: 'Heb je hulp nodig om je klaar te maken, Laurie... mevrouw Carmody, bedoel ik?' Dan drukt ze haar hand tegen haar mond en rent weg. Ik hoor haar schoenen nog lange tijd piepen.

Sam gaat staan en zegt tegen ons allemaal: 'Ik ga naar beneden om nog een paar zaken af te handelen. Doe het rustig aan met haar, Shen.'

'Maar...' Ik voel me nog altijd onzeker en trillerig, alsof ik alles door een caleidoscoop bekijk.

'Ik zal je vragen heel binnenkort beantwoorden. Help je moeder alsjeblieft haar spullen in te pakken. Ik heb wat kleren voor haar meegenomen.' Sam wijst naar een plek achter de deur, waar ze hangen. Een lichtgele blouse en een bruine broek: precies de kleren die mama mooi zou vinden. Eenvoudig en zakelijk, zonder tierlantijnen. 'Ik zie jullie beneden wel weer.'

Er spelen een miljoen vragen door mijn hoofd. Te veel om er een uit te kiezen. Tegelijkertijd kan het me eigenlijk niets schelen hoe mama op wonderbaarlijke wijze naar ons is teruggekeerd, net als Lazarus uit de dood herrezen. Ik streel haar voorhoofd, strijk met mijn vinger over haar satijnzachte wang om er zeker van te zijn dat ze geen gezichtsbedrog is. Ik knijp zelfs in mezelf. Wanneer ik tevreden ben, kijk ik over mama's schouder en zeg tegen mijn zus: 'Dit is de beste boemba, nietwaar?' Dan begin ik – waarom weet ik niet – te huilen als een baby.

Na veel geknuffel en het gebruik van een hele doos papieren zakdoekjes om mijn ogen te drogen – wat mijn zus ook wel zal hebben gedaan voordat ik hier was – helpen Woody en ik mama het bed uit en kleden haar aan, zoals Sam ons had opgedragen. Ze is zo mager als een lat en haar nieuwe kleren zijn haar veel te groot. Om de beurt borstelen we haar haren. Ze glanzen niet meer zo als vroeger en de punten zijn gespleten. Ik geef haar vederlichte kusjes in haar nek, en dat doet Woody ook. We maken haar zo mooi mogelijk en dan zeg ik: 'Ik heb u zoveel te vertellen. U zult het al wel weten, maar Woody zegt niet tegen u hoe mooi u bent – zoals ze dat vroeger zou hebben gedaan – omdat ze niet meer kan praten. Daar is ze mee opgehouden nadat u… En ze doet tegenwoordig ook een aantal echt eigenaardige dingen, maar daar moet u zich geen zorgen over maken. Ze is nog altijd Woody. Ik heb mijn best gedaan voor haar te zorgen toen u er niet was, maar soms ging me dat niet zo goed af en dat spijt me.'

Mama knuffelt me en dat doet Woody ook. Meer heb ik niet nodig. Ik voel me als een van de lelies die na een lange winter op ons veld in bloei staan.

Wanneer we de kamer uit lopen, komt Alice terug. Ze heeft rode ogen en neemt me apart. 'Je moeder zal wat tijd nodig hebben. We hebben haar sterke medicijnen toegediend. We... we wisten het niet. Toen dokter Keller haar liet opnemen zei hij dat ze Laura Smith heette en schizofrenie had. Ze heeft telkens weer tegen ons gezegd wie ze was, maar we hebben veel patiënten die... Er is een vrouw die denkt dat ze Marie Antoinette is.'

Ik ben er niet zeker van dat ik ooit een levende akte van berouw heb gezien, maar Alice lijkt daar de belichaming van te zijn wanneer ze naar mijn moeder loopt en zegt: 'Ik weet niet wat ik verder nog moet zeggen, maar het spijt me erg. Dat geldt voor ons allemaal. Het ga u goed en God zegene u.'

Omdat mama altijd zo vergevingsgezind is, pakt ze de hand van Alice en zegt: 'Jij bent al die tijd heel lief voor me geweest. Pas goed op jezelf.'

Dan zeg ik tegen de magere verpleegkundige: 'Vergissen is menselijk.' Ik kan niets anders bedenken om mijn moeder trots op me te laten zijn, maar mijn hart lijkt naar de bodem van de oceaan te zakken. Lange tijd had ik naar mama gezocht, denkend dat ze was ontvoerd, of aan geheugenverlies leed, of er met iemand van de kermis vandoor was gegaan, en toen had ik geprobeerd haar dood te verwerken. Erg vergevingsgezind voel ik me niet. Het kan me niets schelen hoe berouwvol Alice kijkt. Ik wil haar het raam uit smijten.

Mijn zus en ik duwen mama's rolstoel om de beurt over de stoep voor het ziekenhuis. Sam had het in principe een goed idee gevonden dat ze nog een nacht in de kliniek bleef en de volgende morgen vroeg uitgerust zou vertrekken, maar mama had 'Nee' tegen hem gezegd en zoals gewoonlijk had hij haar wens gerespecteerd.

De sheriff leunt tegen de bumper van zijn auto die bij de stoeprand staat. Nu zit dokter Keller op de achterbank. Met handboeien om. Ik weet me even geen houding te geven, wanneer ik besef dat sheriff Andy Nash helemaal niet zo is als ik had gedacht. Hij was niet gekocht en het eigendom van de Carmody-mannen. Ik begrijp zijn rol in dit alles nog niet, maar als hij op de loonlijst van mijn vader had gestaan, zou ik vrijwel zeker mama's rolstoel niet naar zijn wagen duwen. Dan had ik in een van die ziekenhuiskamers gelegen en hadden ze me medicijnen toegediend.

Sheriff Nash zet zijn politiepet af en zegt tegen mama: 'Hoe gaat het met u, mevrouw?'

Ze kijkt naar hem op. 'Andy, ik voel me veel beter dan in lange tijd het geval is geweest. Zonder jouw hulp en jouw integriteit...'

'Het is goed u terug te hebben,' zegt de sheriff bedeesd. Dan zet hij zijn hoed weer op en stapt in zijn auto, alsof het allemaal bij zijn werk hoort.

Ik buig me naar zijn raampje toe en fluister, zodat mijn moeder het niet kan horen: 'U zou misschien naar Lilyfield moeten gaan om oma Ruth Love op te halen. Ze heeft tegenover mij bekend dat ze Clive Minnow met een van haar taarten heeft gedood. En u weet al dat ze heeft geprobeerd mama te vermoorden, nietwaar?'

De sheriff lijkt niet echt verbaasd wanneer hij zegt: 'Zo te horen ben je daar precies op tijd weggekomen, Shenny.' Dan rijdt hij weg. Als de Lone Ranger, denk ik. Alleen is dokter Keller niet zijn trouwe metgezel Tonto. Dokter Keller is een slechte man die beslist precies zal krijgen wat hem toekomt, als Andy Nash daar iets over te zeggen heeft.

Sam tilt mama op en draagt haar naar Beezy's gedeukte bruine Pontiac, die vlakbij staat geparkeerd. 'Evie, dit is de man over wie ik je heb verteld,' zegt hij.

Curry, die ik volledig was vergeten, stapt de auto uit om het achterportier open te maken en mijn moeder zegt: 'Ik... dank u.'

Ik weet ook niet welke rol hij heeft gespeeld bij het redden van mama, maar hij moet door de hemel zijn gestuurd, want Sam kijkt naar hem alsof hij een engel is. Ik kijk nog een keer om naar het ziekenhuis, bedenk wat er had kunnen gebeuren, sla mijn armen om het Italiaanse middel van Curry en zeg telkens weer '*Grazie*' tot hij zich losmaakt.

'Graag gedaan, Shenny,' zegt hij. 'Zullen we er nu maar als een haas vandoor gaan?'

Ik kijk in zijn mysterieuze ogen. 'Dat lijkt me een prima idee.'

33

We nemen dezelfde route naar huis als op de heenweg. Door onze prachtige Blue Ridge Mountains. Maar niet alles is hetzelfde. Sam zit naast Curry op de voorbank, met Ivory tussen hen in. Mama zit tussen Woody en mij op de achterbank. We houden allebei een hand van haar vast en ik denk dat ik haar nooit meer los zal laten. Ik begrijp nu waarom papa het niet kon verdragen haar uit zijn gezichtsveld te laten verdwijnen.

De stemming in de auto wordt bepaald door de zwoele nacht en het liedje dat Sam op de radio heeft gevonden. Het is geen musicalliedje. Wel iets triests en tegelijkertijd zoets. Hoagy Carmichael? Ja, het is *Stardust*. Dat doet me weer aan mijn vader denken.

Ik heb geen idee hoelang mama in de Colony is geweest en waarom ze nooit heeft geschreven of gebeld om ons te vragen haar te komen halen en… Ik weet eigenlijk niks. Ik geef mijn zus een vette knipoog. 'Oóm Sam, kun je het ons nu allemaal uitleggen?'

Woody's lach doet me denken aan onze schuurdeur tijdens een storm. Hij klinkt echt roestig.

Sam draait zijn hoofd om en grinnikt naar de meisjes Carmody met die mooie als marmer uitziende tanden die hij van mijn grootvader heeft geërfd. Hij moet haast wel net zo gelukkig zijn als Woody en ik nu mama terug is. 'Als jullie moeder dat oké vindt.'

'Mama?' vraag ik. Het kost me nog steeds moeite te geloven dat ze naast me zit en niet diep onder de grond ligt.

'Een paar vragen dan. Het is al zo laat.' Ze slaat een arm om haar meisjes heen. 'Jullie hadden allang in bed moeten liggen.'

Ik had nooit gedacht dat ik zo blij zou kunnen worden van die woorden. Als we thuis zijn, zal ze ons waarschijnlijk ook een bad laten nemen, ons een gebedje laten prevelen, ons onze tanden laten poetsen en gorgelen.

'Wie... wat?' vraag ik. Ik weet niet waar ik moet beginnen en ben volledig de weg kwijt.

Rechercheur Sardino wijst me die weg. Hij had ons allemaal gevraagd hem Tony te noemen, maar daar ben ik niet toe in staat. Voor mij zal hij altijd Curry Weaver zijn. 'Ik kan het beste beginnen met het moment waarop Sam me een jaar geleden belde en me vertelde over de verdwijning van jullie moeder.'

'Tony en ik kennen elkaar al heel lang,' zegt Sam. 'Hij is de beste rechercheur die ik ken, en hij heeft me aan Johnny voorgesteld.' Zoals altijd gaat zijn adamsappel snel op en neer wanneer de naam van zijn overleden partner over zijn lippen komt.

'Waarom heb je me vanavond in de winkel van juffrouw Artesia niet gewoon verteld dat mama nog leefde?' vraag ik geïrriteerd aan Curry. 'Waarom heb je me om de tuin geleid? En jij, Sam, had ook je mond kunnen opendoen toen E.J. en ik je voor Slidell's op de achterbank van de auto van de sheriff zagen zitten. Je had tegen ons kunnen zeggen dat je niet écht was gearresteerd.'

'Het spijt me,' zegt Curry, en hij klinkt alsof hij dat meent. 'We wilden het je eerder vertellen, maar Sam, de sheriff en ik waren tot de conclusie gekomen dat dit helemaal moest worden uitgespeeld.'

'We konden het risico niet nemen dat jij je iets zou laten ontvallen tegenover je vader, je grootvader of je oom,' zegt Sam. 'Als zij erachter zouden komen voordat wij de kans hadden gehad om... We konden het risico niet nemen dat je moeder iets zou overkomen voordat wij haar hadden kunnen bevrijden.'

Curry kijkt naar me via de achteruitkijkspiegel. 'Zou je me hebben geloofd als ik in die tweedehandswinkel tegen je had gezegd dat je moeder nog in leven was en in de Colony zat?'

Ik geef het niet toe, maar we weten allebei dat ik hem niet zou hebben geloofd. Ik kon al nauwelijks geloven dat hij een agent was die undercover werkte en geen zwerver. Dat is waarschijnlijk de reden waarom de sheriff me onderweg naar het ziekenhuis niet vertelde dat ik niet zou worden opgenomen maar mama weer zou zien. Dat zou ik ook niet hebben geloofd.

Ik raak iets milder gestemd en zeg: 'Laten we nog eens opnieuw beginnen. Toen Sam je belde en je vertelde dat mama was verdwenen... dacht je toen dat ze was ontvoerd of was gevallen en haar hoofd had bezeerd, of...' Ik zeg niet 'of met de kermis was meegegaan' want dat lijkt nu echt imbeciel.

'Toen Sam me vertelde dat je moeder van plan was je vader te verlaten en zich hier ergens in de buurt schuil te houden tot hij jullie twee naar haar toe kon brengen, nam ik hem eigenlijk nauwelijks serieus,' zegt Curry. 'Ik dacht dat je moeder van dat laatste had afgezien omdat... Tja, mensen kunnen van gedachten veranderen. Zeker als ze bang zijn. Omdat ik Evie niet kende, dacht ik dat ze gewoon was blijven rennen tot je vader haar niets meer kon aandoen.'

Hij kent haar écht niet.

'Waardoor ben jij van gedachten veranderd?' vraag ik aan Curry. Ik bedenk hoe hard ik mijn best had gedaan haar te vinden, maar daarmee geen succes had geboekt. Voor een vreemde moest het nog eens drie keer zo moeilijk zijn geweest dit op te lossen. Zoiets als een van die lastige legpuzzels in één kleur die ze in Slidell's verkopen.

'Hoe vaker Sam me belde en hoe meer hij me vertelde, hoe duidelijker je moeder me geen type leek dat uit een beroerde situatie zou ontsnappen met de bedoeling haar kinderen naar zich toe te laten komen en dat dan niet door te zetten. Haar lichaam werd ook niet gevonden. Daardoor bleven er een paar andere mogelijkheden open en die kon ik geen van alle op afstand onderzoeken. Dus besloot ik gebruik te maken van de twee weken vakantie die ik al had geregeld.'

'Jij deed alsof je niets had gedaan om mama te vinden,' zeg ik tegen Sam. Ik was zo vaak naar de Triple S gegaan om hem om hulp te vragen en die had hij nooit toegezegd. Dat stoort me.

'Ik heb gedaan wat ik kon,' zegt Sam. 'Ik heb geïnformeerd in de ziekenhuizen in de buurt waar ik mensen kende, en ik heb over afgelegen wegen gereden. Ik heb ook geprobeerd het samen met sheriff Nash op te lossen. Shen, als je er eens wat dieper over nadenkt, zul je beseffen dat ik je niet kon vertellen wat ik deed. Ik wilde jou en Woody geen slecht nieuws brengen. Dat was de sheriff met me eens.'

Zoals altijd irriteert het noemen van Andy Nash me en ik zeg: 'Die man kan van een en een nog geen twee maken en...' Maar dan herinner ik me hoe hij heeft geholpen mama te redden. En mij. Het zal enige tijd kosten voordat ik de sheriff geen ezel meer vind maar eerder een soort Albert Einstein. Dat ik mama levend en wel terug heb, overweldigde me zo dat ik helemaal was vergeten wat ik tegen de sheriff had gezegd, voordat we van het ziekenhuis wegreden. Ik weet niet of de timing juist is, maar ik kan het niet meer binnenhouden en mama verdient het het te horen van iemand die van haar houdt. 'Oma heeft Clive Minnow vermoord!'

Mijn moeder snakt naar adem en zegt: 'Nee!'

'Dat heeft ze wel gedaan, mama. Ze had me meegenomen naar onze slaapkamer en toen kreeg ze een toeval en toen vertelde ze me dat ze Clive met een van haar taarten naar de andere wereld had geholpen.'

Curry zegt, als een echte politieman: 'De sheriff wist dat Clive was vermoord, maar hij wist niet door wie. De lijkschouwer vond...'

'Rattengif,' zeg ik. Ik ril als ik me herinner hoe trots oma was toen ze me vertelde dat ze dat op advies van de Heer door het deeg had gekneed.

'Dat klopt,' zegt Curry.

'Heeft je grootmoeder je verteld waarom ze Clive heeft vermoord?' vraagt Sam.

'Hij chanteerde grootvader. Op de avond van de kermis was Clive waarschijnlijk op zoek naar vliegende schotels, en heeft hij mama en grootvader ruzie horen maken op die open plek in het bos. Hij heeft foto's van hen genomen met een dure nieuwe camera die hij had gekocht, waarmee je in het donker dingen kunt zien.'

Mama onderdrukt een kreet wanneer ze haar armen om me heen slaat en me een adembenemende knuffel geeft. Zij weet net als ik hoe het voelt aan de genade van mijn oma te zijn overgeleverd. Als ze me niet meer zo stevig vasthoudt, zeg ik: 'Maar iets zit me dwars.'

'Wat?' vraagt Sam.

'Hoe wist de sheriff dat hij me onder het raam van mijn slaapkamer kon vinden toen ik aan oma was ontsnapt?'

Mijn zus probeert weer iets te zeggen, maar ze is onverstaanbaar en dus zegt Sam: 'Ik denk dat Woody je probeert te vertellen dat Louise Jackson de sheriff en mij heeft laten weten dat jij in de problemen zat.'

'Lou?' vraag ik aan mijn tweelingzus.

Ze knikt.

'Echt waar?' Ik denk aan de laatste keer dat ik onze huishoudster had gezien. In de keuken. Met een dronken en kwijlende grootvader en een dito oom Blackie.

Sam zegt: 'Lou kwam naar het kantoor van de sheriff gerend en zei huilend dat je vader, je grootvader en je oom verdorven waren. "In dat huis gebeurt iets heel gevaarlijks. Ik heb de beenderen bestudeerd. Ik heb rode peper gestrooid. Jullie kunnen dat meisje beter meteen gaan halen, want anders ga ik op zoek naar een geweer en doe ik het zelf. Woody is bij de Tittles en jullie moeten haar ook ophalen. Die twee meisjes horen bij elkaar," zei ze.'

Dus had Lou de voodooboodschap die ik haar had toegezonden begrepen! Opnieuw verbaast het me dat sommige mensen veel slimmer zijn dan je denkt.

'Natuurlijk was het geen onderdeel van ons plan je moeder midden in de nacht te redden,' zegt Curry. 'We waren van plan jou en Woody vandaag naar het ziekenhuis te brengen om met jullie moeder te worden herenigd, maar toen Lou zich zo duidelijk zorgen maakte over jullie veiligheid moesten we wel in actie komen. Dus zijn Sam en ik naar de Tittles gegaan om Woody te halen, en is de sheriff zo snel mogelijk naar Lilyfield gereden. Lou Jackson had ons verteld dat je in de keuken was, met je vader en je grootvader, en dus is Andy naar de achterkant van het huis gelopen. Daar trof hij jou bewusteloos aan.'

'Waarom had hij dokter Keller bij zich?' vraag ik.

'We hadden Keller in het ziekenhuis nodig om Evie uit te schrijven,' zegt Curry. 'Ik heb daar geen jurisdictie, en de sheriff ook niet.'

Mama bijt op haar nagels. 'Volgens mij zijn dat voor vanavond wel genoeg vragen.'

Ik wil weten hoe ze nadat oma had geprobeerd haar te vermoorden helemaal van die open plek in het bos bij de Colony was gekomen. 'En hoe zit het met...'

'Stil, Shenny.' Ze knikt naar Woody, die weer als een gek met haar ogen knippert en trilt. Het vinden van onze verloren en toen dood gewaande moeder... Het feit dat ze mij bijna had verloren... Mijn grootmoeder die Clive Minnow had vermoord... Het wordt haar allemaal te veel. Ik buig me voor mama langs, neem Woody's vrije hand in de mijne en zwijg.

We luisteren naar de motor en naar de banden van de auto. Uit de radio klinkt nu iets als een liefdesliedje. Mijn moeder kijkt recht voor zich uit. Af en toe komt er een tegenligger aan en dan is haar gezicht in het licht van de koplampen te zien. Haar jukbeenderen lijken op duikplanken boven een leeg zwembad. Ze hebben haar in het ziekenhuis niet veel te drinken gegeven. Het was me nog niet opgevallen hoe droog en gespleten haar eens zo weelderige lippen nu zijn.

We zijn op de top van de berg en kunnen het grote dal in kijken.

'Ik ben zo lang het terrein van het ziekenhuis niet af geweest,' zegt mama. 'Alles lijkt groter en ruikt zoveel lekkerder dan ik het me herinner.' Ze ademt de frisse boslucht in en zucht. 'Ik heb de kerstdagen met jullie gemist.'

Ik herinner me hoe Woody en ik de boom hadden opgetuigd en ik *Oh, Come All Ye Faithful* had gezongen, en ik word razend. 'Ik wou dat oma zo dood was als ze jou had willen laten zijn. Dat is de wens die ik dit jaar op mijn verjaardag zal doen.' Ik zal mijn moeder nooit vertellen dat ik die wens bijna werkelijkheid had gemaakt. Dat zou ze niet leuk vinden. Ik heb nog nooit iemand anders ontmoet die een ander zo bereidwillig haar andere wang toekeert.

Mama kijkt naar de nu slapende Woody en fluistert: 'Je grootmoeder begrijpt niet dat ze iets verkeerds heeft gedaan. Naar haar idee heeft ze juist gehandeld door haar manier van leven en haar familie te verdedigen. Ze is ziek. Je moet medelijden met haar hebben, Shen.'

Dat heb ik niet. Nooit, in de verste verte niet zal ik medelijden met haar hebben. Ik zal het die oude vrouw nooit vergeven.

Als we bij het deel van de weg zijn vanwaar ik Lexington kan zien, denk ik aan papa, grootvader en oom Blackie. 'Gaan we terug naar Lilyfield?'

'Nee, schatje,' zegt mama. 'Sam heeft iets anders voor ons geregeld. We gaan bij Beezy logeren totdat... Ik weet niet precies voor hoelang.'

Dat is waarschijnlijk het beste. Voor een tijdje, in elk geval. Maar Lilyfield is wel ons thuis. Meer hebben we niet. Dat zeg ik niet tegen mama. Ze ziet er volstrekt uitgeput uit en ik voel me ook doodmoe. Dus leg ik, net als mijn tweelingzus, mijn hoofd op haar schouder. Ze geeft me een kusje op mijn voorhoofd en – zoals ik al wel had geweten – fluistert ze: 'Morgen is een rivier.' Ik kan me echt niet voorstellen hoe al mijn dromen werkelijkheid kunnen worden, maar heel eventjes wens ik wanhopig dat dat mogelijk is.

34

Ik word wakker van het geluid van gillende sirenes en van de geur van rook.

Er likken vlammen aan het dak en de ramen van het op een na mooiste huis in geheel Rockbridge County.

Lilyfield staat in brand.

'Papa!' brul ik door het openstaande portierraampje. De hitte van de brand roostert mijn wangen wanneer Curry op Lee Road langs de kant van de weg stopt. Hij moet de rookwolken onderweg hebben gezien en meteen naar Lilyfield zijn gereden.

'Shenny, wacht!' roept mama, maar ik spring de auto uit.

Ik zie een stomverbaasde menigte – sommige mensen in pyjama – hulpeloos toekijken. 'Is de Edelachtbare in veiligheid?' roep ik.

'Ja. Ik heb hem met de sheriff zien praten,' roept iemand terug.

Als ik weet dat papa in veiligheid is, draai ik me om en kijk naar de ergste brand die ik ooit heb gezien. Ik hou van Lilyfield, en dus verbaast het me dat ik me niet al te erg van streek voel, alsof ik kijk naar het onderkomen van iemand anders dat in vlammen opgaat. Ik weet dat er in dit huis veel goede dingen zijn gebeurd, maar die kan ik me nauwelijks meer herinneren.

Wanneer Woody, mama, Sam en Curry naar me toe zijn gelopen, proberen we een plekje te vinden tussen de andere mensen die naar het werk van de brandweermannen kijken. De bomen in het bos voor Lilyfield zijn al verbrand, dus is het huis duidelijk te zien. 'Is dat Evelyn Carmody?' vragen een paar mensen.

Anderen zeggen bezorgd: 'Hoe kan zo'n verschrikkelijke brand in vredesnaam zijn begonnen?'

Iemand anders achter in de menigte – ik herken de hoge stem van meneer Slidell – vraagt: 'Heeft iemand de tweeling gezien?'

'Met ons is er niets aan de hand, meneer Slidell,' roep ik. Want hoewel hij heel chagrijnig kan zijn, ontroert zijn bezorgdheid me.

Wanneer E.J. mijn stem hoort, vliegt hij als een postduif naar ons toe. Hij wordt op de voet gevolgd door Louise, Beezy en een onder het roet zittende meneer Cole Jackson. Ze hébben het bijna niet meer wanneer ze Woody, mij en mama zien. Meneer Cole trilt zo erg dat hij volgens mij in shock is. 'Evelyn... ik heb elke avond voor je terugkeer gebeden.'

'Cole, het is zo goed je weer te zien,' zegt mama, en ze geeft hem een knuffel.

'Hoe maakt u het, mevrouw?' Louise loopt naar mama toe. 'Ik heb veel over u gehoord. Het is vrijdag de dertiende, dus moet u voorzichtig zijn.'

Lou kan op geen enkele manier weten dat dit de gelukkigste dag in het leven van mijn moeder is.

Blinde Beezy, die naast meneer Cole staat, jammert en maait met haar armen door de lucht. 'Evie? Evie?'

Mama pakt de handen van Beezy en drukt die tegen haar gezicht om haar te laten voelen dat zij het echt is. 'Het is... zo goed je weer te zien,' zeggen ze tegen elkaar.

Daarna moet Beezy Sam met een van de brandweermannen hebben horen praten, die even van het huis vandaan was gelopen om iets koels te drinken, want ze schreeuwt: 'Sam? Sammy! Ben jij het?'

Haar zoon komt snel naar haar toe en geeft haar een klopje op haar smalle rug.

'Curry kwam langs om te me vertellen wat jullie probeerden te doen, maar...' zegt Beezy.

'Het is nu achter de rug, mama,' zegt Sam.

Terwijl we allemaal horen hoe de brand ons huis verwoest, slaat E.J. een arm om het middel van mijn zus en trekt haar dicht tegen zich aan. 'Ik heb de rook geroken en toen zei papa dat ik naar de Calhouns moest rennen om te zeggen dat ze de brandweer moesten bellen,' zegt hij tegen mij. 'Ik wist dat jij daar niet was, omdat Curry en Sam me toen ze Woody kwamen halen hadden verteld waar jij wel was. Ik ben zo snel ik kon naar de steppingstones gegaan om Lou, Beezy en meneer Cole te vertellen dat jij onderweg was naar het ziekenhuis. Toen ben ik met een emmer water naar de boom gerend, maar die ging heel erg snel in rook op. Het spijt me. Het fort is er niet meer.'

Er komt een ambulance onze oprijlaan af, gevolgd door twee politiewagens. In de eerste politiewagen zitten mijn oom Blackie en grootvader Gus. In de tweede zit mijn vader. Dat moet betekenen dat oma Ruth Love bij de brand gewond is geraakt en met de ambulance naar het ziekenhuis wordt gebracht.

Wanneer ze langs de menigte rijden ziet papa zijn vrouw en zijn dochters niet. Zijn ogen zijn dicht. Terwijl ik naar zijn knappe profiel kijk, moet ik – ondanks alles wat hij mij en

Woody of zelfs mama heeft aangedaan – de hand van Woody vastpakken om niet achter de auto aan te rennen en te schreeuwen: 'Ik hou nog altijd van u, papa. Ik vind het triest dat uw huis afbrandt.'

35

Het is Onafhankelijkheidsdag.

Vanmorgen was er een optocht. Er was een wedstrijd zaklopen en er werd op violen gespeeld. Mama had sandwiches met kaas en gele Jell-O klaargemaakt, en nu zitten we net als iedereen in de stad te picknicken. Bij de kreek, waar die door Buffalo Park kronkelt. Het is heerlijk de niet al te lekkere gerechten van mijn moeder weer te eten, maar onze plaid grenst aan die van de Tittles en ik moet bekennen dat ik een drumstick uit hun mand heb gestolen. Dorry Tittle kan die echt lekker klaarmaken. E.J. en Woody zijn bij de schommels en doen heel verliefd. Mijn moeder pakt baby Fay op van de plaid en wiegt haar in haar armen. Ik doe alsof ik een dutje doe, zodat ik kan luisteren naar de zachte stemmen van mama en mevrouw Tittle. Mama heeft geweigerd mijn vragen te beantwoorden. Ze wil niet dat Woody en ik van streek raken, en voor luistervinkje spelen zit in mijn bloed.

'Ik heb in de kerk van de meisjes iets gehoord van wat er is gebeurd,' zegt mevrouw Tittle. 'Ons plan is anders gelopen dan we hadden gehoopt.'

Mama houdt op met lieve geluidjes maken naar de baby en zegt: 'Dat klopt.'

Ik herinner me hoe ik haar die avond op de kermis voor de tent van de Dikke Dame had gevonden. Ze had willen weglopen. Daarom had ze zo triest gekeken.

'Ik had naar jouw huis toe moeten gaan toen je niet kwam,' zegt mevrouw Tittle heel spijtig.

Ik weet niet wat mevrouw Tittle met die opmerking bedoelt, tot ik me herinner dat Vera die avond bij Slidell's tegen ons had gezegd dat de moeder van E.J. de auto van de Calhouns zou lenen om mama naar het busstation te brengen.

Mama zegt: 'Ik ben blij dat je dat niet hebt gedaan. Ruth Love was zo doorgedraaid dat ze volgens mij... tot alles in staat was.'

Daar moet mevrouw Tittle even over nadenken en dan vraagt ze: 'Hoe ben je in de Colony beland nadat ze je op de grond had geduwd en had geprobeerd je... te laten stikken?'

De baby is een beetje onrustig, dus drukt mama haar tegen haar schouder en laat haar op en neer wippen. 'Toen ik bijkwam, lag ik in de roeiboot. Maar ik weet niet precies hoe ik daarin ben beland. Blackie roeide.'

Die roeiboot moest dus al die tijd goed verborgen zijn geweest bij het huis van mijn oom. Daarom had de sheriff hem nooit gevonden. Ondanks alles denk ik dat mijn vader nog steeds van mama houdt. Hij had haar die avond niet de verdrinkingsdood willen laten sterven. Mijn grootvader kennende zal die daar vast op hebben aangedrongen. Ik ben trots op papa omdat hij zich tegen zijn vader heeft verzet.

'Ik verloor telkens even het bewustzijn,' gaat mama door, 'maar ik herinner me dat Walter in die boot zat, net als Gus. Toen we eenmaal bij het huis van Blackie waren, heeft een van hen dokter Keller gebeld. Die heeft me een injectie gegeven en de wond in mijn achterhoofd gehecht. De volgende morgen vroeg heeft hij me naar het ziekenhuis gebracht. Ik kan me vaag herinneren dat de dokter tegen het personeel van de afdeling Opname zei dat ik een patiënte van hem was. Hij gaf opdracht me sterke kalmerende medicijnen toe te dienen, zoals barbituraten. Ze hebben me voortdurend versuft gehouden.'

Mevrouw Tittle roept naar de kleine zusjes van E.J.: 'Jullie hebben je zondagse kleren aan. Blijf uit de buurt van die kreek.' Ze moeten haar hebben gehoorzaamd, want daarna zegt ze tegen mama: 'Ik heb Chester Keller nooit echt gemogen. Hij heeft ogen als een zwart racepaard.' Ze zwijgen een paar minuten en dan vraagt mevrouw Tittle: 'Was Walter het met dat alles eens?' Gezien de grote liefde die de moeder van E.J. voor haar hoestende echtgenoot voelt, zal ze zich dat moeilijk voor kunnen stellen. 'Vond hij het goed dat je in de Colony werd opgesloten en daar ook vast bleef zitten?'

'Ik wil geloven dat Walt heeft geprobeerd Gus tot andere gedachten te brengen, maar...' zegt mama heel triest.

Net als ik weet mijn moeder dat papa er niets aan kon doen, maar het moet hartverscheurend voor haar zijn om toe te geven dat haar echtgenoot, de man van haar dromen, de vader van haar kinderen, tot zoiets wreeds in staat was. Ik kijk stiekem even naar haar. Ze kijkt inderdaad heel triest. En Bootie Young staat naast de plaid, in zijn beste overall.

'Mevrouw Carmody. Mevrouw Tittle. Shen.'

Ik ga rechtop zitten en strijk mijn haren glad. 'Hallo, Bootie.'

'Zullen we iets te drinken halen?' Hij wijst naar de metalen emmers vol ijs en frisdranken.

Ik kijk naar mama, haar om toestemming vragend, en zij knikt.

Die knappe jongen en ik blijven de rest van de middag dicht bij elkaar in de buurt en wanneer de zon ondergaat, kijken we samen naar het vuurwerk. Maar hoewel er een droom werkelijkheid is geworden nu ik de grote en eeltige hand van Bootie in de mijne mag houden, blijf ik denken aan de zachte, kleine hand van mijn papa. Hij is op borgtocht vrijgelaten, en hetzelfde geldt voor mijn oom en mijn grootvader. De Edelachtbare kijkt waarschijnlijk naar het vuurwerk vanaf de hoge heuvel van Heritage Farm, zoals we dat altijd deden toen we nog een gezin vormden. Als dat zo is, zal hij vast extra glimlachen bij het zien van de oranje en groene vuurpijlen. Die zijn bij hem favoriet. Maandag zal ik hem in de rechtszaal zien.

36

'Sorry. Pardon. Dank u,' zegt Sam terwijl hij mama, Woody en mij meeneemt door de groep mensen die zich voor het gerechtsgebouw hebben verzameld en ons het beste toewensen.

Het proces zal niet meteen beginnen. Het gaat om een hoorzitting om het lot van de rest van onze familie te bepalen. Met uitzondering van oma. Zij is ernstig verbrand geraakt tijdens de 'Felle brand op Lilyfield' zoals de *News-Gazette* van Lexington had gekopt. Mama had liever niet dat ik die artikelen las, maar dat wilde ik per se. Mij zullen ze nooit meer ergens onkundig van houden. De verslaggevers meldden heel gedetailleerd dat Charlie LeClair, een van de brandweermannen ter plaatse, had gezegd: 'Ik trof mevrouw Ruth Love Carmody boven aan, in een van de slaapkamers. Toen we probeerden haar mee te nemen, rende ze de trap aan de voorkant van het huis af en raakte ik haar in alle rook kwijt. Ik weet zeker dat ze het niet had overleefd, wanneer meneer Gus niet achter haar aan was gegaan en haar in veiligheid had gebracht.'

En *ík* weet zeker dat de verslaggever zich vergist als hij denkt dat grootvader haar had gered.

De krant citeerde ook de brandweercommandant Al Cobb: 'We weten dat de brand op de tweede verdieping van het huis is begonnen, maar het is nog onduidelijk waardoor die is ontstaan. We zullen ons onderzoek voortzetten.'

Ik denk dat oma met haar poppen speelde en het verhaal van Jeanne d'Arc weer opvoerde, waarna het vuur uit de hand was gelopen.

Of misschien ook niet.

Wat er die avond precies is gebeurd, zal denk ik wel een mysterie blijven tot mijn grootmoeder voldoende is hersteld om het ons te vertellen, wat hoogstwaarschijnlijk nooit het geval zal zijn. Ze is beschuldigd van moord en poging tot moord, maar ze is hier vandaag niet omdat ze *non compos mentis* is bevonden – geestelijk niet in orde en niet in staat terecht te staan. Ze is overgebracht naar een speciaal ziekenhuis in Richmond, waar mensen met criminele geestesziekten worden behandeld. Ik geloof niet dat ze ooit nog normaal zal worden, hoeveel elektrische behandelingen ze haar deze keer ook geven.

Toen we onze in het verband zittende grootmoeder vorige week gingen bezoeken, fluisterde ik in de ziekenhuiskamer tegen Woody: 'Ze ziet eruit als een mummie.' Omdat ik nog steeds woedend op haar ben. Mama vond die grap niet zo geestig. Ze had voor de vrouw die had geprobeerd haar te vermoorden een boeketje bloemen meegenomen die ze in haar nieuwe tuin had geplukt. Toen ik haar vroeg waarom ze zoiets aardigs deed – iets wat ik echt onbegrijpelijk vind – zei ze: '"Vergiffenis is de geur die een viooltje overbrengt op de hiel van degene die het heeft vertrapt." Dat heeft meneer Mark Twain gezegd.'

Dat vind ik een mooie gedachte, echt waar, maar meer dan een gedachte is het voor mij niet. Ik mag dan de haarkleur en de groene ogen van mijn moeder hebben geërfd, net als haar liefde voor woorden en gedichten, maar het vermogen om te vergeven duidelijk niet.

Behalve wanneer het mijn vader betreft.

De drie hoge ramen in de muren van de rechtszaal staan zo ver mogelijk open. Buiten bewegen de bladerrijke bomen niet. De ventilatoren aan het plafond draaien als een gek rond en proberen de hitte te verdrijven die bij iedereen het zweet langs de nek doet druppen, net als bij mij.

'Schatje, ze roepen jouw naam,' zegt mama. Woody, zij en ik zitten op de tweede rij. Mijn moeder neemt niet veel ruimte in beslag omdat ze heel mager is, ondanks het feit dat Beezy haar drie keer in de week haar kippenpasteitjes-op-de-gevangenismanier laat eten.

Onderweg naar de getuigenbank moet ik langs de tafel lopen waar de mannen Carmody zitten, met hun advocaat Bobby Rudd. De jurist van mijn familie heeft heel veel processen gewonnen. Hij is van de leeftijd van mijn grootvader en hij heeft oom Blackie vaak uit de nesten gehaald. Aan de manier waarop meneer Rudd pronkt met zijn mooie pak, lavendelkleurige overhemd en gestreepte das, kan ik opmaken dat hij erop rekent dat het ook deze keer niet tot een proces zal komen.

Mijn vader ziet er niet meer zo machtig uit als toen hij zelf rechtsprak, zoals rechter Elmer Whitmore dat nu doet. Papa kijkt me aan en ik herken de berouwvolle blik in zijn ogen. Die kregen Woody en ik soms ook als hij ons 's morgens de kelder uit liet.

Als ik in de getuigenbank heb plaatsgenomen, steekt meneer Lloyd Riverton me de Bijbel toe en zegt: 'U weet hoe het gaat, juffrouw Shenny.' Meneer Lloyd was ook gerechtsdienaar in de rechtszaal van mijn vader, daarom staan we op vriendschappelijke voet. 'Zweert u op de Bijbel de waarheid en niets dan de waarheid te vertellen?'

'Ja,' zeg ik, en ik hoop dat ik dat meen. Ik ben bang dat ik zal zwichten voor mijn liefde voor papa. Dat ik de getuigenbank uit zal rennen, op zijn schoot zal kruipen en mijn hoofd tegen zijn schouder zal leggen. Ik heb vandaag de jurk aangetrokken die hij het mooist vindt. De blauwe, met de Peter Pan-kraag.

Meneer Will Stockton, de officier van justitie, zegt: 'Shenny, ik ga je nu een paar vragen stellen. Kun je die naar waarheid beantwoorden? Ik zal het zo kort mogelijk houden.'

Ik weet wat ik voor mama moet doen, en dat kan ik. 'Ja.'

'Heb je geprobeerd je moeder te vinden toen ze vorig jaar verdween?'

'Niet meteen.'

'Waarom niet?'

Ik kijk naar mijn moeder. 'Aanvankelijk dacht ik dat ze terug zou komen en toen... Er zijn allerlei redenen waarom ik haar niet ben gaan zoeken, maar de belangrijkste was dat ik niet wist hoe ik dat moest doen. Ik ben maar een kind.'

De mensen op de publieke tribune lachen een beetje.

De officier van justitie wacht tot het weer stil is geworden en vraagt dan: 'Maar kortgeleden ben je wel gaan zoeken. Waarom?'

Ik probeer niet naar mijn vader te kijken als ik zeg: 'Papa dreigde Woody weg te sturen, dus was het meer dan ooit nodig dat ik mama vond.'

'Dus ging je je moeder zoeken. Wat is er toen gebeurd?'

'Ik heb het vrijwel meteen weer opgegeven.'

'Waarom?'

Ik weet niet of ik dit kan doorzetten. Papa kijkt naar me met trieste puppyogen.

'Shenny? Waarom ben je opgehouden naar je moeder te zoeken?'

Ik haal diep adem, kijk naar mama en naar mijn zus en zeg: 'Omdat mijn papa me had verteld dat ze dood was.'

De advocaat van de familie Carmody tekent bezwaar aan.

'Bezwaar afgewezen,' zegt rechter Whitmore. Dan, tegen de officier van justitie: 'U kunt doorgaan.'

Meneer Stockton knikt. 'We weten nu dat je vader toen loog, nietwaar? We kunnen zien dat je moeder nog in leven is.'

Alle hoofden worden haar kant op gedraaid. Mama heeft alleen oog voor mij.

'Zijn er meer mensen die je verteld hebben dat je moeder dood was?'

'Ja, meneer. Mijn grootmoeder.' Dit is gemakkelijk. Ik vind het niet erg dit aan hem en alle anderen te vertellen. 'Ze zei tegen me dat ze mijn moeder had vermoord.'

Er volgt geen reactie in de rechtszaal. Dit is oud nieuws.

'Geloofde je je grootmoeder?'

'Nee, meneer. Ik dacht dat ze weer een toeval kreeg. Maar daarna liet ze me een foto zien waarop zij op de open plek in het bos naast mama stond, en mijn moeder zag er dood uit.'

Mama glimlacht niet meer. Ze drukt een zakdoek tegen haar ogen.

'Heb je daar nog iets aan toe te voegen?' vraagt meneer Stockton.

'Nee, meneer.'

'Dan mag je de getuigenbank weer verlaten.'

Als ik langs hun tafel terugloop naar mijn plaats kijkt papa niet nijdig en is die ader bij zijn slaap ook niet opgezet. Hij geeft me weer zijn het-spijt-me-glimlach en dat is het allermoeilijkst. Mijn hoofd weet dat het fout is hem alles te vergeven, maar mijn hart weet dat niet.

Woody is de volgende getuige en ze knikt als haar wordt gevraagd of ze de waarheid en niets dan de waarheid zal spreken.

Rechter Whitmore, die heel mager is en de reputatie geniet hard te zijn, zegt tegen Maddie Gimbel, de griffier: 'De getuige heeft bevestigend geknikt en alle verdere hoofdbewegingen moeten worden genoteerd als een bevestiging of een ontkenning.' Dan zegt hij tegen Woody: 'Ga alsjeblieft zitten.' De rechter weet dat mijn zus nog altijd geen woord over haar lippen laat komen. Iedereen weet dat. Hij heeft Woody voorzien van een pen en een velletje papier om zo nodig haar antwoorden op te schrijven, omdat er voor haar verzachtende omstandigheden gelden. Mama en ik hebben meneer Stockton verteld dat Woody's oren heel gevoelig zijn en dat hij zijn stem niet mag verheffen. En dat hij zijn vragen tot een absoluut minimum moet beperken. In opdracht van de dokter.

Meneer Stockton loopt naar de getuigenbank toe. 'Jane Woodrow, heb je op de avond van de achtste juni 1968 iemand je mama pijn zien doen?' vraagt hij vriendelijk en zacht. 'En zo ja, wie was dat? Neem er rustig de tijd voor.'

Mijn tweelingzus kijkt naar mij en dan naar mama. Ze grijpt niet naar de pen of het papier. Ze schokt ons door voor het eerst in meer dan een jaar een normaal woord over haar lippen te laten komen. 'Oma.'

Het is ijzingwekkend.

'Bedoel je mevrouw Ruth Love Carmody?'

Woody knikt.

'Heb je daar diezelfde avond ook nog iemand anders gezien?'

Woody wijst met een vinger eerst naar mijn vader, die met gebogen schouders op zijn stoel zit. Daarna wijst ze naar mijn grootvader en tot slot naar oom Blackie. Die twee zitten kaarsrecht en gaan kennelijk niet gebukt onder wat ze hebben gedaan.

'In het verslag moet worden opgenomen dat de getuige naar ieder van de aangeklaagden heeft gewezen,' zegt rechter Whitmore.

'Dat is alles, Jane Woodrow. Hartelijk bedankt. Je mag de getuigenbank weer verlaten.' Meneer Stockton helpt haar daarbij.

Mijn zus en ik mogen blijven en horen Curry Weaver, rechercheur Anthony Sardino van de politie van Decatur, Illinois, vragen beantwoorden waarop ik de antwoorden al ken. Toch wil ik horen wat hij te zeggen heeft, voor het geval me iets is ontgaan.

Nadat Curry zijn hand van de Bijbel heeft gehaald en heeft gemeld wie en wat hij is, vraagt meneer Stockton: 'Hoe komt het, rechercheur Sardino, dat u naar onze mooie stad bent gekomen om een onderzoek in te stellen naar de verdwijning van mevrouw Evelyn Carmody?'

Curry, die er heel intelligent uitziet in een bruin pak en een bruin shirt, zegt: 'De verdwijning van mevrouw Carmody werd voor het eerst onder mijn aandacht gebracht door de heer Sam Moody. Hij vroeg mij om hulp.'

'Waarom had meneer Moody het gevoel dat dat nodig was? Twijfelde hij aan het vermogen van sheriff Andy Nash om een grondig onderzoek in te stellen naar de verdwijning van mevrouw Evelyn Carmody?'

'Dat zou ik niet willen zeggen.' Curry neemt een slokje water uit het glas dat voor hem is neergezet. 'Meneer Moody begreep hoe machtig de familie Carmody in deze stad is en hij had het gevoel dat de sheriff door hen werd tegengewerkt.'

'Ik teken bezwaar aan, Edelachtbare,' roept Bobby Rudd. 'Hier is sprake van een vooroordeel.'

'Bezwaar afgewezen,' zegt rechter Whitmore.

'Hebt u, toen u in de stad was gearriveerd, contact opgenomen met sheriff Nash?' vraagt de officier van justitie.

'Ja,' zegt Curry. 'Uit beroepsmatige beleefdheid heb ik hem laten weten wie ik was en we spraken af ons uiterste best te doen om deze zaak met behulp van meneer Moody tot op de bodem uit te zoeken.'

'Mevrouw Carmody is bijna een jaar lang zoek geweest. Waarom geloofden u en de sheriff dat ze nog in leven was?'

'Dat geloofden we eigenlijk niet direct. Maar omwille van de kinderen hoopten we het wel,' zegt Curry. 'Haar lichaam was niet gevonden en bij dit soort zaken gebeurt dat gewoonlijk wel.'

'Kunt u de rechtbank vertellen hoe u naar mevrouw Carmody bent gaan zoeken?'

'De sheriff en meneer Moody stelden voor dat ik undercover zou gaan werken. Als ik vragen over de verdwijning van mevrouw Carmody zou gaan stellen, vreesden ze... Tja, ik was een onbekende in deze stad. Ze waren bang dat sommige mensen dan zouden aarzelen mij dingen te vertellen. En dat het de familie Carmody ter ore zou komen dat ik rondneusde. Sam Moody stelde voor dat ik in het kamp van de zwervers zou verblijven.'

'Hebt u daar uw voordeel mee kunnen doen?'

Curry glimlacht naar Woody en mij. 'Ja. In dat kamp heb ik de kans gekregen kennis te maken met de kinderen Carmody. En met juffrouw Dagmar Epps.'

Aan de tafel van de verdediging wordt druk overlegd. Meneer Bobby Rudd fluistert iets in het oor van oom Blackie.

Dat weerhoudt meneer Stockton er niet van aan Curry te vragen: 'Welke rol speelden de kinderen Carmody en jufrouw Epps bij uw onderzoek?'

'Doordat ik vriendschap had gesloten met de kinderen ben ik meer te weten gekomen over de relatie tussen hun ouders.' Hij heeft het over onze gesprekken op de schraagbrug. 'Juffrouw Shenandoah Carmody was ook zo vriendelijk mijn vragen te beantwoorden over een paar andere mensen die ik ervan verdacht iets te maken te hebben met de verdwijning van mevrouw Carmody.'

'U zei dat u in dat kamp ook juffrouw Dagmar Epps hebt leren kennen. Wat heeft zij te maken met de verdwijning van mevrouw Carmody?'

Curry kijkt de rechtszaal door en zegt: 'Iets wat juffrouw Epps me vertelde, deed me geloven dat mevrouw Carmody misschien nog in leven was.'

Ik kijk over mijn schouder en zie E.J. bij de deuren van de rechtszaal staan, samen met Dagmar. Hij houdt haar hand vast. Curry had onze man uit de bergen gevraagd haar deze morgen te vergezellen.

'Wat heeft juffrouw Epps gezegd waardoor u ging geloven dat mevrouw Carmody misschien nog in leven was?' vraagt meneer Stockton, die zijn opwinding niet verborgen kan houden.

'Ik teken bezwaar aan, Edelachtbare. Informatie uit de tweede hand,' roept Rudd.

'Bobby, dit is een hoorzitting. Gaat u door, rechercheur Sardino,' zegt rechter Whitmore.

'Juffrouw Epps maakte me ervan bewust dat rechter Carmody de neiging had "probleemgevallen" zoals zij dat noemde, in het ziekenhuis te laten opnemen. Toen ik haar vroeg wat ze daarmee bedoelde, vertelde ze me dat ze tien jaar geleden van Blackie Carmody in verwachting was geraakt en dat die ervoor had gezorgd dat zijn broer, Walter T. Carmody, haar liet opnemen in de Virginia State Colony for Epileptics and Feebleminded. Het kind werd geaborteerd en toen is er op bevel van de rechtbank een hysterectomie uitgevoerd bij juffrouw Epps.'

Op de publieke tribune wordt woedend gefluisterd en Bobby Rudd springt zo snel overeind dat zijn stoel omvalt. 'Ik teken met klem bezwaar aan, Edelachtbare!'

'Ga zitten, Bobby,' zegt rechter Whitmore. 'Je hebt de dossiers van het ziekenhuis gezien. Je zet jezelf voor aap.'

De officier van justitie probeert een glimlach te bedwingen, maar dat lukt hem niet wanneer hij aan Curry vraagt: 'Besefte u na het horen van het verhaal van juffrouw Epps dat de Colony voor de familie Carmody een perfecte plaats kon zijn om mevrouw Evelyn Carmody te verstoppen, zodat ze niet tegen mevrouw Ruth Love zou kunnen getuigen?'

'Ja,' zegt Curry simpelweg.

Rechter Whitmore onderbreekt het verhoor. 'Rechercheur Sardino, ik heb begrepen dat u de sheriff hebt verzocht tegen mij te zeggen dat u er misschien baat bij zou hebben enige tijd in dat ziekenhuis door te brengen.' Omdat de rechter knalrood wordt en overduidelijk naar Andy Nash kijkt, heb ik het idee dat de sheriff hem niet met evenzoveel woorden had verteld dat Curry een agent was die undercover werkte en op zoek was naar mijn moeder. 'Ik geloof dat ik de papieren heb ondertekend die nodig waren om u daar ter observatie te laten opnemen.'

'Dat klopt, Edelachtbare,' zegt Curry een beetje gespannen. 'En daarvoor bied ik de rechtbank mijn verontschuldigingen aan. Het was de enige manier die we konden bedenken om iemand die een onderzoek kon instellen naar onze vermoedens dat ziekenhuis in te krijgen.'

Rechter Whitmore kijkt nog altijd naar de sheriff, die zenuwachtig met een zakdoek zijn voorhoofd afveegt. 'Ga door,' zegt de Edelachtbare uiteindelijk op een manier die me doet vermoeden dat hij en de sheriff later achter de schermen een hartig woordje zullen wisselen.

'Wat hebt u na uw opname gedaan om te proberen uw theorie dat mevrouw Carmody misschien ook was opgenomen, te bewijzen?' vraagt meneer Stockton.

'Meneer Moody had me een foto van mevrouw Carmody gegeven. Die heb ik overal laten zien, maar geen van de patiënten leek haar te herkennen.'

Op dat moment knijpt mama heel hard in mijn hand. Ik had haar tijdens de picknick aan mevrouw Tittle horen vertellen dat ze zelden haar kamer uit mocht.

'Ik heb toen ook gevraagd of ze ooit een patiënt waren tegengekomen die beweerde iemand anders te zijn dan ze volgens het ziekenhuis was,' zegt Curry. 'Niemand kwam vrijwillig met informatie. Ik kreeg alleen te horen dat er een vrouw was die bekendstond als Marie Antoinette. Pas laat op de tweede dag hoorde ik de verpleegkundigen toevallig praten over een vrouw die Laurie heette en die bleef volhouden dat haar echte naam Evelyn was. Ze bespraken wie van hen dokter Keller moest bellen om extra medicijnen voor haar te vragen. Toen was ik er vrij zeker van dat ik mevrouw Carmody had gevonden.'

Ik kijk weer om naar E.J. en Dagmar en ik denk aan de arme zielen in dat ziekenhuis. Ik vraag me af hoeveel patiënten echt geestesziek zijn en hoeveel mensen er zijn opgenomen om redenen die niets met hulpverlening te maken hebben.

'Rechercheur, wat hebt u gedaan toen u er eenmaal zeker van was dat het mevrouw Carmody was?' vraagt meneer Stockton.

'Ik wachtte tot de verpleegkundigen weer aan het werk gingen. Toen heb ik hun telefoon gebruikt om sheriff Nash te bellen en hem van de situatie op de hoogte te stellen. Omdat het ziekenhuis buiten zijn jurisdictie valt, kon hij mevrouw Carmody daar niet weghalen. We besloten dat we mevrouw Carmody het snelst weg konden krijgen door er heen te gaan met dokter Keller, die verantwoordelijk was geweest voor haar opname.'

Rechter Whitmore gebruikt zijn hamer en roept 'Orde!' vanwege het geroezemoes in de rechtszaal. Dokter Keller heeft de dorpelingen vele jaren behandeld en ze kunnen moeilijk geloven dat hij zoiets hypocriets heeft gedaan.

Meneer Stockton stelt nog een paar technische vragen en dan mag Curry de getuigenbank verlaten. Hij tikt tegen zijn hoed wanneer hij langs Woody, mama en mij regelrecht de rechtszaal uit loopt. Hij gaat terug naar zijn Indische vrouw en zijn kinderen, die hem ongetwijfeld heel erg hebben gemist. Gisteravond na het eten heb ik hem nogmaals bedankt. Woody gaf hem een tekening die ze van hem had gemaakt terwijl hij mondharmonica speelde in het kamp van de zwervers. Toen E.J. hem als afscheidscadeau een van zijn pijlpunten gaf, werd Curry even emotioneel als een van mama's Italiaanse operaplaten.

Sheriff Nash heeft in de getuigenbank plaatsgenomen, zijn verklaring is zakelijk. Hoewel hij zo erg zweet dat het shirt van zijn uniform zwart lijkt in plaats van bruin, vertelt hij rustig en duidelijk wat zijn rol is geweest bij het redden van mama. De mensen op de publieke tribune juichen voor onze eigen held wanneer hij de getuigenbank weer verlaat.

Mijn oom Sam wordt gehoord en hij bevestigt wat Curry al had gezegd, zij het op een veel langzamere manier. Ook voor hem wordt gejuicht, maar voornamelijk door de kleurlingen.

Anderen wachten om hun kant van het verhaal te vertellen.

Ik weet zeker dat de officier van justitie Dagmar Epps zal vragen te bevestigen wat ze Curry in het kamp heeft verteld over haar opname in de Colony en over die door papa bevolen operatie. Naar mijn idee kan mijn vader zoiets afschuwelijks alleen hebben gedaan omdat grootvader hem daartoe dwong.

Dokter Keller, die mama had laten opnemen hoewel ze niets mankeerde en alleen op eigen benen wilde staan om niet te worden vertrapt, moet zich ook voor veel verantwoorden.

En dan Remmy Hawkins. Hij had de sheriff verteld dat hij de onder het bloed zittende blouse van mama bij de Triple S onder een steen had gevonden, wat een grove leugen was om Sam onder verdenking te plaatsen. Ik hoop dat hij in de Sing Sing belandt, maar hij zal zich wel alleen hoeven te melden bij de tuchtschool in Bedford County.

Mijn moeder moet ook nog altijd vertellen wat haar is overkomen. Maar ze heeft eerder deze dag met de rechter gesproken en hem gevraagd Woody en mij geen getuigenverklaringen te laten aanhoren die 'mijn kinderen nog meer littekens zullen bezorgen dan ze toch al hebben'.

Dus hanteert rechter Whitmore om twaalf uur zijn hamer en zegt: 'We lassen een lunchpauze in en gaan over een uur door, zonder dat de kinderen daarbij aanwezig zijn.'

Wanneer we de rechtszaal uit lopen kijk ik naar papa, grootvader en oom Blackie. Ze zijn maar nét levend het brandende huis uit gekomen en ik durf te wedden dat ze op sommige dagen wensen dat dat niet was gebeurd. Ik heb voldoende tijd in de rechtszaal van mijn vader doorgebracht om te weten dat die drie terecht moeten staan. Ze zullen schuldig worden bevonden en lange tijd worden opgesloten voor wat ze hebben gedaan. Grootvader en Blackie hoef ik nooit meer te zien, maar tegen papa zeg ik: 'Ik zal u schrijven.'

Dan ren ik de rechtszaal uit voordat hij kan zeggen: 'Doe die moeite maar niet. Ik wil nooit meer iets van je horen, kleine verraadster.'

Mama brengt ons naar het huis van oma Beezy (Woody en ik hebben toestemming gekregen haar zo te noemen, en dat zijn we toen ook meteen gaan doen) en onderweg stoppen we even om een ijsje te kopen. Mama wil dat Woody en ik de rest van de middag in het huis van Beezy aan Monroe Street blijven, tot zij haar getuigenverklaring heeft afgelegd.

Mama, mijn tweelingzus en ik zitten op de oever van de rivier de Maury ons ijsje te eten en we kijken naar het voorbij stromende water. Ik ben er zeker van dat mama zal zeggen dat morgen een rivier is die ons meeneemt naar onze mooiste dromen, omdat ze dat vroeger altijd op een moment als dit zei, maar nadat ze heel lang stil is geweest, zegt ze met een stem die elk moment lijkt te kunnen breken: 'Weten jullie wat Emily Dickinson heeft geschreven? "Het verleden is geen pakje dat je kunt wegleggen." Maar toch zullen wij ons uiterste best doen dat wel te doen, nietwaar, schatjes van me?'

Woody knikt instemmend. Ik doe dat niet. Die Emily Dickinson slaat de spijker altijd op zijn kop, denk ik bij mezelf.

37

We wonen nu bijna een maand in ons nieuwe huis.
Het is grijs, het stamt uit de tijd van koningin Victoria en het is een beetje vervallen. Het doet me sterk denken aan iets wat je in What Goes Around Comes Around kunt vinden. Er zijn geen schitterende bossen met berken en essen, en er is geen kreek met steppingstones. Er is geen brede veranda met een verwelkomende schommel die je uitnodigt een middag niets te doen. Er is ook geen schuur. In de achtertuin staat een gammel hondenhok. Dat gebruikt Ivory om zijn botten in op te slaan, maar hij ligt 's nachts liever naast Woody te snurken.

We waren er binnen de kortste keren geïnstalleerd, want we hadden niets te verhuizen. Alles wat we hadden was door de brand verwoest. Zelfs mijn verrekijker. We zijn gaan winkelen. Mama heeft boeken, kleren en een nieuwe stereo-installatie voor ons gekocht. Ze had in het ziekenhuis haar musicalplaten echt gemist, maar ze zingt niet langer mee. 'Zodra ik weer op krachten ben zullen we het huis opknappen,' zei ze tegen Woody en mij. 'En dan zal ik die baan in de bibliotheek nemen waarover ik al dacht voordat...'

Ze maakt vaak haar zin niet af. Op sommige avonden kan ik

haar gedempte gehuil door de dunne muren heen horen, maar als ik dan bij haar in bed kruip doet ze alsof ze slaapt. Dan pak ik haar hand en zeg: 'Stilmaar.' Soms zie ik mama door de tuin lopen, of stijfjes op de nieuwe leesbank zitten, starend in de verte. Naar House Mountain. Als ze die baan in de bibliotheek eenmaal heeft zal ze wel wat opvrolijken, denk ik. We hebben het geld dat ze daarmee zal verdienen niet nodig omdat ze haar erfenis heeft, maar ze zegt dat ze wíl werken, wat betekent dat ze niet zo snel opveert als ik had gehoopt.

Woody, oma Beezy en ik zijn vanmiddag naar Slidell's gegaan om het een en ander te halen voor het samenzijn dat voor vanavond staat gepland. Dat is een beetje triest, omdat afscheid nemen dat altijd is. Vera Ledbetter en haar papegaai Sunny Boy gaan weg. Vera wil haar oude baan in Norfolk weer oppakken: matrozen aangenaam bezighouden. Tegen Woody en mij zei ze: 'Ik moet jullie bedanken omdat jullie willen dat ik hier blijf en deel uitmaak van jullie leven, maar er zijn ook mensen die ík heb gemist. Sunny en ik zullen terugkomen om jullie te bezoeken, en jullie twee moeten goed voor je mama zorgen.' Daarna gaf ze ons een naar frietjes ruikende knuffel en wat zoethout. Toen Woody en ik door de deur naar buiten liepen, hoorde ik haar tegen Beezy zeggen: 'Ik heb geprobeerd een keurig leven te leiden, maar in mijn vorige baan werd ik met heel wat minder narigheid geconfronteerd. Meer waardering van de klanten, en minder vermoeiend voor mijn voeten.'

Omdat het huisje van meneer Cole en Louise ook door de brand was verwoest, logeren ze bij Vera tot zij vertrekt, en dan zullen zij de huur van haar huis overnemen. Ze helpen ons nog steeds, ook al wonen ze niet meer bij ons. Om Lou te bedanken omdat ze in haar afwezigheid zo goed voor haar meisjes had gezorgd, zei mijn moeder toen ze de vorige week mijn haren invlocht, zou ze haar helpen een eigen bedrijf op te zetten. 'De vrouwen in Mudtown hebben geen eigen schoonheidssalon. Volgens mij wordt het tijd dat daar verandering in komt.'

Daar ben ik voor, omdat Lou echt goed kan vlechten, en natuurlijk zal ik nooit vergeten dat ze ons die avond heeft gered door naar de sheriff te rennen en tegen hem te zeggen dat hij Woody en mij moest redden. Het was heel erg dapper om dat risico te nemen. Soms is één dappere daad voldoende om je mening over iemand te herzien, vind je ook niet? (Ik heb mama maar niet verteld dat Lou na middernacht met Blackie in de wei dolde, of hoe gemeen ze tegen Woody en mij deed toen ze met hem omging. Weet je waarom niet? Omdat ik haar nu in de tang heb wanneer ze besluit niet meer haar oude zelf te zijn en weer meedogenloos wordt. Zoals ik al eerder heb gezegd, is het altijd prettig een troef achter de hand te hebben.)

Meneer Cole heeft aangeboden voor Woody en mij een nieuw fort te bouwen in de achtertuin van het nieuwe huis. Daar hebben we lang en diep over nagedacht. Uiteindelijk hebben we tegen hem gezegd: 'Nee, dank u, maar we behouden ons het recht voor van mening te veranderen.' Het fort was erg veel voor ons gaan betekenen en ik denk dat we tijd nodig hebben om het goede van het slechte te scheiden en te kijken welke kant het wint.

Een paar dagen geleden ben ik in mijn eentje naar Lilyfield en de boom van het fort gegaan om te kijken of er in de rommel nog iets te vinden was wat ik kon redden. Ik vond een deel van de foto van de familiepicknick die in zorgeloze tijden op het veld vol lelies was genomen. Al die liefde. Weg. Toen ik naar dat stukje van die foto keek, haatte ik papa heel even omdat hij daar de oorzaak van was geweest. Ik vond ook de roestende koffiekan van het altaartje en het beeldje van de heilige Judas Thaddeüs. Ik zal die heilige schoonmaken en hem Woody de volgende maand op onze verjaardag geven. Dat is heel aardig van me, want nu zal ze heel verwaand gaan doen en zeggen dat ze altijd al had geweten hoe goed die heilige verloren zaken kon oplossen.

'Een goede avond, Shen en Woody,' zegt Sam, die door het tuinhek loopt. Mijn zus zit te tekenen, met de kop van Ivory op haar schoot. Ik heb mama en Sam elkaars hand zien vasthouden. Ik heb hen stiekem naar elkaar zien kijken wanneer ze dachten dat niemand naar hen keek, maar ik weet nog niet zeker of dat gewoon komt omdat ze familie van elkaar zijn of dat er meer aan de hand is. Ik weet wel dat ze het *Speranza*-horloge dat hij haar had gegeven nooit afdoet. We gaan nog steeds elke dinsdagmiddag naar de bibliotheek en zij hebben het nog wel over Shakespeare, maar ik denk dat ze de boekenvoorraad in alfabetische volgorde doornemen, want nu hebben ze het liever over Mark Twain.

Woody glimlacht en knikt naar hem. Ik kijk op en zeg: 'Hallo.' Hij ziet er beter uit dan gewoonlijk en hij ruikt niet naar benzine.

Sam gaat naast me zitten en vraagt: 'Wat schrijf je?'

'Ik leg de laatste hand aan mijn dagboek.'

Mama neemt Woody en mij elke week mee naar een speciale dokter in Charlottesville, die geen naalden in je steekt en je niet temperatuurt. Hij heeft een comfortabele spreekkamer met zitzakken en hij helpt je te praten over wat je dwarszit. Niet lichamelijk, maar in je hart en in je hoofd. Dokter Ellis Wilson stelde me voor mijn gevoelens op te schrijven, en zo ongeveer al het overige wat zich in mijn leven voordoet. Ik vond dat een goed idee. Als Woody en ik ooit naar New York City gaan verhuizen zodat zij de volgende Toulouse-Lautrec kan worden en ik de volgende Harper Lee, kan ik maar beter gaan oefenen.

'Zal ik je wat voorlezen?' stel ik Sam voor.

'Dat zou ik heerlijk vinden,' zegt hij. Zo'n aanmoedigende man is hij.

Ik begin te lezen:

'Lief dagboek, deze dag is om heel veel verschillende redenen erg belangrijk. Remmy Hawkins is naar een opvoedingsgesticht gestuurd, zoals ik al wel had gedacht. En zijn grootvader, burgemeester Jeb Hawkins, is uit zijn ambt ontzet. Ik weet niet waarom, maar dat zal ik oma Beezy morgen vragen, want dan zal ze de roddels wel hebben gehoord. Toen Woody en ik vanmorgen naar haar huis waren gegaan en toekeken hoe E.J. haar gazon maaide, vertelde ze ons dat ze Muffy Mitchell tegen June Harding had horen zeggen dat juffrouw Abigail Hawkins verkering heeft met een man die in Farmville zadels en paardentuig verkoopt.'

Sam grinnikt en dat doet Woody ook. Net zoals ik heb gegrinnikt toen ik dat nieuws over die paardachtige juffrouw Abigail hoorde.

Ik sla een bladzijde om. 'Papa, grootvader en oom Blackie zijn vandaag overgebracht naar de Red Onion State Prison.' Er is geen proces geweest. Bobby Rudd had hen aangeraden een deal te sluiten, in ruil voor een lagere gevangenisstraf. 'In de krant stond een foto van dat drietal, genomen toen ze de bus in stapten. De Edelachtbare zag er knap uit.'

De enige geluiden die we horen zijn het gezang van merels, het geluid van een paar ambitieuze krekels en een blaffende hond een straat verderop. Tot Sam nadenkend zegt: 'Dit is moeilijk voor je, hè, Shenny?'

Ik kijk in zijn vertrouwde ogen. 'Alleen vanwege papa,' zeg ik, hopend dat dat zijn gevoelens niet kwetst. Want als je in aanmerking neemt hoe alles is gegaan, zou ik degene zijn geweest die de bal aan het rollen had gebracht, maar was Sam degene die mama had gered. Daarbij kundig terzijde gestaan door Curry Weaver en sheriff Nash.

'Hoe zit het met jou, Woody?' vraagt Sam.

Mijn zus is meer gaan praten, dankzij de hulp van nog een andere dokter: een vriend van dokter Wilson, die bijzonder goed is met koppige kinderen. Hij heet Ben Abernathy. Hij heeft mama en mij verteld dat Woody in de eerste plaats was opgehouden met praten vanwege de afschuwelijke dingen die ze had gezien: haar eigen grootmoeder, iemand van wie ze hield, die probeerde iemand anders van wie ze hield – haar moeder – te vermoorden. Niet, zoals ik had gedacht, omdat ze verdriet had over de verdwijning van mama, al maakte dat er ook deel van uit. Het delicate, kunstzinnige brein van mijn zus had niets zinnigs van al dat verachtelijks kunnen maken en dus had het, om haar te beschermen, haar opgedragen te stoppen met praten. (Dat klinkt mij nogal zwakjes in de oren, maar die man heeft veel diploma's aan zijn muur hangen.)

Woody kijkt op. 'Wat zei je?'

'Mis je je vader?' vraagt Sam.

Zij kijkt naar haar knieën vol littekens en zegt direct: 'Nee.'

Zij is niet de enige. Niemand lijkt de Edelachtbare zo erg te missen als ik en daardoor voel ik me een buitenstaander. Soms, als Woody in slaap is gevallen, drinken mama en ik 's avonds nog een kop thee op het trapje van de veranda achter het huis. Ik wijs haar op de sterrenbeelden en we hebben het over hem. Op een van die avonden huilde ze in haar handen en kon ze daar lange tijd niet mee ophouden nadat ze tegen me had gezegd: 'Schatje, het is niet erg als je naar Slidell's gaat en een fles English Leather koopt om je hem te herinneren.' Ik bewaar die fles onder onze matras, omdat de geur ervan mijn zus misselijk maakt.

De achterdeur gaat open en mama, die een heel mooie jurk met rode noppen aanheeft, roept: 'Sam? Zou jij de dekschaal van de bovenste plank kunnen pakken?' Dan zegt ze tegen ons: 'De andere gasten beginnen te arriveren. Maken jullie alsjeblieft af waarmee je bezig bent en fris je dan even op.' Daarna loopt ze weer naar binnen.

Sam gaat staan, veegt zijn handen aan zijn broek af en zegt: 'Jullie hoeven je niet te schamen voor je gevoelens. Je hart luistert niet naar je brein. Als ik in dit leven iets heb geleerd, is het wel dat gevoelens gecompliceerd zijn.'

Wanneer Sam naar het huis loopt, ga ik naast Woody en Ivory zitten. Ze maakt een tekening van E.J. Honderd kleine hartjes zoemen om zijn gezicht, als vliegen die worden aangetrokken door een bord met etensresten. Daarnet zat hij nog naast haar. Hij is waarschijnlijk in de keuken om dichter bij het eten te zijn.

'Dus je houdt nog steeds van hem,' zeg ik, onder de indruk omdat ze zich niet de artistieke vrijheid heeft veroorloofd haar onderwerp mooier te maken dan hij is. 'Toen jij... Ik bedoel...' We hebben het niet vaak over de tijd dat ze niet praatte. 'Heb je die lekkere bessenlippen van Ed James gemist?'

'Shenbone, hou je waffel,' zegt Woody, precies zoals ze dat vroeger zou hebben gedaan. Het is echter niet meer zo geestig. Ik wil het voor mezelf nauwelijks toegeven, maar dokter Wilson heeft me verteld dat het onder ogen zien van de waarheid – hoe tragisch die ook is – beter is dan doen alsof, ook als je het stellige gevoel hebt dat dat niet het geval is. 'Je kunt een wond niet genezen wanneer je niet toegeeft dat je er een hebt,' had de dokter de laatste keer dat ik bij hem was tegen me gezegd. En de waarheid luidt... dat Woody en ik niet meer zijn wie we waren. Die nauwe band is er niet meer. Ik mis dat gevoel één met haar te zijn meer dan wat dan ook en ik kan alleen maar bidden dat het tijdelijk is. 'Waag het niet me te plagen met E.J.' Haar stem klinkt een beetje traag en onzeker, zoals je been kan aanvoelen als er gips omheen heeft gezeten en dat er net af is gehaald. 'Ik heb je gisteren op de begraafplaats zien zoenen. Denk maar niet dat ik dat niet heb gezien.'

Ivory en ik waren daarheen gegaan om definitief afscheid te nemen van Clive Minnow. Ik had de knoop van een soldaat van de Zuidelijken, die ik uit What Goes Around Comes Around had meegenomen, diep in de aarde van zijn graf gestopt. Ik was van plan hem namens mijn grootmoeder excuses aan te bieden voor het vergiftigen, maar ik werd afgeleid door Bootie Young, wiens bovenlijf was ontbloot en die me mijn vinger in het kuiltje in zijn kin liet steken, helemaal tot aan de eerste knokkel.

'Kom mee,' zeg ik tegen Woody. 'We moeten naar binnen.'

Wolken als bruidssluiers glijden langs de maan. Men zegt dat er onweer op komst is, maar pas laat deze avond. Toen ik jong was, dacht ik dat de sterren verdwenen als het regende. Alsof de regen ze doofde. Wanneer ik dat tegen papa zei, glimlachte hij altijd en zei: 'Ze schitteren altijd, schatje. Alleen kun je ze niet zien als er wolken zijn.'

Overdag denk ik vaak aan hem. Ik probeer hem een brief te schrijven, maar lijk nooit verder te komen dan *Lieve pap... Ik mis u*. Maar ik denk voornamelijk aan hem wanneer de sterrenbeelden vroeg te zien zijn en heel dichtbij lijken. Zoals vanavond. Ik weet dat dat gevoel hier in de buurt niet bespreekbaar is vanwege de slechte dingen die hij heeft gedaan, maar tussen jou en mij gezegd en gezwegen wenste deze helft van zijn kleine Tweeling met haar hart en ziel dat mijn vader op deze historische avond bij me was, zoals ook ons plan was geweest.

Het is 20 juli 1969. De astronauten zijn op de maan geland.

Het is die mannen veel, veel beter vergaan dan ik had gedacht.

Het enige wat ze nu nog moeten doen, is weer naar huis zien te komen.